LLYTHYRAU'R WLADFA
CYFROL 1
(1865-1945)

LLYTHYRAU'R WLADFA

CYFROL 1

(1865-1945)

Golygydd:

Mari Emlyn

Argraffiad cyntaf: 2009

(h) Mari Emlyn/Gwasg Carreg Gwalch

Rhif rhyngwladol: 978-1-84527-132-9

Mae'r cyhoeddwr yn cydnabod cefnogaeth ariannol
Cyngor Llyfrau Cymru

Cynllun clawr: Sion Ilar

Cyhoeddwyd gan Wasg Carreg Gwalch,
12 Iard yr Orsaf, Llanrwst, Conwy, LL26 0EH.
Ffôn: 01492 642031 Ffacs: 01492 641502
e-bost: llyfrau@carreg-gwalch.com
lle ar y we: www.carreg-gwalch.com

Cynnwys

Rhestr o'r llythyrau

PENNOD 1: Y fordaith, y glanio a'r helbulon (Llythyrau 1865-1870)

Y Mimosa: (1) Llythyr Hugh Hughes, Cadfan, 25 Mai 1865

Glanio: (2) Llythyr Lewis Jones, 9 Awst 1865

Siom y sefydlwyr: (3) Llythyr W. R. Jones, Y Bedol, 7 Tachwedd 1865
        (4) Llythyr William Williams, 11 Rhagfyr 1865

Yr hanes yn llawn: (5) Llythyr Joseph Seth Jones, 1 Mawrth 1866
        (6) Llythyr Abraham Matthews, 2 Mawrth 1866

Anawsterau
a helbulon: (7) Llythyr Hugh Hughes Cadfan, 5 Mai 1866
        (8) Llythyr John Jones, 5 Mai 1866
        (9) Llythyr Lewis Jones, 28 Gorffennaf 1866

Cadw Gwladfa'r
Camwy yn fyw: (10) Llythyr Michael D. Jones, 12 Gorffennaf 1866

Y Malvinas
a'r ddeiseb gudd: (11) Llythyr Jospeh Seth Jones, 8 Chwefror 1867

'Hindda ar ôl
pob drycin'?:   (12) Llythyr R. J. Berwyn, 6 Rhagfyr 1866
        (13) Llythyr D. Ll. Jones, 8 Mawrth 1867

Twmi Dimol a hynt
a helynt y Denby: (14) Llythyr Twmi Dimol, 20 Mehefin 1866
        (15) Llythyr R. J. Berwyn, 10 Mehefin 1868
        (16) Llythyr Lewis Jones, 14 Awst 1868
        (17) Llythyr Michael D. Jones, 7 Hydref 1868
        (18) Llythyr R. J. Berwyn, 24 Mai 1872
        (19) Llythyr R. J. Berwyn, 21 Rhagfyr 1897

PENNOD 2: Cyfyngderau ac unigedd (Llythyrau 1870-1885)

Y Myfanwy: (20) Llythyr Ellen Jones, 13 Mai 1870
        (21) Llythyr Lewis Jones, 17 Mai 1870
        (22) Llythyr Michael D. Jones, 16 Mehefin 1871

Yr angen
am lythyr!:   (23) Llythyr Catherine Jones, 25 Tachwedd 1871
        (24) Llythyr R. J. Berwyn, 15 Ionawr 1872
        (25) Llythyr Elizabeth Hughes, 28 Hydref 1872

Prinder
merched ifanc: (26) Llythyr John Jones, 28 Hydref 1872

'Dyfrhau ydyw yr
orchest fwyaf yma':   (27) Llythyr Aaron Jenkins, 26 Ebrill 1873

Cymry America
a'r Electric Spark: (28) Llythyr William ap Rees, 11 Mehefin 1874

Cartref yr
ymfudwyr: (29) Llythyr Ap Gutyn, 18 Medi 1875

'Un o'r gwledydd
tlotaf o dan haul':   (30) Llythyr William Edwards, 21 Gorffennaf 1877

Y Wladfa'n
costio'n ddrud: (31) Llythyr Michael D. Jones, 1 Hydref 1877

Llofruddiaeth
Aaron Jenkins: (32) Llythyr 'Gwaenydd', 21 Mehefin 1879

Yr Indiaid: (33) Llythyr Valentin Saihueque, 3 Ebrill 1881

Dyffryn
y Merthyron: (34) Llythyr Michael D. Jones, 7 Mai 1884
                           (35) Llythyr Michael D. Jones

PENNOD 3: Arloesi a chyfnod y newidiadau mawr (Llythyrau 1885-1895)

Teulu M. D. Jones: (36) Llythyr Michael D. Jones, 13 Gorffennaf 1889
                           (37) Llythyr Mrs Michael D. Jones, 14 Gorffennaf 1889
                           (38) Llythyr Mrs Michael D. Jones, 14 Gorffennaf 1889

Eluned Morgan: (39) Llythyr Lewis Jones, 10 Gorffennaf 1887
                           (40) Llythyr Eluned Morgan, Medi 1889

Merch Plas Hedd
a Mab y Bedol: (41) Llythyr Eluned Morgan, 2 Mawrth 1894
                           (42) Llythyr Eluned Morgan, 20 Mawrth 1894
                           (43) Llythyr Eluned Morgan, diddyddiad
                           (44) Llythyr Eluned Morgan, diddyddiad
                           (45) Llythyr Eluned Morgan, diddyddiad
                           (46) Llythyr Eluned Morgan, diddyddiad
                           (47) Llythyr Eluned Morgan, diddyddiad
                           (48) Llythyr Eluned Morgan, Mehefin 1894

Mintai'r Vesta: (49) Llythyr T. O. Roberts, 18 Ebrill 1890

Y Drafod:	(50) Llythyr 'Aderyn o'r Llwyn', 17 Ionawr 1891
	(51) Llythyr 'Sincyn', 31 Ionawr 1891
	(52) Llythyr 'Sincyn', 14 Chwefror 1891

Llythyr o'r
Hen Wlad: (53) Llythyr Simon a Hannah Jones, 8 Ebrill 1891

Twymyn yr aur: (54) Llythyr David Richards, 15 Tachwedd 1891
                    (55) Llythyr David Richards, 22 Tachwedd 1891

PENNOD 4: 'Heulwen a chwmwl' (Llythyrau 1895-1904)

Eluned ac
O. M. Edwards: (56) Llythyr Eluned Morgan, 20 Ebrill 1895
                    (57) Llythyr O. M. Edwards, 21 Hydref 1896
                    (58) Llythyr Elin Edwards, 22 Hydref 1896
                    (59) Llythyr O. M. Edwards, 31 Rhagfyr 1896
                    (60) Llythyr Eluned Morgan, 2 Rhagfyr 1897
                    (61) Llythyr O. M. Edwards, Nadolig 1900

Drilio ar y Sul: (62) Llythyr Owen Williams, 25 Mai 1930

Ergyd arall
i deulu MDJ: (63) Llythyr Mihangel ap Iwan, 9 Gorffennaf 1898

Y lli mawr: (64) Llythyr 'Meudwy', 10 Gorffennaf 1899
                    (65) Llythyr Llwyd ap Iwan, 9 Tachwedd 1899
                    (66) Llythyr Eluned Morgan, Chwefror 1900
                    (67) Llythyr Lewis Jones, 12 Gorffennaf 1900
                    (68) Llythyr Eluned Morgan, 30 Rhagfyr 1900
                    (69) Llythyr Eluned Morgan, 30 Awst 1901

De Affrica: (70) Llythyr Llwyd ap Iwan, 21 Tachwedd 1900

Teulu Benjamin
Pugh Roberts a
Lizzie Freeman: (71) Llythyr Elin Pugh Roberts, 9 Medi c.1901/02
                    (72) Llythyr Robert Pugh Roberts, 28 Rhagfyr 1901

Marwolaeth
Lewis Jones: (73) Llythyr Ellen Jones, 4 Rhagfyr 1904

PENNOD 5: Camu ymlaen i'r ugeinfed ganrif (Llythyrau 1905-1920)

Y Diwygiad: (74) Llythyr Eluned Morgan, 12 Awst 1905

Marwolaeth W. R.
Jones (Gwaenydd):   (75) Llythyr Gutyn Ebrill, 10 Awst 1906

Eluned Morgan
y llenor: (76) Llythyr O. M. Edwards, 6 Rhagfyr 1907
(77) Llythyr Eluned Morgan, 19 Rhagfyr 1908
(78) Llythyr Eluned Morgan, 23 Rhagfyr 1908

Mary Ann Thomas
de Freeman: (79) Llythyr Mary Ann Freeman, 8 Hydref 1908
(80) Llythyr Mary Ann Freeman, 6 Mehefin 1909

Llofruddiaeth
Llwyd ap Iwan: (81) Llythyr Robert R. Roberts, 5 Ionawr 1910
(82) Llythyr Mihangel ap Iwan, 4 Ebrill 1910

Yr Ysgol
Ganolraddol: (83) Llythyr hyrwyddwyr yr ysgol, 14 Hydref 1910

Yr Orita: (84) Llythyr Mihangel Gruffydd ap Iwan, 25 Tachwedd 1911

Y teulu Lewis: (85) Llythyr Meri Lewis, 3 Mai 1911
(86) Llythyr Mary Lewis, diddyddiad
(87) Llythyr Llewelyn Lewis, 6 Mai 1912
(88) Llythyr Llewelyn Lewis, 4 Tachwedd 1912

Y teulu Rowlands
Llanuwchllyn: (89) Llythyr John a Catherine Rowlands, 14 Medi 1911
(90) Llythyr John a Catherine Rowlands, 28 Mai 1914

Berwyn y patriarch: (91) Llythyr R. J. Berwyn, 14 Ionawr 1914

Cymylau'r
Rhyfel Mawr: (92) Llythyr Thomas Dalar Evans, 2 Ebrill 1914
(93) Llythyr E. J. Williams, Medi 1914
(94) Llythyr David Gerallt Jones, 1 Awst 1915
(95) Llythyr O. M. Edwards, 8 Ionawr 1914
(96) Llythyr T. Gwynn Jones, 18 Ebrill 1916
(97) Llythyr Mihangel ap Iwan, 27 Chwefror 1917
(98) Llythyr y teulu Rowlands, 24 Rhagfyr 1917
(99) Llythyr Laura Williams de Ulsen, 20 Chwefror 1918
(100) Llythyr Hannah Mary Ulsen de Hughes, 11 Tachwedd 1918

PENNOD 6: 'Y blynyddoedd distaw' (Llythyrau 1920-1945)

Llythyrau
Twyn Carno: (101) Llythyr M. A. Price, 5 Mai 1921

(102) Llythyr M. A. Price, 3 Hydref 1921
(103) Llythyr M. A. Price, 5 Awst 1922
(104) Llythyr M. A. Price, 19 Mai 1923

CMC,
yr afal drwg: (105) Llythyr James Hugh Rowlands, 7 Mehefin 1924

Glan Caeron: (106) Llythyr William H. Hughes, 30 Mehefin 1925

Thomas
Dalar Evans: (107) Llythyr J. S. Evans, 11 Mehefin 1925

William
Christmas Jones: (108) Llythyr William Christmas Jones, diddyddiad
(109) Llythyr William Christmas Jones, 4 Awst 1928

'Casglu gweithiau
llên y Wladfa': (110) Llythyr Tudur Evans, 20 Mai 1930

Elvira Roberts: (111) Llythyr Elvira Roberts, 6 Mawrth 1931
(112) Llythyr Elvira Roberts, 13 Awst 1931

'Do you still
speak Welsh?': (113) Llythyr Dorothy Powell, di-ddyddiad

Gorlif 1932: (114) Llythyr Elisa Dimol de Davies, 22 Chwefror 1967

Llythyr o Ganada: (115) Llythyr Cynrig a Maggie Roberts, 21 Medi 1933

Hiraeth am Gymru: (116) Llythyr J. Howell Jones, 27 Mai 1936

Llythyrau olaf
Eluned: (117) Llythyr Eluned Morgan, 24 Chwefror 1930
(118) Llythyr Eluned Morgan, 28 Mai 1936
(119) Llythyr Eluned Morgan, 14 Awst 1937
(120) Llythyr William Nantlais Williams, 7 Ionawr 1939

Pryder am ryfel: (121) Llythyr Sian Evans, 27 Medi 1938

Evan Thomas,
golygydd Y Drafod: (122) Llythyr Evan Thomas, 21 Tachwedd 1943
(123) Llythyr Morris T. Williams, 14 Gorffennaf 1944

Mynwent y Gaiman: (124) Llythyr Aaron Jenkins, 23 Ionawr 1945

Rhagair

Does gen i ddim cof o glywed hanes y Wladfa yn yr ysgol nac ychwaith am 'Dad y Wladfa', Michael D. Jones, pe bai'n dod i hynny. Mae'r diolch am fy nghyflwyno i'r Wladfa i Mam. Roedd hi wedi gwirioni ar hanes rhyfeddol y lle ers dyddiau ei phlentyndod, wrth iddi ddarllen nofelau gafaelgar R. Bryn Williams am anturiaethau gauchos Cymraeg y paith. Os gwirioni cynt, fe fopiodd ei phen yn lân â'r lle a'i phobl wedi iddi ymweld â'r Wladfa. Rhaid cyfaddef fy mod i, pan oeddwn yn blentyn, yn ffugio blino clywed am y lle. Doeddwn i ddim am gydnabod 'mod innau'n rhannu'r mymryn lleiaf o ddiddordeb yn yr Archentwyr ym mhen draw'r byd a siaradai Gymraeg gyda'r acen Sbaeneg hudolus. Plannwyd egin diddordeb, mae'n rhaid, wrth imi glustfeinio'n slei ar rai o'i hargraffiadau brwd o'r lle, ac wrth iddi groesawu byseidiau o Wladfawyr i'n cartref pan fyddent hwythau ar ymweliad â'r Hen Wlad. Gwireddwyd breuddwyd plentyn ganddi pan aeth ar ymweliad â'r Wladfa am y tro cyntaf ym 1975. Nid hwn oedd y tro olaf, gan iddi fentro draw sawl gwaith wedi hynny. Cofiaf fel y byddai'n gwirioni pan gyrhaeddai llythyr gan un o'i ffrindiau ym Mhatagonia, a minnau'n methu â deall ar y pryd beth oedd mor werthfawr mewn amlenni bach papur sidan glas a stamp yr Ariannin arnynt.

Darllen llythyr a ysgrifennodd Mam ata i a'm sbardunodd innau i fynd 'draw' y tro cyntaf. Nid llythyr cyffredin mo hwn. Yn fuan wedi i Mam farw, wrth ddechrau ar y gwaith ddirdynnol o glirio'r cartref, fe ddarganfu fy chwaer a minnau ddwy amlen fechan frown – un ar ei chyfer hi ac un ar fy nghyfer innau. Y geiriau o dan ein henwau ar yr amlenni, mewn inc coch, oedd 'Rhag ofn y byddaf farw'. Blwyddyn ysgrifennu'r ddau lythyr oedd 1975. Profiad rhyfedd i mi fel oedolyn ym 1997 oedd darllen llythyr a ysgrifennwyd ataf pan oeddwn yn ferch fach un ar ddeg oed gyda'r geiriau agoriadol 'Annwyl Mari fach'. Rhoes Mam ganllawiau i mi yn y llythyr ar sut i fyw yn dda a bod yn hapus. Wedi darllen y llythyr, bu Elin fy chwaer a minnau'n ceisio dyfalu pam y bu i Mam ysgrifennu'r llythyrau hyn at y ddwy ohonom dros ugain mlynedd cyn ei marwolaeth annhymig. Buan y cofiodd y ddwy ohonom mai ym 1975 yr aeth Mam i Batagonia am y tro cyntaf. Ofn a'i cymhellodd i ysgrifennu atom; yr ofn mwyaf hwnnw, sef marwolaeth. Cyn hynny doedd Mam erioed wedi gadael y ddwy ohonom am gyfnod hir, ac yn sicr ddim wedi teithio mor bell hebom. Ymddengys i'r syniad o hedfan i ben draw'r byd godi ofn arni. Yr hyn sy'n fy nharo i erbyn hyn yw, os oedd ar Mam gymaint o ofn hedfan mor bell i ymweld â Phatagonia, pa ofnau a gorddai'r Cymry a hwyliodd ar y *Mimosa* ym 1865 i fynd yno i fyw?

Yn dilyn marwolaeth Mam, derbyniodd Elin a minnau lythyrau a chardiau dirifedi gan bobl nad adwaenem o'r Ariannin. Roedd eu geiriau o gydymdeimlad yn gysur mawr. Gwnaeth y Wladfa argraff ar Mam, ond o ddarllen y llythyrau cydymdeimlo gan rai o'r Gwladfawyr, gwelir iddi hithau greu cryn argraff arnynt hwythau hefyd. Penderfynodd Elin a minnau fynd ar bererindod i'r Wladfa er mwyn cyfarfod â rhai o'i chyfeillion a chael gweld drosom ein hunain beth yn union oedd atyniad y lle iddi. Ni chawsom ein siomi. Rydw innau, ers yr ymweliad cyntaf hwnnw ym 1998, wedi bod yn ôl yno ddwywaith ac yn edrych ymlaen at fynd eto. Do, fe aeth y Wladfa i'm gwaed innau.

Ni bu'n fwriad gennyf i ysgrifennu llyfr am y Wladfa, ond wrth ddarllen cyfrol hyfryd Hazel Walford Davies, *Llythyrau Syr O. M. Edwards ac Elin Edwards, 1887-1920* daeth enw'r llenor o'r Wladfa, a merch yr arloeswr Lewis Jones, Eluned Morgan i'm sylw. Roeddwn i wedi clywed Mam yn sôn amdani ac wedi cyfarfod â dwy o wyresau Myfanwy, chwaer Eluned, sef Tegai Roberts a Luned Vychan Roberts de González, pan ddaethant i aros atom yng Nghoed y Pry. Crybwyllir enw Eluned sawl tro yng ngohebiaeth fy hen daid a'm hen nain a gwnaeth hyn fi'n chwilfrydig. Dyna'r drafferth efo darllen llythyrau pobl eraill – mae'n eich gwneud yn sobr o fusneslyd! Beth yn union oedd y berthynas rhwng OM ac Eluned, a pham roedd Elin Edwards mor bigog wrth sôn amdani?

Rhwng cael fy nghyffwrdd gan lythyrau cydymdeimlo'r Gwladfawyr adeg colli Mam a darllen am Eluned yn llythyrau fy hen daid a'm hen nain, esgorodd hyn ar ddiddordeb obsesiynol yn y llythyr fel cyfrwng, ac yn arbennig felly lythyrau gan Gymry'r Wladfa. Cynigiais y syniad o gasglu llythyrau'r Gwladfawyr a'u dethol ar gyfer cyfrol i Myrddin ap Dafydd yng Ngwasg Carreg Gwalch, a rhaid diolch yma iddo am ei ffydd a'i frwdfrydedd wrth drafod y syniad cychwynnol. Credwn ar y pryd y byddai didoli pentwr o lythyrau'r Gwladfawyr a'u gosod mewn trefn yn waith cymharol hawdd. Ychydig a feddyliais yr adeg honno y byddwn i'n dechrau ar brosiect maith ac y byddwn, rhwng gwaith a theulu, yn byw Patagonia ddydd a nos am yn agos i dair blynedd. Os dysgodd llunio'r gyfrol hon rywbeth i mi, fe ddysgodd imi barchu golygyddion llyfrau o'r math hwn! Sobor o beth yw cyfaddef fy mod, wrth ymchwilio i hanes y Wladfa yn ystod y bedwaredd ganrif ar bymtheg a dechrau'r ugeinfed ganrif, wedi dysgu dipyn am hanes fy ngwlad fy hun. Pe na bai ond am hynny, rwy'n ddiolchgar i'r Wladfa.

Rhaid cydnabod imi gael y gwaith yn feichus ar brydiau a difaru ei ddechrau. Buan y gwelais fod angen hanesydd i wneud cyfiawnder â'r gwaith, a minnau'n gwybod nad ydwyf hanesydd. Yr hyn a'm cymhellai i ddyfalbarhau yn aml oedd llythyr neu e-bost gan un o'r Gwladfawyr, neu gan rywun o Gymru yn cynnig copïau o hen lythyrau, neu wybodaeth ychwanegol. Tra oeddwn i'n eistedd wrth fy nghyfrifiadur yn nhrymder gaeaf Cymru, roedd Joyce Powell yn haf hyfryd Esquel yn crwydro mynwentydd a holi perthnasau am gefndir rhai o awduron y llythyrau ar fy rhan. A dyna fi wedi dechrau enwi rhai a fu o gymorth wrth lunio'r gyfrol! Peth peryg yw enwi wrth ddiolch, ac ni allaf enwi pawb gan fod cymaint ohonynt, ond mentraf gyfeirio at ambell un gan y byddai wedi bod bron yn amhosib cwblhau'r gyfrol hebddynt. Maddeued imi os anghofiaf rywun neilltuol. Cefais fenthyg copïau dirifedi o hen lythyrau, ac ni fu'n bosib eu cynnwys i gyd yn y gyfrol. Diolchaf yma rhag blaen i bawb a gysylltodd â mi wrth ymateb i'm cais am hen lythyrau. Mae enw sawl un sydd wedi bod o gymorth yn cael ei hepgor yma, ond byddant yn cael eu cynnwys yn rhagair yr ail gyfrol a fydd yn canolbwyntio ar lythyrau mwy diweddar y Wladfa. Ond am y tro, dyma ddiolch o waelod calon i'r canlynol:

O'r Wladfa:
Joyce Powell, May Williams de Hughes, Gweneira Davies de González de Quevedo, Rini Griffiths de Knobel, Aira ac Elgar Hughes, Catrin Morris de Junyent, Eileen James a Dewi Mefin Jones, Iola Evans, Ellis Roberts, Alen Evans de Williams, Ivonne Owen, Vivian MacDonald, Owen Tydur Jones, Alwina Thomas Bs Aires, Tegai Roberts am ddarllen y broflen i wirio rhai ffeithiau hanesyddol, Luned Vychan Roberts de González a Fabio González am ganlyn aml i sgwarnog, ac i'm golygydd amyneddgar, Esyllt Nest Roberts de Lewis.

O Gymru:
Sian Rees, Robin Gwyndaf, Glyn Williams, Dafydd Tudur, Beryl Griffiths, Beti a Ned Rowlands, Steff Wyn, Gareth Miles, staff Llyfrgell Genedlaethol Cymru (yn enwedig Ceris Gruffudd, William Traunton ac Arwel "Rocet" Jones), Staff Archifdy Prifysgol Bangor (yn enwedig Einion Thomas), Staff Archifdy Gwynedd/Caernarfon, Geraint Pierce Williams, Helen Ellis ac i'm cyhoeddwr Myrddin ap Dafydd.

Diolch yn bennaf oll i'm teulu hirymarhous, gan ymddiheuro am orfod bwyta pob swper yn ystod y misoedd diwethaf ynghanol pentyrrau blêr o gyfrolau, cylchgronau a llythyrau Gwladfaol. Bydd y bwrdd bwyd yn dwt am gyfnod – hyd nes imi ailafael yn yr ail gyfrol!

Cyflwynaf y gyfrol hon gyda'r parch a'r edmygedd mwyaf i Gymry'r Wladfa ddoe a heddiw.

Mari Emlyn,
Gorffennaf 2009

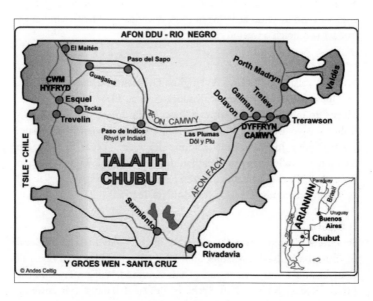

Map: Andesceltig.

Rhagarweiniad

Nid llai nag ynfydrwydd oedd ceisio gwladychu tiroedd eang Patagonia, ond ynfydrwydd arwrol serch hynny. I'r ymfudwyr cyntaf o Gymru i Batagonia, mae un peth yn sicr, roedd y llythyr yn anhraethol bwysig; dyma'u hunig gyswllt â'r 'Hen Wlad'. Profodd y Gwladfawyr unigrwydd enbyd yn ystod y blynyddoedd cynnar. Yn wir, fe âi dros flwyddyn weithiau heb i long basio. Dim llong, dim llythyr; dim llythyr, dim cyswllt. Rwy'n siŵr y byddai'r sefydlwyr cyntaf wedi cytuno â sylw'r Arglwydd Byron rai degawdau ynghynt mai 'ysgrifennu llythyr ydy'r unig ddyfais i gyfuno unigedd â chwmni da'. Anodd dirnad y cynnwrf wrth dderbyn amlen a'r holl ddisgwyliadau, yr ofnau a'r gobeithion a deimlid yn yr eiliadau cyn ei agor. Roedd y llythyr, fel cyfrwng, yn estyn dwylo dros y môr.

Mae'n debyg i mi ddarllen ymhell dros fil o lythyrau yn ymwneud â saga'r Wladfa. Dyna eglurhad pam y bu'n rhaid rhannu *Llythyrau'r Wladfa* yn ddwy gyfrol. Anfonwyd dros bum cant o lythyrau ataf gan bobl a ymatebodd i'm cais am lythyrau o'r Wladfa. Roedd y caredigion hyn, fel finnau, yn gweld yr angen i grynhoi'r llythyrau archifol hyn cyn i lawer ohonynt fynd ar goll. Clywais amryw (yn y Wladfa ac yng Nghymru) yn gresynu iddynt luchio bocseidiau o hen lythyrau'r teulu am nad oeddent, ar y pryd, wedi gweld eu gwerth. Yn wir, pan oeddwn yn y Wladfa, cefais docyn o lythyrau Eluned Morgan gan hen wraig a ddywedodd ei bod am eu rhoi i mi gan y tybiai na fyddai neb yn gallu eu darllen ar ôl iddi hi farw. Darllenais rhai cannoedd o lythyrau ym mhapurau Cymraeg Cymru-America ac wrth gwrs yn *Y Drafod* yn y Wladfa. Gwir dweud y gallwn lenwi sawl cyfrol o lythyrau'r Wladfa. Chwaeth bersonol sydd i gyfrif am y dewis ar gyfer y gyfrol hon a'r nesaf. Detholais y llythyrau a apeliodd ataf oherwydd eu gwerth hanesyddol ac ar brydiau oherwydd mympwy emosiynol yn ogystal. Gallai rhywun arall, gyda'r un detholiad o lythyrau, fod wedi llunio cyfrolau tra gwahanol. Gwedd Gymreig sydd ar y llythyrau a ddewisais. Pe bai un o drigolion y Wladfa wedi llunio'r ddwy gyfrol, diau y byddai arnynt wedd fwy Archentaidd.

Yr her gyntaf a'm hwynebodd wrth baratoi'r gyfrol hon oedd penderfynu ble i ddechrau! Pa lythyr fyddai'r cyntaf i'w gyhoeddi yn y gyfrol? Ymfudai'r Cymry i bedwar ban y byd bron bob wythnos yn ystod y bedwaredd ganrif ar bymtheg. Ceir hysbysebion a llythyrau brwd o fewn y papurau a'r cylchgronau Cymraeg yn ceisio symbylu'r syniad o

Wladychfa Gymreig yn ystod y cyfnod hwn. Deuai'r diddordeb yn bennaf o blith y Cymry a ymfudodd i'r Unol Daleithiau. Yn ôl John Davies yn *Hanes Cymru* (t. 397): 'Er bod cryn anawsterau ynglŷn â'r ystadegau, dichon fod o leiaf 60,000 o Gymry wedi ymfudo i'r Unol Daleithiau rhwng 1850 a 1870'.

Diddorol yw sylwi felly mai o'r tu allan i Gymru y tarddodd y diddordeb mwyaf mewn sefydlu gwladychfa Gymreig. Gwir dweud hefyd mai tra oedd yn yr Unol Daleithiau ym 1847 y tystiodd Michael D. Jones, y Bala (1822-1898) i'r ymfudwyr uniaith Cymraeg wynebu anawsterau dyrys wrth ymgartrefu yno. Doedd dim llawer o obaith am ddyrchafu o'u tlodi heb ymdoddi i'r cymdeithasau Seisnig. Gwelir o lythyrau M. D. Jones yn y cyfnod hwn iddo deimlo i'r byw i'r ymfudwyr o Gymru yn yr Unol Daleithiau fynd ar chwâl a chael eu boddi gan yr iaith Saesneg a'r ffordd 'Americanaidd' o fyw. Gweithiodd yn ddiflino er mwyn rheoli'r ymfudiad drwy sefydlu gwladychfa Gymraeg er mwyn crynhoi'r Cymry i un fangre. Byddai hyn yn rhoi'r cyfle iddynt gael byw eu bywyd drwy gyfrwng yr iaith Gymraeg a thrwy hynny gadw eu hurddas.

Erbyn mis Tachwedd 1848, roedd M. D. Jones wedi sefydlu Cymdeithas y Brython er mwyn ceisio rhoi cymorth ariannol i alluogi tlodion o Gymru i ymfudo. Ym mis Hydref yr un flwyddyn dechreuodd ysgrifennu llythyrau i'r papur *Y Cenhadwr Americanaidd*[1]. Yn y llythyrau hyn gwelwn nad Patagonia oedd ei ddewis cyntaf fel man i'w wladychu. Mae'n crybwyll lleoedd megis Oregon, Wisconsin a Phalesteina. Er mor ddiddorol yw'r llythyrau hyn, byddai'r gyfrol hon yn llawer rhy hir pe bawn yn dechrau mor bell yn ôl â'r 1840au.

Roedd 1855 yn flwyddyn y bûm yn ei hystyried fel blwyddyn agoriadol i'r gyfrol. Ar ddydd Nadolig y flwyddyn honno ffurfiwyd Cymdeithas Wladfaol yn Camptonville, Califfornia. Sefydlwyd nifer o gymdeithasau tebyg ar hyd ardaloedd Cymreig yr Unol Daleithiau. Dywed Lewis Jones yn *Hanes y Wladva Gymreig Tiriogaeth Chubut, yn y Weriniaeth Arianin, De Amerig* (1898), t. 30:

> Pan ymddangosodd cylchlythyr Cymdeithas Wladvaol Califfornia yn yr Amserau, un o'r rhai cyntaf i vabwysiadu y syniad oedd H.H. Cadvan, Caernarvon; yr hwn, ar ôl gohebu gydag M.D.J., ac ymgynghori gydag L.Jones, ac Evan Jones, argrafwyr Caernarvon, a sefydlodd yno gymdeithas i wyntyllio y mater ...

Daeth Cadfan yn un o'r ymgyrchwyr ffyrnicaf dros y Wladfa ym Mhatagonia ac ysgrifennai'n gyson i'r wasg ar y pwnc. Prociwyd y tân eto yng Nghymru gan hysbyseb a gyhoeddwyd yn y *Times* (8 Medi 1856) gan lywodraeth talaith Buenos Aires yn annog ymfudwyr i boblogi tiroedd eang yr Ariannin. (Doedd tiriogaeth enfawr Patagonia – sydd bum gwaith maint Prydain – ddim yn rhan o'r Ariannin yr adeg honno. Roedd yr Ariannin a Chile â'u llygaid arni, ac o'r herwydd, croesawodd yr Ariannin y Cymry i ymsefydlu yno.) Ymatebodd M. D. Jones i'r hysbyseb hwn a chyhoeddwyd llythyr ganddo yn *Y Drych a'r Gwyliedydd* ym 1857. Yma y gwelir crybwyll Patagonia ganddo fel man addas.

Gwnaeth M. D. Jones elynion lu oherwydd ei sêl danbaid ac unllygeidiog dros Wladychfa Gymraeg. Dywed un ddihareb Tseinïaidd na ddylech ysgrifennu llythyr tra'ch bod yn flin neu wedi eich cynddeiriogi. Pe bai M. D. Jones wedi dilyn y cyngor hwnnw, ni fyddai gennym y swmp llythyrau sydd wedi goroesi. Yn ogystal â'i lythyrau meithion dros achos y Mudiad Gwladfaol yn y wasg, byddai hefyd yn ysgrifennu llu o lythyrau personol. Tipyn o syndod oedd canfod llythyrau caru M. D. Jones at ei ddarpar wraig Anne Lloyd o Ruthun (Llythyrau caru MDJones at Anne Lloyd. Bangor 7770), nid yn gymaint oherwydd eu cynnwys, er mor ddifyr ydyn nhw, ond am eu bod yn Saesneg! Bu'n rhaid i M. D. Jones ymlafnio'n ddygn i argyhoeddi Anne Lloyd i'w briodi, ac ymddengys mai un o'i hofnau hi oedd ei ymlyniad ef at Batagonia. Rhaid edmygu ei ddycnwch! Mewn llythyr ati ym 1859 (Bangor 7827), mae'n codi pwnc Patagonia:

> ... This mess is not quite so ugly as the Patagonian Ghost that is in every letter of yours. I do not understand why you are talking for ever about it to me, I have told you times without number that I should never leave the country in an imprudent way, and I should never go against the will of my wife, and leave her behind, or take her against her will. I can never say that I shall never go to Patagonia. A whim may possess you, and I should have no peace without going ... Tho' my heart burns for Wales, I shall never do anything inconsistent with your comfort & happiness ... But I am sure I shall hear in the next letter about Patagonia ...
> With great respect & unbounded love. Your ever attached Mixael

Roedd gan Anne Lloyd, Plas-yn-rhal, Rhuthun le i boeni am ymlyniad ei darpar ŵr tuag at wladychu Patagonia. Deuai Anne, a oedd yn unig blentyn, o gefndir cefnog, a'i harian hi a ddihysbyddwyd gan M. D. Jones i ariannu'r fenter. Ei harian hi a dalodd rhywfaint o gostau Lewis Jones a Love Jones Parry wrth iddynt fynd i archwilio Patagonia ym 1862. (Dyna fan cychwyn posib arall i'r gyfrol hon, gan fod sawl llythyr diddorol o'r cyfnod hwnnw yn adrodd hanes anturus Lewis Jones a Love Jones Parry ar eu hymweliad cyntaf â Phatagonia.) Anne Lloyd a gyfrannodd dros £2,000 i dalu am y *Mimosa* hefyd. Gan na fedrai'r rhan fwyaf o'r ymfudwyr dalu am eu cludiad ar y llong i Batagonia, M. D. Jones ac Anne a dalodd eu treuliau hyd nes y byddai ganddynt fodd i'w talu'n ôl, ond ni wyddys i sicrwydd a wnaed hynny'n llawn. Dywed RBW am MDJ mewn erthygl ar 'Rhai Ymfudwyr o Feirionnydd i'r Wladfa' (*Journal of the Merioneth Historical and Record Society*, Vol. 5, 1965-68, t.51) 'Gwariodd ffortiwn ei wraig ar y mudiad, tua £6,000, arian mawr iawn y pryd hwnnw, ac ni chafodd ond y nesaf peth i ddim ohono'n ôl.' Yn ychwanegol at hyn, derbyniodd M. D. Jones filiau o Buenos Aires am nwyddau a dderbyniodd Lewis Jones ar gyfer trigolion y Wladfa.

Yn wir, gellid bod wedi cyhoeddi cyfrol swmpus o lythyrau M. D. Jones yn unig, ond er pwysiced ei gyfraniad, doeddwn i ddim am i'r gyfrol hon droi'n gyfrol Michael D! Wedi dweud hynny, mae llythyrau ei deulu yn britho'r gyfrol, a hynny am eu bod yn gofnod hanesyddol yn ogystal â'r ffaith eu bod yn ddiddorol.

Un nodwedd amlwg o lythyrau M. D. Jones yw eu bod yn rhai maith, a bu'n rhaid eu golygu'n o hegar. Ceir yr argraff ei fod yn aml yn ei dweud hi yn ei lythyrau, ac unwaith yr oedd wedi dechrau, ni fyddai terfyn ar ei druth. Adlewyrcha hyn ei gymeriad tanbaid a'i frwdfrydedd penboeth tuag at ei Wladychfa Gymreig.

Cwestiwn arall a gododd ei ben oedd nid yn unig llythyrau o ba flwyddyn a fyddai'n dechrau'r gyfrol ond pa fath o lythyrau: llythyrau personol neu rai o'r wasg? Cymerodd gohebiaethau'r wasg ran allweddol yn hanes sefydlu'r Wladfa ym Mhatagonia a gallasai'r llythyrau a gyhoeddwyd hefyd fod wedi dymchwel y fenter yn llwyr.

Gwir dweud mai Radicaliaid anghydffurfiol tebyg i M. D. Jones fu'n gyfrifol am y cynnydd yn nifer y papurau newydd a'r cylchgronau Cymreig yn ystod y bedwaredd ganrif ar bymtheg. Roedd y papurau Cymraeg yn offerynnau effeithiol i ledaenu barn genedlaethol ac i hyrwyddo gwahanol fudiadau. Dywed J. E. Vincent yn *Letters from Wales* (1889):

> The growth of journalism, and of vernacular journalism in particular, in the Principality has of late years been little short of

phenomenal. My impression, indeed, is that Wales supports more journals in proportion to its population than any other part of the civilized world.

Roedd y wasg Gymraeg yn ddiwyd yn yr Unol Daleithiau hefyd yn ystod y cyfnod hwn. Roedd y papurau hyn yn gyfryngau pwerus iawn i bobl fel M. D. Jones a oedd am geisio argyhoeddi eu cyd-wladwyr yng Nghymru a thramor i gefnogi'r syniad o Wladychfa Gymraeg. Defnyddid y papurau hefyd gan bobl a wrthwynebai'r syniad o Wladychfa ym Mhatagonia. Ysgrifennai nifer o'r gwrthwynebwyr hynny dan ffugenwau. Roedd y llythyrau, ar brydiau, yn ffyrnig o faleisus ac enllibus.

Un arall a ddefnyddiodd y wasg er mwyn lledaenu neges y Wladychfa Gymreig oedd yr argraffydd o Gaernarfon ac arloeswr mawr y Wladfa ym Mhatagonia, Lewis Jones. Roedd yn gymeriad diddorol a chymhleth, a braf, rhyw ddiwrnod, fuasai gweld cydnabyddiaeth o'i gyfraniad ar ffurf bywgraffiad. (Mae'n syndod i mi nad oes un wedi ei gyhoeddi hyd yma.) Roedd ei allu a'i brofiad yn y maes argraffu yn fanteisiol iawn i'r Mudiad Gwladfaol. Pan symudodd ei swyddfa argraffu o Gaergybi i Lerpwl, dywedodd i hynny roi '(c)yvle i'r Pwyllgor Gwladvaol ddefnyddio Trosol Mawr y Wasg i glirio'r ford' (*Hanes y Wladva Gymreig Tiriogaeth Chubut, yn y Weriniaeth Arianin, De Amerig,* t. 34).

Nid gormodiaith yw dweud y byddai sefydlu gwladychfa fel yr un ym Mhatagonia wedi bod bron yn amhosibl heb y llythyrau a heb y wasg. Dyna pam mae cynifer o'r llythyrau cynnar yn y gyfrol hon yn llythyrau a gyhoeddwyd yng ngwahanol bapurau Cymraeg y cyfnod. Mae rheswm arall, mwy ymarferol wrth gwrs, sef bod llawer mwy o lythyrau o'r wasg wedi goroesi na rhai personol, preifat. Collwyd stôr o lythyrau a dogfennau gwreiddiol a gwerthfawr yn y Wladfa adeg llifogydd difaol 1899.

Ble roedd dechrau felly? Fyddai'r llythyr cyntaf yn llythyr o Gymru neu'n llythyr o'r Wladfa? Yn llythyr personol neu'n llythyr i'r wasg? Pan ddarllenais, am y tro cyntaf, lythyr Cadfan i'r wasg oddi ar fwrdd y *Mimosa,* gwyddwn fy mod wedi darganfod man cychwyn posib. Cadfan oedd ysgrifennydd Pwyllgor Gwladychfaol Lerpwl. Dywed R. Bryn Williams amdano yn *Y Wladfa* (1962), t. 54:

Ymddengys i mi mai penboethni Cadfan a gadwodd y fflam ynghyn yng Nghymru, gan dynnu eraill i mewn iddi nes llosgi ohonynt eu bysedd. Oni bai am Cadfan, ni chredaf y buasai'r Wladfa wedi ei sefydlu o gwbl ... Saer Coed corfforol oedd Cadfan, wedi llwyr feddwi ar y Wladfa ... Cadfan a roes glefyd y Wladfa i Lewis Jones ...

Er nad oedd y *Mimosa* wedi gadael Lerpwl, roedd Cadfan yn ysgrifennu ei lythyr ar fwrdd y llong, ac nid ar dir Cymru na'r Wladfa. Dyma lythyr a ysgrifennwyd rhwng y ddwy wlad a'r flwyddyn hanesyddol 1865 yn fan priodol i gychwyn. Yn wahanol i'r rhan fwyaf o'r llythyrau rwyf wedi eu darllen, mae hwn yn llythyr byr, ac felly rwyf wedi llwyddo i'w gyhoeddi yn ei gyfanrwydd. Gall hyd llythyr ddweud cyfrolau. Ym merw'r ffarwelio a'r paratoi i hwylio, nid oedd cyfle i ysgrifennu llythyr hirfaith. Ychydig a freuddwydiodd y sefydlwyr ar fwrdd y *Mimosa* am y caledi a'r hunllefau oedd yn eu hwynebu yn eu gwlad newydd dros y misoedd a'r blynyddoedd i ddod. Honnir mai Cadfan oedd y cyntaf o deithwyr y *Mimosa* i roi ei draed ar dir Patagonia ac iddo gusanu'r tir ar ôl glanio.

Yng nghyfnod cynnar llythyrau'r gyfrol hon fe welir mai dynion yw'r rhan fwyaf o'r awduron. Llythyrau swyddogol, llythyrau propaganda a llythyrau'n trafod busnes sefydlu'r Wladfa yw'r mwyafrif ohonynt. Mae amryw o'r llythyrau hyn wedi eu hysgrifennu gyda'r bwriad o gael eu cyhoeddi mewn papurau yng Nghymru. Mae'n anorfod felly bod yr arddull yn ymylu ar y newyddiadurol ac mai rhyw fath o gronicl yw'r llythyrau cyntaf yma. Wrth i'r Gwladfawyr ddechrau cael trefn ar eu gwladfa newydd fe welir gostyngiad yn y llythyrau gan y dynion a daw'r merched fwyfwy i'r amlwg. Mae'r llythyrau'n datblygu i fod yn llythyrau mwy agos-atoch. Y llythyr cyntaf gan ferch yn y gyfrol hon yw llythyr cyntaf yr ail bennod ('Cyfyngderau ac unigedd: Llythyrau 1870-1885'), gan Ellen Jones (gwraig Lewis Jones) at ei mam a'i brawd yng Nghymru. Mae hwn, fel llawer o'r llythyrau eraill gan ferched, yn canolbwyntio ar faterion gwahanol i wladychu ac ymfudo; mae mwy o bwyslais ar bynciau sy'n trafod geni, priodi a marw yn llythyrau'r merched.

Gwelir cynnydd yn y llythyrau gan ferched yn ail gyfrol *Llythyrau'r Wladfa* a fydd yn ddilyniant i hon. Bydd sawl un o'r llythyrau hynny rhwng gwragedd y Wladfa a Chymru na wnaethant gyfarfod erioed. Mae llythyrau'r ail gyfrol yn fwy personol ac emosiynol eu naws. Yn wahanol i lythyrau'r gyfrol hon ceir dogn galonogol o hiwmor yn y llythyrau mwy diweddar. Mae hiwmor llythyrau'r gyfrol gyntaf yn arwyddocaol o brin, ac yn arbennig felly yn y llythyrau cynnar. Adlewyrcha'r llythyrau galedi, dewrder, perygl ac yn bennaf oll hiraeth y Gwladfawyr am wlad eu mebyd ac am eu ceraint.

Yn ogystal â bod yn gyfrwng i gyfathrebu, roedd i'r llythyr le pwysig yn natblygiad llenyddol y Wladfa. Pennwyd y llythyr fel ffurf ar gyfer testunau ysgrifenedig yr Eisteddfod. Rwyf wedi cynnwys rhan o lythyr gan Meudwy (Lewis Evans) a enillodd iddo wobr yn Eisteddfod 1899 am ysgrifennu llythyr at gyfaill yng Nghymru. Mae'n amlwg y rhoddid pwys yn yr ysgol yn y Wladfa ar y grefft o ysgrifennu llythyr, ac un o'r disgyblion a ddisgleiriodd yn y maes hwn oedd Eluned Morgan. Mewn llythyr at John y Bedol ym 1894, dywed Eluned wrtho: ' ... mae ysgrifennu llythyr yng ngwir ystyr y gair yn dipyn o gamp' (LlGC 17525).

Dywed R. Bryn Williams yn ei fywgraffiad ohoni, *Eluned Morgan* (1948), t. 15:

> Mae'n amlwg mai datblygu'r ddawn honno i ysgrifennu llythyr a wnaeth yn ddiweddarach, oherwydd arddull llythyr sydd i'w llyfrau; arddull gyfeillgar, agos-atoch a diddorol, ac eto'n arbennig o fyw a disgrifiadol a barddonol. Ceir yr un nodweddion yn ei llythyrau ac a geir yn ei llyfrau ... Nid llythyrau cyffredin mo'i llythyrau hi, ond llenyddiaeth fyw; ac nid rhyddiaith farw mo'i llyfrau, ond llythyrau bywiol.

Mae dwy gyfrol o'i gohebiaeth hi eisoes wedi eu cyhoeddi, sef *Tyred Drosodd* (ei gohebiaeth hi a Nantlais), a *Gyfaill Hoff* (ei llythyrau hi at William George). Drwy gyfrwng y llythyrau hyn fe ddown i adnabod cymeriad diddorol ac anghonfensiynol Eluned. Ceir llythyrau eraill ganddi, nas cyhoeddwyd hyd yma, yn y gyfrol hon. Rhoddaf fwy o ofod i drafod Eluned na'r un unigolyn arall. Nid ymddiheuraf am hynny. Eluned a'm harweiniodd i ymchwilio i lythyrau ac a fagodd ynof y diddordeb mewn llythyr fel cyfrwng llenyddol, yn ogystal â'i brif amcan o fod yn ffurf ar gyfathrebu. Cefais fy swyno gan Eluned. Dyma bersonoliaeth hynod. Cymeriad cymhleth, llawn deuoliaeth – yn arweinydd wrth reddf ac eto'n dioddef o ddiffyg hunanhyder; yn ufudd ac eto'n rebel; yn parchu traddodiad ac eto'n anghonfensiynol.

Mae'r casgliad hwn o lythyrau yn cwmpasu rhychwant eang o emosiynau ac yn arddangos y grefft syml ond bythol o ysgrifennu llythyr. Mae'r broses o ddarllen llythyr yn orchwyl wahanol iawn i ddarllen stori, cerdd, neu ysgrif. Rhaid i'r darllenydd yn aml iawn fynd i fyd llythyrwr nad yw'n ei adnabod, heb fawr o ragarweiniad. Rhyw fath o ymgon a geir mewn llythyr a'r darllenydd yn gorfod defnyddio dipyn go lew ar ei ddychymyg. Cyfyd cwestiynau lawer wrth ddarllen: pwy yw'r awdur ac at bwy mae'n ysgrifennu? Ym mhle roedd o – oedd ganddo olau, digon o bapur, digon o inc; oedd ganddo lonydd i ysgrifennu? Beth oedd ei gymhelliad i ysgrifennu? Sut roedd y llythyrwr yn teimlo ar y pryd; beth oedd ei amgylchiadau; a pha effaith tybed a gafodd ei eiriau ar y derbynnydd? Dyry ambell awdur syniad yn ei lythyr o'i amgylchiadau wrth ysgrifennu, gan ganiatáu i'r darllenydd sbecian dros ei ysgwydd fel 'tae. Un enghraifft o hyn yw llythyr Lewis Jones at ei fam o Borth Madryn ym 1870, wedi iddo hwylio ar y *Myfanwy* o Brydain i'r Wladfa (gw. llythyr 21):

> ... Pe gwelech y lle rwy'n ysgrifenu hyn fe welech mor anhawdd yw gyru dim yn drefnus atoch – mewn ogof fudr, ac oddeutu dwsin o bobl yn clebar ar draws eu gilydd ...

Llofnoda Lewis Jones y llythyr hwn ' ... yn faw o'i goryn i'w draed'.

Dichon nad yw'r llythyrau yn rhoi darlun cyflawn i ni o hanes cynnar y Wladfa, ond fe gawn gipolwg ar brofiadau rhyfeddol a theimladau dirdynnol y dynion a'r merched a fentrodd i Batagonia, ynghyd â hynt a helynt rhai o'u disgynyddion. Nid cipolwg o hanes y Wladfa yn unig a geir drwy gyfrwng y llythyrau hyn, ond cipolwg hefyd ar fywyd yng Nghymru yn ystod y cyfnod hwn. Mae'r llythyrau'n drysorau, nid yn unig am eu bod yn hanesyddol ond am eu bod hefyd wedi eu hysgrifennu drwy gyfrwng yr iaith Gymraeg. Er mwyn cadw cysylltiad â'u teuluoedd yng Nghymru, roedd yn rhaid i'r Gwladfawyr – boed nhw wedi arfer ysgrifennu ai peidio – ddefnyddio'r Gymraeg a dibynnu ar wamalrwydd y post. Rwyf wedi cynnwys ambell i lythyr Saesneg yn y gyfrol gan fod y ffaith iddyn nhw gael eu hysgrifennu'n Saesneg yn dweud llawer wrthym ni am safle'r Gymraeg ar y pryd yng Nghymru ac yn y Wladfa.

Roeddwn yn awyddus i'r llythyrau (yn y ddwy gyfrol), o'u darllen yn eu trefn gronolegol, roi blas i ni o stori'r Wladfa o'i dechrau cythryblus hyd at heddiw. Mae ambell lythyr yn stori fer ynddo'i hun tra bo eraill ond yn cofnodi un digwyddiad arbennig. Gall y darllenydd ddarllen pob llythyr yn ei drefn, neu bigo ambell i bennawd, neu gyfnod sy'n apelio. Mae'r llythyrau'n gofnod hanesyddol, ond hefyd yn llawer iawn mwy na hynny. Dyma dystiolaeth gan bobl a fu'n byw'r hanes rhyfeddol hwn. Mae modd gor-ramantu'r hanes. Nid oedd pawb a ymfudodd yno, na'u disgynyddion, yn gwbl ddilychwin. Er i'r Cymry drin y brodorion yn well na'r Sbaenwyr, dydw i ddim chwaith mor naïf ag i lyncu'r dybiaeth fod pob un o'r Cymry a'r brodorion yn gyfeillion mynwesol. Mae'r ffaith i'r Cymry gyfnewid torth o fara am geffyl gan y brodorion yn awgrymu anghyfartaledd dybryd! Ond roedd manteision ymarferol gan y ddwy ochr wrth geisio cyd-fyw. Yn wir, cafodd y brodorion gydnabyddiaeth gan y llywodraeth er mwyn iddynt gadw'r heddwch gyda'r ymsefydlwyr. Dywed Lewis Humphreys yn ei lythyr dyddiedig 6 Tachwedd 1865 (LlGC 18206C) i Lewis Jones weld yr Indiaid ym Mhatagones:

> ... bu yn siarad a hwy. Yr oeddynt yn addaw ein hamddiffyn ni a'n heiddo, os caent gydnabyddiaeth gan y llywodraeth am hyny; ac aeth eu llywydd i B.Ayres i wneuthur cyttundeb, ac erbyn y tro diweddaf, yr oedd y rhoddion a gafodd yn dyfod i dri chan mil o ddoleri ...

Gan mai dim ond ychydig wythnosau a dreuliais yn y Wladfa wrth baratoi'r gyfrol hon, nid oes angen egluro bod cyn lleied o amser yn gwbl annigonol i wneud cyfiawnder â'r gwaith. Nid gwneud esgusodion yr wyf, ond ceisio esbonio fod haenau dirifedi i hanes y Wladfa a'i phobl. Crafu'r wyneb a wna'r detholiad hwn o lythyrau'r Wladfa. Tuedda awduron y mwyafrif o lythyrau'r gyfrol hon fod yn bobl o 'statws' yn y Wladfa, yn enwau cyfarwydd, yn arweinyddion y sefydliad. Roedd hyn yn anorfod gan nad oes llawer o lythyrau'r Gwladfawyr 'cyffredin' wedi goroesi. Rhaid oedd imi hefyd ddibynnu ar un garfan o ddisgynyddion y Cymry ym Mhatagonia ar gyfer fy ymchwil, a hynny oherwydd f'adnabyddiaeth ohonynt a'm parch tuag atynt, yn ogystal â'r ffaith na fedraf y Sbaeneg yn rhugl. Does dim dwywaith bod y garfan honno o Wladfawyr a fu'n gymaint o gymorth imi yn awyddus i adrodd ochr barchus y Wladfa. Rydw innau'n ymwybodol fod dwy ochr i bob stori ac nad yw'r llythyrau a gynhwysir o bosib ond yn adrodd rhan fechan iawn o'r hanes. Dichon bod sawl cyfrol o lythyrau'r Wladfa yn llechu o hyd mewn ffermydd ym mhellafoedd Patagonia ac mewn bocsys yng nghroglofftydd Cymru.

Roedd ambell un o ddisgynyddion y Gwladfawyr cynnar yn gyndyn o rannu eu llythyrau am nad oeddent yn teimlo fod Cymraeg y llythyrau'n ddigon safonol i'w gyhoeddi. Yr eironi mewn gwirionedd yw bod Cymraeg y Gwladfawyr yn aml iawn yn fwy graenus na'r Gymraeg a ddeuai o Gymru. Dylid cofio i'r Gwladfawyr gael eu haddysg yn gyfan gwbl drwy gyfrwng y Gymraeg ym Mhatagonia tan ymron i ddiwedd y bedwaredd ganrif ar bymtheg, tra bod y Cymry gartref yn parhau i fod o dan gysgod y *Welsh Not*.

Efallai y dylid gofyn y cwestiwn: beth yn union a olygir wrth 'Y Wladfa', neu 'Y Wladychfa' fel y'i gelwid yn y blynyddoedd cyntaf? Pan oeddwn yn blentyn, tybiwn mai sefydliad bychan ym mhellafoedd Patagonia oedd 'Y Wladfa' a'r Gwladfawyr wedi eu crynhoi i un man penodol. Wedi ymweld â'r lle, gwelwn fod y Wladfa yn ymestyn o Borth Madryn a dyffryn afon Camwy yn nwyrain Chubut hyd at odre'r Andes ar gyrion y ffin â Chile yn y gorllewin, bron i 400 o filltiroedd i ffwrdd. Mae ehangder y diriogaeth y tu hwnt i'r dychymyg. Yn y dyddiau cynnar fe gymerai dros ddeugain diwrnod i groesi'r paith o Ddyffryn Camwy i Gwm Hyfryd. Heddiw gellir mynd mewn car neu fws mewn llai na diwrnod. Rhaid deall anferthedd y pellter rhwng y naill le a'r llall er mwyn gwerthfawrogi pwysigrwydd y llythyr fel cyfrwng cyswllt rhwng y Gwladfawyr. Ond nid llythyrau rhwng y Gwladfawyr yn Nyffryn Camwy a Chwm Hyfryd yn unig a geir yn y detholiad hwn. Ceir llythyrau rhwng y Wladfa a Buenos Aires (800 milltir i ffwrdd); y Wladfa a Chymru (8000 o filltiroedd i ffwrdd); y Wladfa a Chymry'r Unol Daleithiau, ac un llythyr o Ganada lle'r ymfudodd dros 200 o'r Gwladfawyr a ddigalonnodd yn sgil llifogydd dinistriol diwedd y bedwaredd ganrif ar bymtheg a dechrau'r ugeinfed ganrif. Ond mae un peth yn gyffredin ym mhob llythyr a gyflwynir yma, boed yn llythyr gan neu at Wladfawr, sef mai'r Wladfa a'i phobl sy'n ganolog i'r dweud, a'r dweud hwnnw (gydag ambell eithriad) drwy gyfrwng yr iaith Gymraeg.

Parch a diddordeb ysol yn hanes a phobl y Wladfa sydd gen i. Nid wyf broffwyd na hanesydd ac felly fe adawaf i'r Gwladfawyr (a rhai Cymry a fu'n gohebu â hwynt) adrodd rhywfaint o hanes yr epig fawr hon drwy gyfrwng eu llythyrau.

Nodyn ar drefn, orgraff a golygu'r llythyrau

Trefnais y llythyrau'n gronolegol, ond mewn rhai achosion, gyda thoreth o lythyrau gan unigolyn neu deulu, fe'u gosodais dan enw'r awdur. Nid yw'n drefniad delfrydol gan ei bod yn anodd categoreiddio llythyrau'n dwt, boed y llythyrau'n rhai personol, preifat, neu wedi eu hysgrifennu ar gyfer eu cyhoeddi. Y llinyn mesur wrth benderfynu pa lythyr i'w gyhoeddi, fel arfer, oedd fy niddordeb yn ei gynnwys yn hytrach na phwy oedd ei awdur. Rhifais bob llythyr (yn hytrach na nodi dyddiad, awdur a tharddiad) fel y gallwn gyfeirio atynt o bryd i'w gilydd, gan ddynodi'r rhif mewn cromfachau. (Ceir rhestr o'r holl lythyrau, wedi'u rhifo, ar ddechrau'r gyfrol.)

Roedd gan bobl fel Lewis Jones a Michael D. Jones eu syniadau eu hunain am orgraff y Gymraeg, fel y gwelir yn 'rhaglith' Lewis Jones i'w gyfrol *Hanes y Wladva Gymreig: Tiriogaeth Chubut yn y Weriniaeth*

Arianin, De Amerig (1898):

> Bydd orgraf y llyvr hwn, hwyrach, dipyn yn lletwith i'r llygaid anghyvarwydd ... Nid yw y newid namyn dodi v yn lle f, vel ag i adael yr ff hyllig, a thrwy hynny vireinio peth ar olwg ein llyth'reniad. Anav cas i'm llygad argrafydd i yw y dybled cydseiniaid heglog a breichiog sydd ar ein horgraf: ac velly hevyd, wrth gwrs, y dyblu cydseiniaid er mwyn byrhau (!) ... Hofaswn vel cymydog i'r Hispaeneg yn y Wladva, wthio x am ch, vel yn yr iaith honno: a phe cawswn gyda hynny furv o ð am dd, disgwyliaswn yn dawel am vilvlwydd yr orgraf ...

Yn sgil trafodaethau Cymdeithas Dafydd ap Gwilym yn Rhydychen ddeng mlynedd cyn cyhoeddi cyfrol Lewis Jones, dechreuwyd rhoi trefn ar orgraff y Gymraeg. Diddorol yw sylwi i rai yn y Wladfa lynu at eu horgraff eu hunain ymhell wedi hyn. Mae Eluned Morgan yn defnyddio'r v yn ei llythyrau tan 1908. Newidiais orgraff y llythyrau ar gyfer y gyfrol hon er mwyn eu gwneud yn llai beichus i'w darllen. Ni newidiais orgraff y llythyrau a gopiais o lyfrau.

Nid ymyrrais nemor ddim ar sillafiad neu ramadeg y llythyrau. Rydw i wedi addasu mymryn ar atalnodi a pharagraffu o dro i dro er mwyn gwneud rhai o'r llythyrau'n ddealladwy. Mae llawer o'r llythyrau wedi cael eu hysgrifennu heb ddim paragraffu o gwbl, a hyn, yn rhannol, dybiwn i, er mwyn arbed papur a phris postio. Yn wir, mewn rhai achosion (gan gynnwys llythyrau M. D. Jones) mae'r awdur wedi ysgrifennu ar hyd un ddalen o bapur, cyn troi'r papur ar ei ochr i ysgrifennu gweddill ei lythyr ar draws y llawysgrifen wreiddiol.

Gyda rhai llythyrau gwreiddiol (ac yn arbennig felly lythyrau M. D. Jones) cefais drafferth i ddeall y llawysgrifen, ac felly mae bylchau mewn ambell i frawddeg. Dynodais y bylchau drwy ddefnyddio [?]. Efallai imi wneud camgymeriadau wrth geisio deall llawysgrifen ambell i awdur ac os felly, rwy'n ymddiheuro.

Teimlwn bron yn rhyfygus wrth olygu llawer o'r llythyrau. Fodd bynnag, bu'n rhaid imi fod yn ddidostur wrth ddileu brawddegau, ac weithiau baragraffau cyfain, rhag i'r gyfrol droi'n epigol a'i phwysau'n sigo'r silff lyfrau. Wedi'r cyfan, rwy'n gobeithio y bydd diddordeb yn y gyfrol hon gan drigolion y Wladfa heddiw. Ymddiheuraf iddynt ei bod yn gyfrol drom ac felly'n gostus i'w hanfon draw. Lle golygais ddarnau o lythyr, rhoddais elipsis rhwng cromfachau (...) yn y bylchau hynny.

Roeddwn yn awyddus i osgoi torri ar draws rhediad naturiol y dweud ac felly, yn hytrach nag ysgrifennu paragraffau o eglurhad a chefndir o flaen pob llythyr, cyflwynais wybodaeth ar ffurf rhagarweiniad i bob pennod ac ar ffurf troednodiadau i bob llythyr ar ddiwedd pob pennod. Mae peth gwybodaeth yma ac acw heb ei rhoi a hynny am na fedrwn ei chael, neu am nad oeddwn am ailadrodd gwybodaeth a geid mewn troednodiadau blaenorol. Ceisiais wirio pob dyddiad a ffaith, pob enw a'i gysylltiad. Os y bu i ambell gamgymeriad lithro drwy'r rhwyd, yna arnaf fi a'm diffyg fel hanesydd y mae'r bai. Dewis y darllenydd yw cyfeirio at y troednodiadau ai peidio.

Ceisiais fy ngorau glas i sicrhau caniatâd i gyhoeddi'r llythyrau a geir yn y ddwy gyfrol. Pan na fedrwn olrhain, neu gael ymateb gan ddisgynyddion rhai o'r awduron, cyhoeddais lythyrau nad ydynt, gobeithiaf, yn debygol o achosi loes i neb. Rhoddir enwau'r sawl a roddodd neu a fenthycodd y llythyrau i mi, neu darddiad pob llythyr, mewn cromfachau uwch eu pennau.

Talfyrrais rai enwau cyfarwydd a ddefnyddir yn fynych fel a ganlyn:

Lewis Jones	LJ
Michael Daniel Jones	MDJ
Love Jones Parry	L. J. Parry
R. Bryn Williams	RBW
Dr Guillermo Rawson	Rawson
Hugh Hughes (Cadfan Gwynedd)	Cadfan
Edwin Cynrig Roberts	Edwin Roberts
Anne Lloyd	Mrs MDJ
Eluned Morgan	Eluned
Syr Owen Morgan Edwards	OM
Joseph Seth Jones	JSJ
Richard Jones Berwyn	Berwyn
Edward Jones Williams, Mostyn	EJW
David S. Jones, Rhymni	DSJ
Thomas Dalar Evans	Dalar
John Howell Jones	JHJ
Llwyd ap Iwan	Ll ap Iwan
Mihangel ap Iwan	M ap Iwan

Nodiadau

[1] *Y Cenhadwr Americanaidd* – Misolyn ar gyfer yr Annibynwyr a sylfaenwyd gan Robert Everett, y Cymro a ymgyrchodd yn UDA i ddiddymu caethwasiaeth.

PENNOD 1

Y fordaith, y glanio a'r helbulon
(Llythyrau 1865-1870)

Mae'r 28ain o Orffennaf, neu Ŵyl y Glaniad fel y'i gelwir heddiw, yn ddydd gŵyl drwy dalaith Chubut, a hynny fel teyrnged i'r arloeswyr cyntaf o Gymru. Anodd yw dirnad rhyddhad mintai'r *Mimosa* o gyrraedd y Bae Newydd (*Bahia Nueva, New Bay* neu Borth Madryn – gw. sylw Twmi Dimol yn llythyr rhif 14 am enw'r bae) ar y diwrnod hwnnw ym 1865, yn ogystal â'u siom o weld y tir diffrwyth a ymestynnai o'u blaenau yn eu gwlad fabwysiedig newydd. Roedd LJ yno'n eu disgwyl gan ei fod ef, ei wraig Ellen ac Edwin Cynrig Roberts (Cymro o Wisconsin, ac un o'r prif ymgyrchwyr dros ymfudo i Batagonia) wedi hwylio i Dde America ym mis Mawrth i baratoi ar gyfer y fintai gyntaf. Dywed LJ yn ei lythyr at MDJ ' ... fod yno lawenydd nid bychan – "hwre" ar ôl "hwre" yn ddi-baid ... " (2) pan aeth ar fwrdd y *Mimosa.*

Wedi'r gorfoledd, ni ellir ond dychmygu i'r profiad o lanio ar dir llwyd, digroeso y rhan hwnnw o Batagonia fod yn un torcalonnus i'r fintai. Nid oedd tai ar eu cyfer, na dŵr croyw, dim ond dŵr hallt. Ar ben hyn i gyd, roedd hi'n ganol gaeaf.

Cyn i'r *Mimosa* hwylio o Lerpwl, bu ymgyrchwyr y Wladfa'n brwydro yn erbyn eu gwrthwynebwyr yn y wasg Gymraeg. Mae'n rhaid bod hyn, ynghyd ag arafwch Senedd yr Ariannin i ymateb i'w ceisiadau am ganiatâd i wladychu, yn destun rhwystredigaeth enbyd iddynt. Yn eironig ddigon, un o'r rhesymau i'r Senedd yn Buenos Aires wrthod cytuno i geisiadau'r Cymry oedd oherwydd eu bod yn tybio eu bod yn rhan o genedl y Saeson. Roedd Lloegr wedi meddiannu ynysoedd y Malvinas ym 1833 ac roedd y Senedd yn amheus o fwriadau'r Cymry yn y cyswllt hwn.

Ddiwedd 1862 hwyliodd LJ i Buenos Aires, ac fe'i dilynwyd fis yn ddiweddarach gan L. J. Parry, i drafod telerau ymsefydlu ym Mhatagonia gyda Llywodraeth Gweriniaeth Ariannin ac i archwilio'r wlad. Daethant yn ôl o'r Ariannin i Gymru ar y 5ed o Fai 1863, gan ddod ag adroddiadau ffafriol iawn o ddyffryn afon Camwy gyda hwy, er na chawsant gyfle i wneud archwiliad manwl o'r lle. Er i'r ddau ddychwelyd i Gymru gyda chytundeb gan Lywodraeth Ariannin, nid oedd y Senedd wedi ei chadarnhau, ac felly, roedd i bob pwrpas yn ddiwerth. Ar y 27ain o Awst, 1863, gwrthodwyd telerau'r cytundeb gan y Senedd. (Gweler y cytundeb yn Atodiad 111, *Y Wladfa*, RBW.)

Dechreuodd amryw o aelodau'r gymdeithas yn Lerpwl yr adeg honno boeni na wireddid eu breuddwyd o wladychfa ym Mhatagonia byth. Roedd MDJ yn un a chanddo reswm arall i boeni gan iddo'n barod fuddsoddi arian sylweddol yn y fenter. Erbyn diwedd 1864, cytunodd y Cymry ar gynnig llawer llai manteisiol na'r hyn a ddeisyfent. Mewn llythyr gan y Dr Guillermo Rawson (Gweinidog Cartref y Weriniaeth), pwysleisir nad oedd caniatâd i wladychu. Tir yn unig a addawyd ac nid telerau i wladychu, nac ychwaith addewid am fwyd ac anifeiliaid. Ceir yr argraff i drefnwyr y mudiad ddychryn wrth ragweld eu breuddwyd o wladychfa yn chwalu'n chwilfriw. Er gwaethaf llythyr Rawson, aeth y Gymdeithas Wladychfaol yn ei blaen i gasglu enwau ymfudwyr ac i hysbysebu'r fordaith ym 1865, ' … gyda'r Vintai Gyntav o ymvudwyr i'r Wladva Gymreig'. Hysbyseb ar gyfer ymfudo i greu Gwladychfa Gymraeg oedd hon, er nad oedd unrhyw sicrwydd y byddai gwladychu'n bosib. Arweiniodd hyn yn ddiweddarach at gyhuddiadau o dwyll gan rai o'r ymfudwyr tuag at bobl fel LJ. Ceir eironi, ac elfen gref o gamarwain, ym mhennawd llythyr cyntaf y gyfrol hon a ysgrifennwyd ym mis Mai 1865: 'Y WLADYCHFA GYMREIG YN FFAITH.' Fe wyddai'r awdur, Cadfan, (fel yr arweinwyr eraill) mae'n siwr nad oedd yr Ariannin wedi cytuno ar 'wladychfa' ym Mhatagonia.

Doedd y ffaith i'r Ariannin fynd i ryfel yn erbyn Paraguay ym 1865 ddim o fantais i LJ ac Edwin Roberts wrth iddynt geisio cael trefn ar bethau cyn dyfodiad y *Mimosa*. Parhaodd y rhyfel costus hwn am bum mlynedd. O gofio hyn, mae'n syndod i'r Ariannin roi cymaint o gymorth i'r Cymry yn ystod y cyfnod cythryblus hwn. Mewn llythyr at MDJ o Buenos Aires ar y 27ain o Ebrill 1865, mae LJ yn disgrifio'r fordaith anffodus a gawsant o Brydain ac yn lleisio ei ofnau (Bangor 11355):

> Yr anhawsder mawr yw byrder yr amser. Mae'n amlwg yn awr nas gallaf wneud pob peth mor drefnus a phell ag y bwriadwn, ond yr wyf yn gwbl hyderus y gallaf ddyogelu yr ymfudwyr rhag unrhyw **berygl**, beth bynag am anghyfleusdra.

Does dim dwywaith i LJ wneud ei orau o dan amgylchiadau anodd, ond bu misoedd cyntaf y sefydlwyr ym Mhatagonia yn anghyfleus a dweud y lleiaf. Synhwyrir dicter a siom rhai o'r sefydlwyr yn eu llythyrau. Ysgrifennodd W. R. Jones, Y Bedol y llythyr hwn bedwar mis ar ôl glanio:

... Buasai yn rhyfedd genych fyw yn y Bala heb de siwgr, ymenyn, caws, na chig gwerth son am dano. Ni chefais fy siomi gan gymaint mewn dim. Nid wyf yn cael y wlad yn gyfatebol i ddim a ddarllenais neu a glywais am dani erioed ... (3)

Roedd dros ddeugain milltir rhwng y Bae Newydd a'r dyffryn ble llifai afon Camwy a'i dŵr croyw a bu'n rhaid clirio ffordd i gysylltu'r ddau le heb fawr ddim arfau pwrpasol i'r gwaith. Danfonwyd y merched a'r plant yn y llong *Mary Helen* at enau'r afon. Taith diwrnod oedd hon i fod, ond yn sgil storm bu'r llong dros bythefnos ar ei thaith. Dim ond gwerth tridiau o fwyd oedd ar y llong a'r merched a'r plant ar ei bwrdd felly yn llwgu: ' ... Buont mewn ystormydd dychrynllyd na welsom ni ar y "Mimosa" ddim byd oddiwrthynt ... ' (5)

Ar ben pryder y dynion am eu gwragedd a'r plant ar y *Mary Helen*, cynyddai eu hanniddigrwydd am fod y bwyd yn prinhau. Bu sawl un o'r merched a'r plant yn wael iawn yn sgil y profiad hwnnw a bu farw un plentyn. Roedd hi'n fis Hydref cyn i'r sefydlwyr i gyd gyrraedd dyffryn afon Camwy.

Buan y sylweddolodd y sefydlwyr na roddwyd hawl i wladychu'r tir. Ar y 15fed o Fedi, 1865, llai na deufis ar ôl i'r fintai gyntaf lanio, codwyd baner yr Ariannin a chynhaliwyd defod filwrol yn rhoi'r hawl ffurfiol i Weriniaeth Ariannin ar Batagonia. Siomwyd llawer o'r Gwladfawyr gan y seremoni hon i sefydlu Trerawson yn enw Llywodraeth Ariannin. A dyna roi diwedd ar obeithion y Cymry am Wladychfa fel yr addawyd. Na, nid oedd y Wladychfa Gymreig yn ffaith!

Daeth Llywydd cyntaf y Wladfa, LJ o dan lach y Gwladfawyr yn fuan wedi hyn, gan iddynt gredu eu bod wedi cael eu twyllo ynglŷn â'u hawliau ac am eu gwlad newydd. Wrth ddarllen amryw o lythyrau LJ yn ystod y cyfnod hwn, gwelir iddo fod yn orhyderus yn ei allu, neu ei anallu, ym myd busnes. Efallai fod profi llwyddiant y Wladychfa wedi ei ddallu rhag gweld rhai o'r anawsterau dybryd a wynebai'r fenter. Brwdfrydedd heintus a thueddu LJ i orliwio realiti'r sefyllfa a barodd i MDJ roi ei ffydd, ac arian ei wraig, yn addewidion LJ. Ei ddyledion cynyddol sy'n esbonio, yn rhannol efallai, paham y bu i MDJ barhau i annog Cymry i ymfudo i Batagonia er nad oedd y telerau erbyn hynny'n ffafrio gwladychu.

Er ei sêl danbaid dros y Wladfa, rhyfeddodd i mi oedd canfod yn y llythyrau i LJ adael y Wladfa o dan gwmwl a symud i Buenos Aires lai na chwe mis wedi iddo lanio yn y Bae Newydd. Mae'r amgylchiadau a'r rhesymau paham y gadawodd yn niferus a niwlog a darllenais lythyrau yn dweud iddo gael ei yrru o'r Wladfa gan ymfudwyr anfoddog, ac eraill yn honni iddo fynd o'i wirfodd. Ceir rhywfaint o'r hanes yn llythyrau Joseph Seth Jones (5) ac Abraham Matthews (6) a chyfiawnhad Lewis Jones dros adael yn ei lythyr yntau (9). Mae LJ yn syrthio ar ei fai yn y llythyr hwnnw (9) drwy gyfaddef mai ' ... Fy mai mawr hwyrach oedd ymgymeryd a neges mor ddyrys ac enfawr o dan gymaint o anfanteision ... '.

Roedd bwriad yr arweinyddion yn dda, ond roedd diffyg profiad yn llyffethair. Mae'n debyg i'r Capten Woods (o'r Unol Daleithiau) ofyn i LJ a fyddai ganddo ddiddordeb mewn sefydlu busnes gydag ef i hela a gwerthu guano. Derbyniodd LJ gais Woods gan gredu y byddai hyn o fantais i'r Wladfa. Pan ddeallodd yr ymfudwyr mai menter fasnachol breifat ydoedd, yn hytrach na menter yn enw'r Wladfa, ffromodd rhai o'r sefydlwyr a throi yn ei erbyn. (Gw. llythyrau 6, 7 ac 8 yn trafod helynt y guano.) Llogodd LJ longau a chludo nwyddau ac anifeiliaid di-rif, a hynny i gyd ar goel. Cynyddodd y dyledion ac anfonwyd amryw o'r biliau at MDJ.

Cyn diwedd 1865 felly, oherwydd yr anghydweld a'r rhwygiadau chwerw ymysg rhai o'r sefydlwyr, gadawodd LJ a'i wraig y Wladfa, ynghyd â'r meddyg y Dr Thomas William Nassau Greene a phedwar arall o'r Gwladfawyr am Buenos Aires. Etholwyd William Davies yn Llywydd yn ei le ond nid arhosodd yn hir yn y Wladfa gan iddo ymfudo i Santa Fe. Bu LJ yn gweithio fel argraffydd yn Buenos Aires. Beth bynnag fo'r gwir am ei alltudiaeth yno, ceir yr argraff fod LJ yn ei rwystredigaeth wedi gwneud tipyn o lanast o bethau yn ystod misoedd cyntaf y Wladfa. Ond mae'n rhaid cydnabod ei gyfraniad enfawr. LJ a lwyddodd yn y pen draw i ddarbwyllo'r rhan fwyaf o'r Cymry i aros yn Nyffryn Camwy yn hytrach nag ailymfudo, fel y dymunai rhai, i rannau eraill o'r Ariannin, ac yn arbennig felly i dalaith fwy ffrwythlon Santa Fe yng ngogledd-ddwyrain y wlad. I MDJ yn ei gartref ym Mod Iwan, y Bala, 'bradwyr' (10) oedd y bobl hyn.

Methodd y cynhaeaf yn niwedd 1866 ar ôl sychder enbyd. Ym 1867 dychwelodd LJ i'r Wladfa i geisio argyhoeddi'r Cymry i uno i aros yn Nyffryn Camwy am flwyddyn arall. Mae'n rhaid bod ganddo ddawn arbennig i ddwyn perswâd ar bobl gan i'r Cymry gytuno i'w gais. Pe na byddai LJ wedi llwyddo i argyhoeddi'r Cymry i roi cynnig arall ar y Wladychfa, diau y byddai'r Cymry i gyd wedi gwasgaru ac na fyddai'r Wladfa Gymraeg, fel yr ydym ni'n ei hadnabod heddiw, wedi goroesi. Er gwaethaf hyn ymadawodd 44 o'r Cymry am Batagones a Santa Fe. Oni bai am ddycnwch LJ a'i ddoniau diplomyddol gyda llywodraeth yr

Ariannin, mae'n ddigon posib y byddai hanes gwladfa Patagonia yn debycach i hanes aflwyddiannus y Nova Cambria yn Rio Grande do Sul, Brasil, rai blynyddoedd ynghynt.

Darllenais sawl llythyr yn trafod trychineb llongddrylliad y *Denby* ac fe'm cyffyrddwyd gan y stori hon. Dyma un o drychinebau mawr y Wladfa. Mae hanes Twmi Dimol (a'i wraig Elizabeth Pritchard a ailbriododd yn ddiweddarach â Berwyn) yn hynod. Roedd Twmi Dimol (Thomas Pennant Evans) yn un o'r chwech a gollwyd ar y Denby. Bydd llythyrau dwy o'i ddisgynyddion (Elisa Dimol de Davies a'i merch Gweneira Davies de González de Quevedo) yn llenwi corff penodau'r canmlwyddiant a degawdau olaf yr ugeinfed ganrif yn yr ail gyfrol.

Bu'r llong fechan hon yn anffodus a dweud y lleiaf. Bu'n rhaid trwsio'r *Denby* sawl tro ar ôl iddi geisio cludo llwythi o Batagones. Soniodd Edwin Roberts mewn llythyr at MDJ ym mis Ionawr 1868 fod y *Denby* 'yn rhy wael o lawer'. Yr hyn na sonnir amdano yn y llythyr hwn, nac mewn unrhyw lythyr arall a ddarllenais am y *Denby*, yw hanes y noson cyn iddi adael y Wladfa am y tro olaf. Mae'n debyg i'r criw a fu'n atgyweirio'r *Denby* gael 'cyfarfod adloniadol' o fath ar fwrdd y llong cyn codi angor (gw. *Cymry Patagonia* ac *Y Wladfa*, RBW ac *Yr Hirdaith*, Elvey MacDonald). Roedd Edwin i fod i hwylio arni gyda'r criw ond nid felly y bu.

> ... Y noson cyn i'r llong hwylio am Batagones y tro yma, breuddwydiodd ei bod yn mynd yn gandryll mewn storm, a chlywodd lais yn ei rybuddio: 'Edwyn, paid â mynd gyda'r llong yna' Daeth tyrfa ynghyd i'w gweld yn cychwyn, ond gwrthododd Edwyn fynd ar ei bwrdd, gan egluro nad oedd yn teimlo'n dda, a dewiswyd un arall i gymeryd ei le. Llithrodd y llong i lawr yr afon, a phan oedd ei hwyliau yn mynd dros y gorwel, troes Edwyn at y dyrfa, a dweud: 'Ni welwn byth mohoni eto. Nid gwael oeddwn i, ond wedi breuddwydio ei bod yn mynd yn ddarnau.' Chwarddodd pawb, a'i alw'n ofergoelus. (*Y Wladfa*, t. 117)

Hwyliodd y llong, er gwaethaf ei chyflwr bregus a heb Edwin ar ei bwrdd, i Batagones i alw am fwyd. Llwythwyd hi â bwyd ac ychen. Gadawodd y *Denby* Patagones ar yr 16eg o Chwefror, 1868. Welwyd mo'r llong fyth wedyn. Cyrhaeddodd LJ yn ôl o Buenos Aires ar fwrdd yr *Iautje Berg* ym mis Mai â chyflenwadau bwyd, a dyna pryd y bu'n rhaid i'r Gwladfawyr gydnabod fod y *Denby* ar goll. Oherwydd i'r *Denby* beidio â chyrraedd yn ôl i'r Wladfa gyda'r cyflenwadau angenrheidiol 'yr oedd y bobl wedi gorfod bwyta y gwenith a dyfasant y llynedd ... ' (16).

Gwelir yn y bennod hon ddetholiad o un llythyr a gyhoeddwyd mewn llyfryn gan Gwmni Ymfudol a Masnachol y Wladfa Gymreig Cyfyngedig, *Llythyrau a Ddaethant o'r Sefydlwyr yn y Wladva Gymreig, Gweriniaeth Arianin, Deheudir America*. Dewiswyd rhai o lythyrau'r Gwladfawyr gan gyfarwyddwyr Cwmni Ymfudol a Masnachol y Wladfa Gymreig Cyfyngedig i'w cyhoeddi yn y llyfryn hwn. Roedd MDJ yn un o'r cyfarwyddwyr. Ar ddiwedd y llyfryn, ar ôl dwsin o lythyrau, mae'r golygyddion yn dweud fel hyn:

> Wrth derfynu, yr ydym yn ostyngedig yn galw sylw pob Ymfudwr at y pwysigrwydd mawr o ysgrifenu y Gwir Plaen yn unig, heb ddefnyddio gormodiaith mewn canmol nac mewn cwyno, canys caiff pob llythyr ei gyhoeddi. (LlGC 18206C)

Mae'n anodd gwybod i sicrwydd a oedd awduron y llythyrau a welir yn y llyfryn yn ymwybodol, cyn eu hysgrifennu, y byddent yn cael eu cyhoeddi. Pe gwyddent, yna gellid dadlau mai llythyrau propaganda yw'r rhain. Bid a fo am hynny, ceir blas ynddynt o wythnosau cyntaf cythryblus y Gwladfawyr yn eu gwlad newydd. Dywed William R. Jones yn ei lythyr (3) iddo fod:

> ... allan am dri diwrnod a haner a thair noswaith heb yr un tamaid na llymaid, a thrafaelio ddydd a nos ar draws drain ac anialwch na welsoch ei fath erioed. Yr oeddwn yn credu y buaswn farw o eisieu bwyd yn yr anialwch.

Mae'n ddiddorol nodi nad yw William R. Jones yn crybwyll ei brofedigaeth o golli dwy ferch fach tan baragraff olaf ei lythyr. Atgyfnertha hyn y dybiaeth mai math o lythyr propaganda yw llythyrau'r llyfryn hwn. Doedd y cyfarwyddwyr ddim yn awyddus i'r llythyrwyr oedi'n hir dros newyddion drwg. Fyddai hynny ddim yn denu rhagor i ymfudo yno. Nid yw'r llythyr hwn, na'r rhan fwyaf o'r lleill yn y llyfryn, yn ganmoliaethus o sefyllfa'r Gwladfawyr, sy'n awgrymu bod caledi'r misoedd cyntaf yn ddwysach na'r hyn a ddisgrifir.

Mewn llythyr a gyhoeddwyd yn *Yr Herald Gymraeg* (3 Chwefror 1866), barn yr awdur, William Williams, oedd yr ' ... ymadawai y rhan fwyaf o'r bobl pe gallent'. Fe welir o rai o lythyrau'r bennod hon y bu'n frwydr fawr gan rai o'r arweinwyr i geisio cadw'r sefydlwyr rhag ymfudo o ddyffryn afon Camwy. Llofnodwyd deiseb gudd gan bedwar ar bymtheg o'r Gwladfawyr i'w hanfon at lywodraethwr y Malvinas yn gofyn am gael eu symud o Ddyffryn Camwy. Joseph Seth Jones a gyrchodd y llythyr hwnnw i'r Malvinas, er na fu iddo ef ei lofnodi. Ceir yr hanes yn ei lythyr at ei frawd (11). Ymadawodd 50 o bobl o'r Wladfa rhwng 1865 a 1870 a 13 yn ymuno â hi. Yn ôl ystadegau a gyhoeddwyd mewn adroddiad gan y Capten Dennistoun oddi ar y llong ryfel *Cracker*, ym 1869 roedd poblogaeth y Wladfa yn 153, gyda thros hanner y boblogaeth yn blant a dim ond 35 o ddynion oedd yno. Dyry'r ystadegau hynny syniad i ni o anferthedd y gwaith o geisio troi'r anialwch yn gymuned hunangynhaliol.

Mae Abraham Matthews (*Hanes y Wladfa Gymreig yn Patagonia*, t. 41) yn ei bennod 'Adolygiad y ddwy flynedd a basiodd' yn croniclo dwy flynedd gythryblus gyntaf y Wladfa fel a ganlyn:

> Dwy flynedd ryfedd oedd y rhai hyn, ac wrth edrych yn ôl arnynt, y maent yn ymddangos fel breuddwyd neu ffug chwedl ... blynyddoedd anesmwyth, yn llawn o bryder – yn gymysgedig o ofn a gobaith o'r cychwyniad o Le'rpwl hyd yr Awst hwn ...

Mae llythyrau'r bennod hon yn cadarnhau ei sylwadau. Mae'n anodd i ni heddiw ddychmygu amgylchiadau'r sefydlwyr ym mlynyddoedd cynnar y Wladfa, ond dyry rhai o lythyrau'r bennod gyntaf hon flas inni o'r cyni ynghyd â dewrder diamheuol y Cymry cyntaf ym Mhatagonia.

Mintai'r Mimosa
Mintai'r Mimosa yn dathlu Gŵyl y Glaniad a chwarter canrif y Wladfa ym 1890
Tynnwyd y llun gan John Murray Thomas
(trwy ganiatâd Adran Archifau a Llawysgrifau, Prifysgol Cymru Bangor)

Y Mimosa

(1) Llythyr Hugh Hughes, Cadfan[2] oddi ar fwrdd y *Mimosa*.
(*Yr Herald Cymraeg*, 3 Mehefin 1865)

Y WLADYCHFA GYMREIG YN FFAITH
Ar fwrdd y "Mimosa", ar yr afon Mersey,
Mai 25ain, 1865.

Ar ol llafur diwyd a diflino am ysbaid o wyth mlynedd, y mae y Wladychfa Gymreig yn ei chysylltiad â Phatagonia wedi dyfod i'r fath sefyllfa erbyn hyn, fel y mae cant a hanner o Gymry ar fwrdd y gyflym-long *(clipper)* *Mimosa* ar yr afon Mersey, â'u gwynebau tua Chaincfôr Newydd, Patagonia. Yfory (Mai 26ain), bydd i'r *Mimosa* gychwyn i'w thaith bell. Cawsom ein siomi yn yr *Halton Castle*[3], am na ddaeth i mewn i Liverpool erbyn y 25ain o Ebrill. Felly, bu gorfod arnom logi y llong *Mimosa* i fyned â'r fintai gyntaf allan i Gymru Newydd yr America Ddeheuol. Felly, wrth reswm, fe ein hattaliwyd rhag cychwyn hyd y 26ain o Fai, yn lle y 25ain o Ebrill. Nis gellir beio y pwyllgor am hyn – ond meddiannwyr yr *Halton Castle* – na chwaith y Parch. M.D.Jones, Bala; ond yn hollol i'r gwrthwyneb, mae y fintai gyntaf yn ddyledus i Mr.Jones am eu mynediad allan hyd yn oed ar yr adeg hwyrol hon[4].

Ac wrth derfynu, dylid cydnabod Mr. a Mrs Richards, 35, Union street, Liverpool, am eu caredigrwydd tuag at yr ymfudwyr yn ystod eu harosiad yn eu tŷ[5].

Anwyl gydgenedl, hon yw y waith olaf y caf eich cyfarch yr ochr hon i'r Werydd, gan fy mod i a'm teulu yn myned allan gyda'r fintai gyntaf[6].

Ydwyf, yr eiddoch oll yn gywir,
H.HUGHES. (Cadfan Gwynedd).
Ysgrifenydd.

Glanio

(2) Llythyr Lewis Jones[7] o'r Wladfa ddeuddeg niwrnod wedi i'r *Mimosa* lanio yn y Bae Newydd. Roedd cyfarfod y sefydlwyr yn rhyddhad enfawr i LJ. Tra oedd y Cymry'n hwylio ar y *Mimosa*, roedd LJ a'i wraig Ellen a'r Cymro o America, Edwin Cynrig Roberts wedi cyrraedd yr Ariannin i baratoi'r ffordd ar gyfer y fintai gyntaf. Anfonwyd y llythyr gan y Parch. D. Ll. Jones (Ffestiniog), Cofiadur Teithiol Cymdeithas Fasnachol ac Ymfudol y Wladfa i'w gyhoeddi yn *Baner ac Amserau Cymru*.

(*Baner ac Amserau Cymru*, 4 Tachwedd 1865)

Y WLADYCHFA GYMREIG
(Dyma hi, diolch i'r Nefoedd, yn *accomplished fact*)
Awst 9fed, 1865

FY NGHYFAILL HOFF,

Y mae'r fintai gyntaf wedi cyrhaedd yn ddiogel. Dyma i chwi y newydd y gwn y llamwch o lawenydd o'i gael. Fe lamodd fy nghalon i, beth bynnag, pan welais eu llong, ac fe lama llawer hen galon o glywed hyn. Nid oeddwn wedi cael un gair oddi cartref er pan ymadawsom hyd o fewn tuag wythnos cyn eu gweled, pryd y cefais lythyr Mr.Jones, dyddiedig y 6ed o Fai, yn dywedyd y cychwynai y *Mimosa* ar y 12fed. Cyn hyny, yr oeddwn mewn mawr bryder rhag darfod i mi boeni yn ofer, ac i'm holl lafur a'm darpariadau ddisgyn arnaf fi fy hun a'm llethu. *** Glaniais yr ail lwyth yn New Bay, a chychwynais yn ol am y gweddill o'r defaid[8]. Heb ddim hanes o'r ymfudwyr! Yn awr, coeliwch fi, yr oeddwn yn teimlo fel pe buaswn yn myned i fy nghrogi. Cyn ein bod o'r bar ar foreu yr 28ain, dywedai y cadben wrthyf, "Dacw hwyl!", a dyna lle yr oedd yn ddios. Yr oedd yn brydnawn cyn i ni ddyfod at ein gilydd, ac y gwelwn faner y Ddraig Goch ar ben yr hwylbren. Daeth cadben y *Mimosa*[9] a'r brawd Williams, Birkenhead[10], i edrych beth ar y ddaear oeddym, o dan y faner Ddanaidd. Pan aethum ar fwrdd y *Mimosa*, chwi ellwch goelio fod yno lawenydd nid bychan – "hwre" ar ol "hwre" yn ddibaid, ysgwyd llaw â chant o ddwylaw serchus – hen chwiorydd yn bendithio, a phlant bach yn cydio am fy nghoesau – yr hen frawd Cadfan yn fy nghofleidio, ac yn wylo o lawenydd – y magnelau o'r lan ac ar y bwrdd yn pydru tanio – a'r *boys* yn gwaeddi "hwre" nes lwyr dagu. *Sensation* nad anghofiaf byth mo honi oedd y mynydau hyny.

Fel arferol,
L.JONES.

Siom y sefydlwyr

(3) Rhan o lythyr William R. Jones, Y Bedol[11] o'r Wladfa at ei deulu yn y Bala. Cyhoeddodd Cwmni Ymfudol a Masnachol y Wladfa Gymreig Cyfyngedig lyfryn o lythyrau gan aelodau'r fintai gyntaf, sef *Llythyrau a Ddaethant o'r Sefydlwyr yn y Wladva Gymreig, Gweriniaeth Ariannin, Deheudir America* (1866). Prif gymhelliant cyfarwyddwyr y cwmni, mae'n debyg, wrth gyhoeddi'r llyfryn, oedd cyfiawnhau dewis Deheudir America i greu Gwladychfa Gymreig ac i geisio annog mwy o Gymry i ymfudo yno. Cyfieithwyd y llythyrau hyn i'r Sbaeneg yn y gyfrol *Patagonia, 1865. Cartas de los Colonos Galeses* gan Fernando Coronato (2000). Cyhoeddwyd y llythyr hwn hefyd yn *Yr Herald Gymraeg*, 24 Chwefror 1866.

(*Llythyrau a Ddaethant o'r Sefydlwyr yn y Wladva Gymreig, Gweriniaeth Arianin, Deheudir America*, LlGC 18206C)

Patagonia, Tachwedd 7, 1865.
Fy anwyl Ewythr a Chyfeillion yn y Bala, –
Yr wyf wedi bod yn hir heb ysgrifenu – nid am nad oeddwn yn cofio amdanoch, ond fod rhyw dywyllwch yn nghlyn braidd â phobpeth perthynol i ni yma, trwy fod pob cynllun braidd a gynnigid yn troi yn fethiant, a hyny, yn ol fy marn i, yn cael ei achosi gan ddiffyg trefn a diofalwch y bobl sydd yn llywodraethu. Yn mhlith y rhai a ddaethant yma y mae amryw yn ddiog ac yn lladron beiddgar iawn. Y mae yn rhaid cadw gwylwyr i'w gwatsio o hyd ddydd a nos, ac er hyny yr ydym yn cael ein colledu yn fawr. Yr achos o hyn, mae'n debyg, yw, fod y cyfreithiau heb eu sefydlu a'u rhoi mewn grym, trwy fod y committee yn llawn o drafferthion yn nghylch cael pethau o New Bay i'r Chupat i fyny yr afon, lle yr ydym yn sefydlu, ar ol ei gyrhaedd trwy lawer o ofidiau a gorthrymderau. Dechreuodd, fel y gwyddoch, yn lled ddrwg yn Liverpool, trwy ein cadw yno i wario arain a'n hel i ddyled nas gwyr yr un dewin pa bryd y down o honi, oherwydd yr ydym wedi cael colledion trymion. Fe gawsom fil o ddefaid; ond cyn eu rhanu fe'u collwyd bob un ond un; – ond fe gawsom 29 o wartheg ar hyd y môr, 49 o geffylau, ac amryw o foch, ieir, cwn, cathod, a choed ffrwythau; tair tunell o fara, 300 sached o wenith, ac amryw bethau ereill, megys te, coffi, siwgr, sebon, soda, India Corn, pys, rice; ond y mae'r pethau ar ben o'r bron. Y mae genym ddigon o wenith am bedwar mis; ond y mae yn sicr na chawn ddim o'r ddaear am flwyddyn, trwy ein bod wedi colli

adeg hau am y leni (...) Y maent yn dywedyd fod y Llywodraeth yn
addaw wyth mil at y sefydliad: os cawn y rhai'n, bydd yn dda arnom,
neu os na chawn bydd rhai o honom farw o newyn. Y mae dynion yn
gofyn cymaint arall o fwyd yma ag ydynt yna. Y mae rhywbeth yn yr
air yn cadw eisieu bwyd arnom yn barhaus (...) Yr *allowance* o flawd
i bob un, drwy y bran, ydyw wyth bwys yn yr wythnos: felly y mae
yma lawer yn cwyno nad ydynt yn cael haner digon. Buasai yn
rhyfedd genych fyw yn y Bala heb de siwgr, ymenyn, caws, na chig
gwerth son am dano. Ni chefais fy siomi gan gymaint mewn dim.
Nid wyf yn cael y wlad yn gyfatebol i ddim a ddarllenais neu a
glywais am dani erioed, a rhaid i mi ddweyd fod _____ [12] wedi
dywedyd celwyddau dychrynllyd wrth ddesgrifio y wlad.

Wel, rhof innau ddesgrifiad yn union fel yr wyf yn gweled y lle,
ar ol teithio rhai cannoedd o filldiroedd mewn gwahanol
gyfeiriadau am ddydd a nos. Pan ddarfu i ni lanio yn New Bay nid
oedd i'w weled ond banciau tywodlyd, yn cael eu gorchuddio â math
o ddrain byrion a danadl, tebyg i'r hyn a welais yn Nghymru, a
golwg hen a diffrwyth arnynt, – pryd y gwelwn ddau neu dri yn
cychwyn â'u rhawiau ar eu cefnau i chwilio am ddwfr croew, i'w gael
wrth gloddio, ond dwfr hallt iawn – jest mor hallt a'r môr. Nid oes
yma ddwfr croew ond sydd yn sefyll yn llyn ar ol gwlaw, yr hwn ni
chefais ddim mwy o hono er pan wyf yma nag a gefais yn y Bala
mewn diwrnod lawer gwaith.

Y mae yn drwm genyf ddywedyd, yr oedd ar un o'r dynion a aeth
i chwilio am ddwfr eisieu gweled y wlad yma, felly dywedodd wrth ei
ganlynwyr yr elai i ben y banc oedd filldir a haner ffordd o'r neilldu
iddynt, i edrych y wlad; ond dyna yr olwg ddiweddaf a welwyd byth
arno, er chwilio mwy nag a ellwch ddychmygu am dano. Ein barn
ydyw iddo fyned yn rhy bell i'r wlad a cholli ei ffordd a myned yn
mhellach i'r wlad, a llwgu. Crydd oedd o Aberystwyth – hen lanc.[13]

Ond am y wlad yr oeddwn yn son. Aeth y defaid yn lled
anesmwyth. Trwy fod porfa sal yn New Bay pennodwyd fi gyda naw
ereill i fynd a'r defaid haner can' milldir ar draws yr anialwch a'r
drain a'r dyrysni tua'r Chupat; ond fe gychwynodd rhai o flaen y
lleill, – fel y bydd defaid yn o ffond o chwalu, felly y rhai'n, a thrwy
hyny fe gollasom ein gilydd ar hyd yr anialwch o un i un wrth fyned
ar ol y defaid wrth iddynt ddianc, fel y buont yn crwydro. Yr
oeddym wedi colli ein gilydd i gyd a llawer o'r defaid, ond fi a thri
ereill. Ond yn mhen yr wythnos yr oeddym bron wedi darfod am
danom, ac yn methu cael dim dwfr ar hyd yr amser. Ond yr oedd

genym hen ddafad ddu yn gwrthod cerdded; fe laddasom hono nos Sul, a dyna lle yr oedd cyneu tân a rhostio hono, – ond ni welsoch erioed damaid salach. Ond para i chwilio a chwilio tan ddydd Mawrth. Yn mhen naw niwrnod o'r cychwyniad fe fynai dau droi yn ol, a dau fyned yn mlaen. Ar ol hir ddadleu, yn ol â ni i gyd, wedi penderfynu na chaem y Chupat byth. Ganol dydd y diwrnod hwnw mi ffeindies fod un o'r bechgyn oedd hefo ni wedi colli gwn, ond ni throai yr un ohonynt yn ol i chwilio am dano. Dywedais innau y mynwn ei gael, a throais yn ol i chwilio am dano. Bûm awr heb ei gael. Ond ni ddarfu iddynt aros, drwy fod y bwyd wedi darfod, ac yr oedd arnynt ofn llwgu, a'r canlyniad fu i mi fod allan am dri diwrnod a haner a thair noswaith heb yr un tamaid na llymaid, a thrafaelio ddydd a nos ar draws drain ac anialwch na welsoch ei fath erioed. Yr oeddwn yn credu y buaswn farw o eisieu bwyd yn yr anialwch. Yr oedd pawb wedi ffarwelio â mi, trwy fod pawb wedi cyrhaedd adref ddau ddiwrnod o fy mlaen (...)

Yr wyf yn teimlo o'm rhan fy hun y buasai yn llawer gwell genyf pe buasem wedi aros yn y Bala, trwy ein bod wedi cyfarfod a llawer o brofedigaethau. Ar ol cychwyn, fe gafodd Mary bach anwyd trwm; bythefnos cyn cyrhaedd yma fe drôdd yn glefyd arni, a bu farw y noswaith yr oeddym yn angori yn New Bay, ond cawsom ei chladdu yn y tir. Yn y diwrnodiau hyny cafodd Jane bach yr un clefyd, a bu hithau farw yn mhen tair wythnos i'r un diwrnod, a'n gadael yn unig i alaru ar eu holau.[14] Gellwch feddwl sut yr ydym yn teimlo, yn well nac y medraf ddywedyd i chwi. Y mae Catherine heb godi er's mis, wedi cael drain yn ei choes, ac wedi casglu a thori mewn tri o fanau: ond yr ydym yn disgwyl ei bod yn gwella yn araf.[15] Yr ydym yn teimlo hiraeth ar ol y Bala, ac yn meddwl dod yn ol os cawn ein bywyd.[16] Y mae un ar bymtheg wedi marw o'r fintai ar ol cychwyn o Lerpwl. Fe foddodd un John Davies yr wythnos diweddaf. Fe syrthiodd ar ei ben dros y cwch, ac ni welwyd mo hono mwy. Gadawodd wraig i alaru ar ei ol, er ein bod yn brofedigaethus i gyd (...)[17]

Taer ddymunaf arnoch anfon y llythyr hwn i fy nhad yn y Bala. Yr wyf heb anfon gair, ac yn colli y cyfleusdra hwn (...) Yr ydym yn cofio at bawb yn y Bala, a phawb arall ag sydd ganddynt goncern yn ein cylch: a chofiwch anfon yn ol mor fuan ag y gellwch. Rhowch yr address fel hyn,–

WILLIAM JONES.

Colonia de Galensos, Rio Chupat, Viá Patagones,

(4) Llythyr William Williams[18] at ei dad Robert Williams yn Grove St, Lerpwl. Gadawodd William Williams y Wladfa ym mis Tachwedd 1865 gyda LJ i Buenos Aires.

(*Yr Herald Gymraeg*, 3 Chwefror 1866)

Buenos Ayres. Rhag. 11. 1865

Fy Anwyl Dad, – Yr wyf wedi gadael y drefedigaeth Gymreig, ac yr wyf yn awr yn byw yn y lle hwn, er dydd Gwener. Y mae fy rhesymau dros ymadael yn amrywiol. Y mae'r drefedigaeth wedi troi allan yn hollol groes i'r hyn a ddysgwyliodd pawb. Y mae Lewis Jones wedi cael ei droi i ffwrdd gan y bobl eu hunain, ac y mae efe yn awr yn y dref hon gyda'i wraig. Y mae meddyg y drefedigaeth hefyd yma. Nid ydyw y bobl yn y Chupat yn cael haner digon o fwyd; nid oeddwn i a phedwar arall yn cael ond 8 pwys o wenith yn yr wythnos, a dim arall am beth amser; ond yn awr y maent yn cael ychydig de, siwgwr, rice, &c. Ni phery y rhai'n yn hir. Os nad êl provisions i lawr yno yn fuan, y mae'r bobl yn sicr o newynu, gan nad wyf yn credu fod yno ddigon (a rhoddi digon i bawb) i bara am dri mis. Nid oedd ganddynt wenith wedi ei hau, ac ni bydd ganddynt ddim am beth amser, fel nad oes un amheuaeth nad ydyw yr oll (*affair*) mewn cyflwr pur ddrwg. Yn fy marn i, ymadawai y rhan fwyaf o'r bobl pe gallent. Wrth weled pethau yn y cyflwr hwnw, gwnaethum fy meddwl i fyny i glirio allan, a thua mis yn ol gadewais y Chupat ac aethum i New Bay, lle yr arosasom wythnos arall; ac oddiyno i'r lle hwn. Yn fy llythyr diweddaf atoch crybwyllais fod fy eiddo (*goods*) wedi myned i Patagones i'w gwerthu; yr oedd yno eiddo hefyd yn perthyn i bobl ereill. Pan ddaeth Lewis Jones o'r lle hwnw yr oedd wedi ymadael a rhai o honynt. Trydd allan yn awr fod yr eiddo wedi cael eu cymeryd (*seized*) a'u hembargio ar gyfrif y drefedigaeth. Y mae pobpeth wedi myned o chwith. Nid ydyw y Llywodraeth wedi gwneyd, a chredwyf na wnant ddim, dros y drefedigaeth: a thra tebygol y clywch yn fuan y bydd y bobl yn Patagones cyn hir. Darfu i gyfaill o Lerpwl roddi i mi lythyr o introduction at ddyn ieuanc mewn lle yma. Yr wyf yn awr yn ysgrifenu y llythyr hwn yn ei swyddfa ef. Nid oes genyf amser i ysgrifenu dim rhagor yn bresennol. Rhaid i'r llythyr hwn gael ei bostio heddiw. Y mae genyf 70 o lythyrau, y rhai a gludais i'm canlyn o'r Chupat i'w postio, ac yr wyf yn meddwl y bydd iddynt arswydo (*alarm*) yr oll o Gymru. Nis gallaf eu postio gyda'r mail hwn, gan eu bod ar y llong, ac nis gallaf ddyfod atynt; ond y tro nesaf byddant yn sicr o fyned. Y mae'r pellder oddiyma i'r lle y mae'r drefedigaeth yn agos i 800 milldir. Nid wyf wedi clywed oddiwrthych er's pan adewais Lerpwl, ond y mae mail yn ddyledus ar y 15fed, a'r pryd hwnw gallaf glywed. Y mae'r agerlong ddiweddaf (*Herschell*) o Lerpwl wedi llongddryllio yn ngenau yr afon Plate. Byddwch cystal a'm cofio at bawb o'm cyfeillion a'm perthynasau; hefyd derbyniwch chwi a'm chwiorydd fy serch goreu. Yr wyf yn terfynu yn awr.

Eich serchog fab,
WILLIAM WILLIAMS.

Yr hanes yn llawn

(5) Rhan o lythyr maith Joseph Seth Jones[19] o'r Wladfa at ei deulu yng Nghymru. Ceir yn y llythyr hwn hanes y fordaith ar y *Mimosa* ynghyd â threialon y sefydlwyr yn ystod eu misoedd cyntaf helbulus yn y Wladfa.

Ceir cyfres o lythyrau oddi wrth ac at JSJ cyn iddo adael am Batagonia yn Llyfrgell Genedlaethol Cymru. Dyfynnir rhai ohonynt yn *Dyddiadur Mimosa*, (Elvey MacDonald, 2002). Cyhoeddwyd rhannau ohono yn yr *Herald Gymraeg* (9 Mehefin 1866).

(LlGC 18177C)

Dyffryn Chupat, Patagonia. Mawrth 1af, 1866.
Anwyl Deulu oll, – (...) Wel, i ddechreu yn y pen; yr ydych yn cofio i ni gael ein lluddias am oddeutu mis yn Liverpool, ond ar foreu rhyw ddydd Iau (Mai 25ain, 1865) dacw y llestr hir ddisgwyliedig (Y "Mimosa") yn ei chychwyn hi trwy y docks tua'r afon, ac ar ganol eu hymdrechion yn ei hwylio o'r naill ddoc i'r llall dacw y "Ddraig Goch" yn gwneyd ei hymddangosiad ar ben yr hwylbren uchaf, gan syllu, mae'n debyg, ar y tyrfaoedd mawrion oedd ar bob llaw yn gwylied ein hymadawiad. Buom ar yr afon hyd foreu y Sabboth canlynol, pryd y cychwynasom tua 4 o'r gloch y boreu. Wedi dod o'r afon cawsom wynt croes. Yr oeddym yn myned allan gyda thugboat, yr hwn a'n gadawodd tua 2 o'r gloch y prydnawn yn nghanol y moryn cynhyrfus. Aethym yn bur sâl, a phawb arall hefyd oddigerth ychydig. Parhau yn stormus iawn a wnaeth trwy'r dydd a'r nos (...) Yr oeddym oll yn bur sâl ac yn ein gwelyau. Yr oedd wedi tawelu yn fawr ac yn bur hyfryd ddydd Mawrth. Dydd Mercher a Iau yn hyfryd, a'r llong yn hwylio'n gampus (...) Dydd Sabboth, y Sulgwyn – hyfryd iawn- y môr yn hollol lyfn (...) Yn y boreu darllenodd y Cadben Wasanaeth Eglwys Loegr; ysgol am ddau, a phregeth am 6 (...) Ar y 9fed o Fehefin, gyda'r nos, bu merch oddeutu 2 flwydd oed[20] i Mr. Robert Thomas a'i wraig o Fangor, farw, a bwriwyd hi i'r môr mewn coffr bach a wnaed i'r pwrpas, boreu dranoeth, ar ol myned trwy y gwasanaeth. Eto am 10 o'r gloch y nos, y dydd y claddwyd y llall, bu bachgen bach[21] i Mr. Aaron Jenkins a'i briod, o Mountain Ash, farw, a chladdwyd yntau boreu dranoeth yn yr un dull ag o'r blaen.

Tua chanol dydd Mawrth y 13eg o Fehefin, gwelem y Madeira Islands (...) Yr oedd yn boeth iawn dranoeth, a threnydd gwelsom y Canary Islands o bell, a gwelsom y Peak of Tenerife (...) Bu

amryw o'r bechgyn yn ymdrochi ar yr 22ain, trwy rwymo rhaff wrth y bowsprit, yr hon oedd yn myned bron at y dwfr, ac yna eistedd ar y gwaelod, a thrwy fod penau y llong yn siglo i fyny ac i lawr bob yn ail, yr oeddynt yn cael trochfa dros eu penau (...)

Y 27ain (Mehefin) bu plentyn[22] i Mr. Robert Davies a'i briod, o Landrillo, farw, a chladdwyd ef boreu drannoeth, ar yr hwn ddiwrnod y gwelsom long, ac yr aeth y cwch ati (...) Ar y 9fed cyfisol gwelsom Benrhyn cydiol Brazil. Bu y Parch.L.Humphreys[23] yn bedyddio tri o blant heddyw. Yr oeddwn wedi bod yn lled sâl am y tair wythnos diweddaf, eto yn codi bob dydd, ond yn aml yn teimlo yn rhy ddifater a digalon i goginio i mi fy hun pe buasai genyf bethau cymhwys a hwylusdod i wneyd; ond heddyw dechreuais wella yn iawn. Yr oeddwn yn wan ryfeddol, ac yr oeddwn o dan law y Meddyg er ys deuddydd.[24] Yr oedd fy nghorph yn bur rwym, a'r gravel arnaf, yr hyn a achosai boen yn fy nghylla, a'm stumog yn bur wan, &c (...)

O ie, cyn myned yn mhellach, dylid crybwyll i ddau blentyn gael eu geni, un i Mr. John Jones, ieu., Mountain Ash[25], ar llall i Mr. Aaron Jenkins or un lle[26], sef dau o'r tri a fedyddiwyd. Hefyd dydd Mercher, yr 28ain o Fehefin, croesasom y cyhydedd (...) dywedir ei bod yn hen arferiad yn mhlith y morwyr pan yn croesi y gyhydedd i gael dipyn o ddifyrwch yn y dull canlynol:-Dau forwr i wisgo barfau gwneyd llaesion (carth hir) – taflu tân gwyllt i fyny – y morwyr yn taflu bwceidiau o ddwfr am benau eu gilydd, &c. Cymerodd yr hen arferiad yma le y noson hon. Tywalltwyd dwfr am ben yr holl ymfudwyr hefyd oddigerth y menywod a'r plant. Buwyd yn gyru rockets i fyny wed'yn (...) Ond i fynd yn mlaen, euthom heibio Brazil yn weddol ond cawsom hi braidd yn eger.

Tua'r 17eg yr oeddym yn barnu ein bod wedi mynd heibio i'r Rio de la Plata, Buenos Ayres. Ar yr un diwrnod bu farw plentyn[27] i Mr. Griffith Solomon a'i briod, Ffestiniog, a chladdwyd yntau boreu dranoeth fel arferol (...)

Ar y 26ain daeth y tir i'r golwg – gorynys y Valdes. Yr oeddym o fewn oddeutu milldir i'r orynys rhwng tri a phedwar. Rhwng 5 a 6 gwelem enau y New Bay – Nueva Head ar yr ochr ddeheuol a Ninffas Point ar yr ogleddol, ac aethom i mewn i'r Bay yn lled fuan wrth oleuni'r lleuad. Agorasom ein llygaid ddydd Gwener, y 27ain yn New Bay – yr oedd yn foreu hyfryd, ac yn bur dawel. Bay braf ydyw, yn edrych fel cylch mawr, oddigerth yr agorfa sydd o hono i'r mor. Mae oddeutu 50 milldir o hyd a 30 o led. Yr oeddym yn tybio ein bod yn gweld llong fach yn y Bay, ac aeth y Cadben ac ereill yn y cwch i edrych, ac yn mhen oddeutu teirawr neu bedair dychwelasant a Mr. Lewis Jones gyda hwynt.[28] Yn fuan wed'yn rhoddodd dipyn o'i hanes i ni. Cawsom araeth ardderchog ganddo nes ein gyru bron i ddawnsio yno (...) Aeth amryw i'r lan dranoeth, ac yn lled hwyr yn y prydnawn, daeth un o'r enw Mr. David Williams, crydd, gynt o Aberystwyth, i'r lan, ac yn ei wangc aeth i edrych y wlad, ond ni ddychwelodd yn ol erbyn y nos, a buwyd yn cyneu tân yma ac acw iddo yn y nos a thrwy y dydd Sabbath canlynol buwyd yn chwilio am dano, a gwnaed pob ymdrech ag a ellid heb beryglu ein bywydau ein hunain trwy fyned yn rhy bell, &c., ond y cyfan yn ofer (...) ond ni chafwyd hyd iddo hyd y dydd hwn.

Cyn myned yn mhellach dylaswn ddweyd i blentyn i Mr. William Jones, teiliwr (ei ferch ieuengaf) farw boreu dydd Sadwrn[29], a chladdwyd hi yn y tir, a fi fu yn tori bedd iddi, ac er nad wyf fardd nac yn arfer prydyddu, daeth awydd arnaf i dreio prydyddu pan ar y gorchwyl, a dyma fe:-

Wrth dori bedd – y gyntaf un,
    I un o'r fintai hon,
Rhyw deimlad rhyfedd – teimlad prudd,
    A syn, oedd dan fy mron.

Er meddwl am y Mudiad llon
    A wnaethom o'r hen gwm,
Er hyny i gyd yr ydoedd hyn
    Yn taro'n hynod drwm.

Un o'r gorchwylion cyntaf oll
    I mi oedd tori bedd,
Mewn gwlad mor bell o Gymru fach
    I blentyn gwyn ei wedd.

Bu yr eneth fach arall oedd gan Mr. William Jones farw hefyd cyn pen hir iawn. Hefyd yn ystod ein harosiad yn New Bay bu plentyn i Mr. Evan Davies[30] farw, yn nghyda gwraig Mr.Robert Davies, Llandrillo[31], a phlentyn i Mr. John Hughes, Rhos.[32] Hefyd ganwyd merch i Mr. Morris Humphreys.[33] Buom yn New Bay am yn agos i ddau fis. Nid oedd dim dwfr i'w gael yno heb fyned dair neu bedair milldir gyda glan y Bay o'r fan lle yr oedd y tai coed, lle yr oedd dwfr gwlaw wedi croni. Dyma'r dwfr agosaf oddigerth ffynon, yr hon

oedd ychydig o flas halen ar ei dwfr, yr hon a gloddiasai Mr.Edwin
Roberts, yr hwn oedd yno yn ei dysgwyl gyda thri neu bedwar o
ddynion a ddaethai Mr. Lewis Jones gydag ef o Patagones.

Yn mhen ychydig ddyddiau cychwynodd bagad o'r gwrywod
dros y tir i'r Chupat.[34] Yr oedd ereill yn bugeilio y creaduriaid – y
lleill yn dechreu amaethu – ac ereill yn gwneyd ffordd tua'r Chupat,
sef clirio'r twmpathau drain, &c., yr hyn a wnaed o 10 i 15 milldir –
rhai yn cario y baggage oddiar y traeth, a'i daclu yn y warehouse – a
rhai wedi myned a bwyd yn y cwch i'r Chupat. Ond dyma rai yn
dychwelyd o'r Chupat yn mron newynu a thagu. Yr oeddynt wedi
colli y ffordd, ac wedi bod bedwar neu bum' niwrnod yn cyrhaeddyd
yno, ac oddeutu cymaint yn dychwelyd. Dychwelodd y cwch wedi
bod mewn ystorm enbyd, a chael colledion, heb gyrhaedd yno – ac
mewn helbul fel hyn y buwyd am amser wrth geisio myned i'r
Chupat. Y rhai ereill a ddanfonwyd yno yn colli y ffordd ac yn hir yn
cyrhaeddyd yno, ac ereill yn troi yn ol, ac yn dod adref a golwg
gresynus dros ben arnynt, a'r rhai oedd wedi aros yn y Chupat
mewn caledi mawr (...)

Pan oedd y dwfr ar ddarfod yn New Bay, ymdrechwyd i fyned
oddi yno. Aethpwyd a'r creaduriaid ar hyd y tir, a'r luggage a'r
menywod mewn llong fach.[35] Nis gallai y llong fyned a'r holl
luggage ar unwaith na dwywaith, a dyma y dull y cymrera ef, sef
myn'd a llwyth, a d'od a rhan ohono yn ol falast. Wel i chwi pan oedd
yn myned a'r llwyth cyntaf, a'r menywod, cyfododd yn wynt mawr,
a chwythwyd y llestr am ganoedd o filldiroedd. Buont mewn
ystormydd dychrynllyd na welsom ni ar y "Mimosa" ddim byd
oddiwrthynt. Y mae'n hynod o ddyddorol i wrandaw ar y menywod
yn adrodd yr hanes. Buont yn agos i bymthefnos yn d'od i olwg y
Chupat. Yr oedd llawer yn anesmwyth iawn yma ac yn ofni nas
gwelem hwy byth. Yr oedd y bwyd wedi darfod oddigerth ychydig
bach o wenith, yr hwn a ferwem. Yr oedd y cadben wedi addaw d'od
i'r afon, ond pan ddaeth atti, dywedodd nas gallasai, ac arllwys
pobpeth yn y cychod fu raid, a *humbug* rhyfeddol fu hefyd.[36] Byddai
y llanw yn d'od ar ein gwarthaf cyn y gallasem eu symud ai gyrhaedd
yn aml, a helynt rhyfeddol fu yn ceisio eu cael o lan y mor i fyny hyd
yma yn y cwch (...) Un tro, ar noson dywyll iawn, yr oedd y cwch yn
d'od i fyny, a daeth ceffyl i'w lusgo, fe roddodd y ceffyl blwc nes
oedd pawb yn cael eu codymu yn y cwch, ac fe syrthiodd un – Mr.
John Davies, Mountain Ash – ar ei ben i'r afon, a'r rhwyf yn ei
ddwylaw, ac ni chafwyd ef byth.

Ychydig cyn hyn yr oedd llong o Buenos Ayres wedi dyfod i New Bay, yn cynnwys swyddogion y llywodraeth, ac ychydig filwyr a cheffylau, wedi dyfod i roddi a mesur y tir, pa rai a ddaethant ar gefnau eu ceffylau i'r Chupat, ac a gyflawnasant eu gorchwyl.[37] Bu yr hen long fach am wythnosau ar wythnosau yn cludo y pethau o New Bay i geg yr afon. Byddai naill ai yn rhy eger neu rhyw beth i fyned a chwch ati, neu feallai y codai yn wynt, ac y ffoai y cadben i lechu am wythnos neu bymthefnos weithiau. Ni byddai yn d'od ond ychydig bach o fwyd ar y tro gyda'r luggage, a byddem mewn caledi yma yn aml, ond bob tro cyn i ni newynu byddai rhagluniaeth yn gofalu am anfon yr hen fachgen a bwyd i ni. Yr ydych yn cofio mae'n debyg y dyddiad yr ysgrifenais attoch o'r blaen; wel dyma yr adeg y gorphenodd y cadben dd'od a'r pethau, a dyna yr adeg y bu yma gynhwrf mawr. Amlygodd Mr. L. Jones ei fwriad i ddadgysylltu ei hun yn gyfangwbl oddiwrthym. Yr oedd yma gryn ddrwg-deimlad yn mhlith y bobl er's talm yn ei erbyn. Fodd bynag ystyriwyd ei fwriad yn y Pwyllgor, a gwnaethpwyd Mr. William. Davies, Liverpool, yn llywydd yn ei le.[38] Yr oedd yn edrych yn dywyll ryfeddol arnom. Tymmhor hau wedi myned heibio – bernir ein bod dri mis yn rhy ddiweddar pan yn cyrhaedd New Bay. Dim bwyd am ddim ond rhyw haner blwyddyn, a chael hwnw wrth allowance, a hono yn un brin iawn hefyd. Dim hâd at y tymmhor dyfodol – yr oeddym yn gorfod bwyta hwnw, a da iawn ei gael. Yr oedd yn bur ddrwg arnom. Bu yma gyfarfodydd cyhoeddus i ymddyddan â Mr. L.Jones, ac erfyniodd Mr. W.Davies arno yn daer i beidio a chefnu arnom, ond dim yn tycio. Ond yn nghanol y tywyllwch, fodd bynag, addawodd y tir-fesurydd, yr hwn oedd heb fyned ymaith, gymeryd ein hachos ato, ac na chaem fod mewn eisieu. Cychwynodd Jones a'r tir-fesurydd, &c., ymaith yn y llong fach tua Buenos Ayres; ond pan oeddynt yn rhywle tua New Bay, cyfarfyddasant â llong yn d'od yma ac aethant ill dwy i New Bay. Yr oedd y llong yma yn cynnwys bwyd a chreaduriaid. Dyma wawr eto yn tori. Wed'yn aeth Mr. W. Davies gyda hwynt ymaith. Bu Mr. Davies yn lled hir yn dychwelyd, ac yr oedd tipyn o bryder yn ei gylch; bu i ffordd am oddeutu 3 mis a haner. Ond ynghanol ein holl bryder am Mr. Davies, wele, ar y 27ain o Chwefror, dyma y newydd fod llong a bwyd yn dyfod i fyny yr afon, a chyn pen hir gwelem Mr. Davies yn dyfod i fyny gyda glan yr afon (...) Dyma wawr eto – llongiad o fwyd wedi d'od i fyny yr afon, a'r afon yn ail enill ei chymeriad – "yr afon fawr fordwyol."

Yn y prydnawn cawsom adroddiad byr gan Mr. Davies o'i

weithrediadau (…) Yr oeddynt yn Buenos Ayres am ein symud oll oddiyma. Yr oedd un neu ddau o blaid i ni aros. Yr oedd y tirfesurydd am ein cael oddiyma, ac wedi methu, dadgysylltodd ei hun â ni – yr oedd wedi myn'd oddiyma fel ein hagent. Ond yr oedd y gweinidog o'n plaid, a gwnaeth ei oreu drosom. Beth bynag, y maent wedi penderfynu rhoddi gwerth 700 dolar arian o fwyd i ni yn y mis hyd y cynauaf nesaf, yn nghyda chynnyg Bill i'r senedd am chwanegiad o bethau &c. Nis gallent ganiatau dim ond bwyd i ni, mae y Llywodraeth yn bur dlawd, oblegid y rhyfel. Mae Mr. Davies wedi llwyddo i gael y llong fach[39] sydd yma yn eiddo i ni, trwy gael caniatad i ddefnyddio arian mis Ionawr, a chardota dros gan punt, &., yn Buenos Ayres i'w phrynu. Yr oedd talu am gludo y bwyd o Buenos Ayres yma i fyned o'r 700 dollar yma, ond yn awr dyma y llestr fach yma at ein gwasanaeth, ac y mae yn myned i Patagones yn awr yn ddioedi i geisio llwyth o fwyd. Bellach fe fydd cymundeb misol rhyngom a Phatagones a Buenos Ayres.

Y mae amryw farwolaethau wedi cymeryd lle er pan ydym wedi sefydlu yn Tre' Rawson. (…) Y mae amryw enedigaethau wedi cymeryd lle. Ganwyd merch i Mr. W.Hughes – merch i Evan Davies – a mab i Mr. W. Jones, teiliwr[40]. Cymerodd amryw briodasau hefyd le yn mhlith y fintai hon. Priododd Mr.William Hughes, o Sir Fôn, ar fwrdd y "Mimosa" – Thomas Jenkins a Mary Jones o Mountain Ash, yn New Bay – Mr. Hughes, Manchester, yn Nhrerawson – yn nghyda Mr. John Moelwyn Roberts a Miss L.Roberts, yn Nhrerawson.

Yr ydym yn cael dwy bregeth bob Sabboth, un gan y Parch A.M.Mathews[41], a'r llall gan y Parch. L. Humphreys, yn nghyda chwrdd gweddi am saith yn y boreu ac ysgol am 2 y prydnawn – cyfeillach nos Lun a chwrdd gweddi nos Iau; yn nghyda chwrdd gweddi nos Lun cyntaf yn y mis. Y mae genym yn awr amryw gyfarfodydd ereill hefyd wedi eu sefydlu. Cynnaliwyd math o Eisteddfod fach yma ddydd Nadolig diweddaf, ac y mae un arall i fod ddydd Nadolig nesaf. Y mae genym gyfarfod llenyddol bob mis, i un o'r aelodau i areithio ar ryw bwnc yn dwyn perthynas â llenyddiaeth Gymreig; a chwrdd dadleuol bob mis, sef yn nghanol bob mis (…)

Mae y dyffryn yma oddeutu 50 milldir o hyd, a 4 neu 5 milldir o led. Y lle trigianol agosaf i ni yw Patagones (Del Carmen); ac am yr Indiaid (y Patagoniaid naw troedfedd o hyd fel y dywedai rhyw un) nid ydym wedi gweled na chlywed dim oddiwrthynt hyd yn hyn (…)

Yr ydym yn byw yn bresennol mewn tai wedi eu gwneyd yn benaf o'r gwellt sydd yn tyfu yn y dyffryn yma (...) Yr ydwyf fi yn mwynhau iechyd da yn awr a phawb ereill yn gyffredinol, oddigerth rhyw un neu ddau. Bellach rhaid i mi derfynu, gan gofio attoch chwi oll, yn nghyda'm holl gyfeillion.

Yr eiddoch mor gywir ag y gallwn,

JOSEPH SETH JONES,

(Cyfeiriad), –

Tre Rawson, Colonia de Gallense,

Patagones, Buenos Ayres.

D.S. Anghofiais ddyweyd fod Mr James Davies[42], Sir Fynwy gynt, cyfaill hoff genyf wedi myned ar goll er ys oddeutu 5 neu 6 wythnos yn ol, ac ni welwyd dim oddiwrtho. Myned oddi yma i New Bay yr oedd ar gefn ceffyl. Y mae y ceffyl wedi dychwelyd. Yr oedd ganddo olwg byr. Yn New Bay yr oedd ef ac un arall er ys tro yn edrych dros y bwyd, &c., oedd heb orphen eu gludo gyda'r ceffylau. Gwnaed ymchwiliadau am dano ar gefnau ceffylau, ond y cyfan yn ofer. – Bu yma hefyd yn ddiweddar Drengholiad ar Mri D.Williams a J Davies, a barnwyd fod y cyntaf wedi newynu, a'r llall wedi boddi yn ddamweiniol. – Pan oeddym yn y tywyllwch cyn dychweliad Mr.Davies a'r llong yn ol o Buenos Ayres yr oedd yma lawer yn penderfynu dod yn ddiysgog o blaid y Wladychfa. Clywais amryw yn dyweyd y byddai yn well ganddynt lwgu na myned oddi yma (...) – Bydded hysbys hefyd ein bod wedi ymffurfio yn gwmni o filwyr Taleithiol dan adolygiad y Rhingyll John Roberts, a buom yn paredio yma y Gwyliau, a byddwn yn drilio yn awr a phryd arall. – J.S.J

(6) Rhan o lythyr Abraham Matthews[43] yn anniddig iawn â'r paratoadau ar gyfer y sefydliad ac â LJ yn benodol. Edrydd hanes un o'r teithiau helbulus o'r Bae Newydd tua Dyffryn Camwy. Golygais lawer ar y llythyr am ei fod yn ailadrodd rhai o sylwadau llythyrau 3 a 5 e.e. mordaith y *Mimosa*, diflaniad Dafydd Williams, helyntion y *Mary Helen*, boddi John Davies ac ati. Dywed golygydd *Yr Herald* iddo olygu rhai brawddegau yn y llythyr 'a gyfeirient, mewn dull anghymeradwyol, at un o sefydlwyr y Wladychfa'. Nid oes fawr o amheuaeth mai at LJ y cyfeiriwyd y brawddegau a hepgorwyd. Nid oedd Abraham Matthews a LJ yn gweld lygad am lygad, er i'r ddau weithio'n ddiflino dros y Wladfa.

(Cyhoeddwyd yn *Yr Herald Gymraeg*, 7 Gorffennaf 1866. Fe'i cyhoeddwyd hefyd yn *Y Gwladgarwr*.)

LLYTHYR O PATAGONIA
ODDIWRTH Y PARCH. A. MATHEWS,
GYNT LLWYDCOED, ABERDAR.

Colonia de Galenso, Patagones,
Buenos Ayres, South America,
Mawrth 2, 1866.

Anwyl frawd a thad yn yr efengyl, – Dyma fi o'r diwedd yn teimlo awydd i ysgrifenu gair atoch, er yn ddigon analluog ar hyn o bryd. Yr wyf wedi bod mor anffodus er ys naw niwrnod yn ol a thori archoll ddofn iawn ar fy arddwrn gyda'r fwyall: torais rai o'r gewynau, ac y mae yn dal yn bur ddrwg hyd yn hyn; ond gobeithio y daw eto cyn hir. Ond yn awr at wneyd llythyr. (...)

Wel y mae'n debyg y gwyddoch yr helynt fu arnom yn Lerpwl. Wfft i'r fath helynt a hwnw – mae yn rhy gas genyf son gair am dano. Ond dyma ni yn cychwyn o'r diwedd ar y 29ain o Fai, 1865. Cawsom long dda, gyflym, a phob peth yn gyflawn at ein gwasanaeth ar hyd y fordaith, ond bod cryn lawer o gamdrefn wedi bod wrth brynu, a diofalwch ac annibendod gwaradwyddus wrth roddi allan ar fwrdd y llong; ond, o ran hyny, felly y mae yn dygwydd yn wastad os na fydd y "right man in the right place." Ond gadewch i hyny fod, bum yn meddwl wedi hyny, ac yn wir weithiau ar y pryd, mai cael ein cymhwyso yr oeddym yn raddol i ddal caledi oedd fwy. (...) Beth bynnag, wedi bod am rhyw ddau fis hir ar y dw'r, dyma ni yn New Bay, Patagonia. Erbyn dyfod yno, cawsom Meistri L.Jones ac Edwin Roberts yno a llong ganddynt wedi dyfod a lluniaeth ac anifeiliaid ar ein cyfer. Yr oedd yma amryw fythod hefyd wedi eu codi ar y lan at ein gwasanaeth. Wel, dyma ni wedi gallu dweyd y stori o Lerpwl yma yn bur hwylus, ond o hyn allan nis gwn i ar y ddaear sut y mae dyweyd, canys "tawn i'n deud i chi tan y bore choeliech chi monwy," chwedl pobl y Bala. Ond gadewch i ni ddechreu.

Cododd L.Jones y bythod yn New Bay yn lle yn Chupat, yr hwn sydd ddeugain milldir dros y tir o New Bay. Wedi hyny, yr oedd wedi breuddwydio fod gwartheg gwylltion rhyw ychydig oddiyno ar y Valdes, a marmor ddigon mewn man arall rhyw gan milldir oddiyma, guano ddigon mewn rhyw ynys yn Chupat. Yn awr, nid oedd byw na budd os na wnaem uno i beidio gwneyd dim yn bersonol i ni ein hunain am dri mis, ond pawb i uno i weithio ar gyflog – mintai i'r fan hon, a mintai i'r fan acw. A gweithio ac enill yn iawn, ac yn y diwedd rhanu yr elw wedi talu y treuliau. Cychwynodd mintai o ddeuddeg, yr wyf yn meddwl, o ddynion ieuainc cryfion dros y tir i Chupat i dori coed a gwneyd tai. Yn mhen dau ddiwrnod, cychwynodd mintai arall o ddeuddeg o ddynion i fesur tir ac adeiladu, ac ereill wedi hyny a'r anifeiliaid gyda hwy i ddechreu trin y tir a hau. Nid oedd Lewis Jones erioed wedi bod yn Chupat dros y tir, ac nid oedd yn gwybod dim felly am y daith, nac ychwaith nemawr ddim am y cyfeiriad. Wel, beth bynnag, dyma y bobl yn dechreu eu ffordd – rhai wedi nos wrth olau lleuad, ac ereill liw'r dydd, ond nid yw rhyw lawer o bwys pa un, canys y mae'r naill a'r llall yn colli'r ffordd i rywle. Yr oeddwn i fy hun yn yr ail fintai, ac yna gwell i mi roi hanes hono. Myned gydag un Mr Davies[44] o Lerpwl i fesur y tir yr oeddwn i.

Dyma ni yn cychwyn canol dydd, ddydd Iau – y dydd Iau cyntaf wedi d'od o'r llong, sef y 3ydd o Awst. Yr oedd genym ddau geffyl rhwng deuddeg, i gario ein beichiau, y rhai a gynnwysent ymborth am dri diwrnod, ychydig o ddwfr, ac ychydig arfau a philyn i orwedd a chysgu ynddo. Nid oeddwn i wedi bod hanner iach y pythefnos diweddaf ar y llong, ac felly yr oeddwn yn bur wan i gychwyn y daith. (...) Yr oeddym wedi cael ein cyfarwyddo i ddal i'r de-ddwyrain (yr oedd genym gwmpawd gyda ni) ac felly gwnaethom. Cofiwch mai yr ail fis o'r gauaf ydoedd yn y wlad hon. Dyma ni yn teithio hyd yr hwyr ddydd Iau, ac ychydig wrth oleu y lleuad a'r ser, ac yna yn gorwedd, yn cynau tân, yn bwyta swper, ac yna yn cysgu yn ochor llwyn o ddrain. (...) Boreu ddydd Gwener, dyma ni yn cychwyn gyda'r dydd – yn teithio yn mlaen – rhai ohonom yn dechreu blino yn dost erbyn haner dydd – y dwfr wedi darfod a syched mawr yn dechreu arnom. Yn mlaen a ni hyd bedwar y prydnawn. Dyma ni yn taro wrth lyn o ddwfr yn aros ar wyneb y tir, yn yfed yn iawn, yn llenwi ein llestri, ac yn cychwyn eilwaith. Wedi myned ychydig, dyma ni yn ngolwg y môr eto, pan y dysgwyliem fod yn ymyl yr afon Chupat. Wel, wel, dyma ni wedi tori ein calonau. Erbyn sylwi, pa le yr ydym ond yn ngwaelod New Bay, sef yn Ninfas Point, rhyw ddeugain milldir o'r afon – llawn mor belled ag oeddym wrth gychwyn. Cysgasom yno nos Wener. Cychwynasom boreu ddydd Sadwrn drachefn heb un dafn o ddwfr, a chyfeiriasom tua'r gorllewin. Tua phedwar o'r gloch y prydnawn, caswom ddwfr drachefn, pan ar lewygu gan syched, ac O! mor felus ydoedd. Bwytasom ac yfasom yn helaeth, ac ymaith â ni drachefn. Gwelwn fwg rhyngom a'r gorllewin yn yr hwyr, a chyfeiriasom tuagato hyd naw o'r gloch. Cysgasom nos Sadwrn. Wedi bwyta, boreu Sul, cychwynasom drachefn. Deallasom erbyn hyn ein bod mewn dyffryn, a mawr oedd ein llawenydd, canys credem bellach nad oedd yr afon yn mhell, ond yr oedd y mwg a welsom y nos o'r blaen wedi darfod. Teithiasom hyd haner dydd, ac er ein mawr lawenydd daethom at yr afon. Dylem ddyweyd yn y fan hon air o eglurhad. Y mae ar lan yr afon, tua chwe' milldir o'r môr, hen amddiffynfa Yspaenaidd[45], ac ychydig fythod ynddi. Yr oedd y fintai gyntaf wedi cyrhaedd yno ddydd Gwener, wedi bod mewn caledi mawr fel ninnau. (...) Ond erbyn hyn, yr oedd ein bwyd ni a hwythau wedi darfod, fel yr oedd yn hen bryd i ni anfon rhywrai yn ol i New Bay i ymofyn lluniaeth. (...)

Wel, dyna ni bellach wedi rhoi i chwi rhyw fras hanes o'n taith i Chupat. Buom yma yn byw ar gig yn unig am tuag wythnos. Yn mhen yr wythnos cychwynodd saith o honom yn ol drachefn ar ein traed, ac un ceffyl genym i gario ein beichiau. Wedi bod dri diwrnod ar ein taith mewn newyn a syched mawr, cyrhaeddasom New Bay ar brydnawn Sul. Yr oedd golwg ddyeithr arnaf fi ac ar Mr. Davies, canys ni fwytasom ddim trwy'r daith, ac heblaw hyny nid oeddym yn iach. Yr oedd pob llygad a'n gwelodd pan gyrhaeddasom New Bay yn gollwng dagrau gan yr olwg druenus oedd arnom; ond yr oedd Mrs a Mary Anny fach, er fy nghysur, yn iach ac yn edrych yn dda. Bum wedi hyn am dair wythnos yn fy ngwely, oherwydd cornwydydd a dolur rhydd, a bu Mrs hefyd ran fawr o'r amser hwnw yn gorwedd gyda mi o'r un dolur. Nid yw yr hanes uchod ond engraifft wan o bethau a gyfarfyddodd y rhan fwyaf o honom wrth fyned a dyfod i Chupat. Arhosodd llawer yn Chupat trwy yr holl galedi. Buont lawer gwaith am ddyddiau heb nemawr ddim i'w fwyta, canys yr oeddym yn gorfod cario y cyfan yr holl ffordd i'r lluaws dynion ar gefnau ceffylau. Soniasom yn y dechreu am guano, marmor, gwartheg gwylltion, &c. Ni ddaeth dim o'r breuddwydion hyn, canys dyrysodd y teithio dyryslyd hyn y cyfan. (...)

Gwyddoch am yr addewidion mawr a wnaed ar hyd y wlad fod y Llywodraeth wedi addaw hyn-a-hyn o greaduriaid a lluniaeth. Yr oedd hyny yn anwiredd bob gair; nid oedd y llywodraeth wedi addaw dim ond y tir, canys y mae y pwnc o flaen y senedd eto heb ei setlo; ond y maent wedi gwneyd llawer eisioes, ond ni wyddom pa faint yn ychwaneg a wnant eto.

Wedi i ni gael pethau i dipyn o drefn yma, fel y nodasom o'r blaen, a'r llong yn barod i gychwyn yn ol, sef tua chanol Tachwedd diweddaf, dyma'r llywydd[46] yn dyweyd ei fod ef yn ein gadael ac yn myned ymaith. Nid oedd dim i'w wneyd wed'yn ond ethol llywydd yn ei le, ond fel yr oedd yn ffodus i ni, yr oedd genym ddyn cymhwysach i lanw y swydd, sef y Mr. W.Davies y cyfeiriais ato yn barod – tirfesurydd o Lerpwl. Y mae hwn yn ddyn iawn, ond i ni gofio mai *dyn* ydyw wedi'r cwbwl.

Aeth hwn ymaith i Buenos Ayres yn oruchwyliwr drosom i dreio cael cynorthwy gan y Llywodraeth. Bu oddiyma o hyny hyd yr wythos hon.[47] Gweithiodd yn galed, a gwnaeth waith mawr. Mae y senedd heb gyfarfod eto, ac felly nis gwyddom beth a wna: ond y mae wedi llwyddo i gael llong[48] yn eiddo personol i ni ein hunain trwy danysgrifiadau, ac y mae hono y funud yma yn aros yn yr afon o fewn can llath i'n ty ni (pe bai yn dy hefyd). Y mae wedi llwyddo hefyd i gael digon o fwyd i ni am flwyddyn eto, sef hyd y cynauaf nesaf, yr hwn sydd yn dygwydd yn y wlad hon tua misoedd Ionawr a Chwefror. Dyma ni chwi welwch a gobaith am ymborth am flwyddyn, a llong at ein gwasanaeth. (...)

Wel, dyma ni yn ddyrnaid bach o Gymry yn y fan hon fel allan o'r byd mewn un ystyr, ond eto yn iach oll a chysurus. Yr ydym yn penderfynu aros yma i'w threio hi beth bynag. (...)

Wel, dyma fi yma yn pregethu bob Sabboth, yn rhanog a Mr. Humphreys, ond y mae arnaf ofn yr â Mr. H. i fethu pregethu gan rywbeth sydd yn codi ar ei wddf.[49] Y mae'n wir i mi gael llawer cymhelliad i beidio dyfod yma, a diamheu y buasai yn well i fy amgylchiadau pe na ddaethwn am lawer o flynyddoedd mae'n sicr, os nad hyd fy niwedd. Nid wyf wedi cael un geiniog am ddim er pan gychwynais oddiyna, ac nid wyf yn berchen, er y dydd y gleniais, ond chwe' cheiniog, na dim golwg yn fuan i ddyfod yn berchen dim. Ond wedi'r cwbl, yr wyf yn teimlo yn eithaf cysurus. Yr unig beth sydd yn fy mlino yw ychydig ddillad. Mae'n wir fod genyf ddigon o ddillad eto, ond ânt yn fuan iawn. Y mae fy esgidiau yn yn darfod yn gyflym iawn; collais un pâr newydd. (...)

Sut yr ydych chwi yna? (...) Y mae arnaf hiraeth mawr weithiau am gymdeithas brodyr yn y weinidogaeth, ac am gyfarfodydd cyhoeddus Aberdar, ac am lawer awr ddedwydd a dreuliais yn eich ty chwi, ac yn y ffarm, ac ar Hirwaun, a manau eraill, ac am eglwys fach heddychol Llwydcoed. Yr wyf am gael llythyr oddiwrthych mor fuan ag sydd modd. (...) Gweddiwch drosom oll.

Yr eiddoch yn gywir,
A.MATTEWS.

Anawsterau a helbulon

(7) Llythyr Cadfan at ei frawd a'i chwaer a gyhoeddwyd yn *Yr Herald Gymraeg* (5 Mai 1866). Cyhoeddwyd llythyr arall ar yr un dudalen gan 'Evan Jenkins' yn ysgrifennu o'r 'Afon Chupat' ac yn cwyno am ei ddigalondid, gan ddweud am y dynion a deithiodd i Ddyffryn Camwy: ' ... y bu agos iddynt farw o newyn.' Nid oes cofnod o'r un Evan Jenkins ar restr Elvey MacDonald o'r fintai gyntaf (gw. *Yr Hirdaith*), ac felly gellir tybio mai llythyr ffug ydyw gan y rhai a wrthwynebai'r ymfudiad i Batagonia. Parthed y llythyr isod, roedd yna yn sicr ŵr o'r enw Hugh Hughes (Cadfan Gwynedd) – gw. llythyr rhif 1. Nid oes modd profi a yw'r llythyr isod gan Cadfan yn un dilys ai peidio, ond fel y dywed Elvey MacDonald, ' . . . ni welwyd gair gan deulu Cadfan yn gwadu ei ddilysrwydd yn yr *Herald* na'r *Faner'* (*Yr Hirdaith*, t. 102).

Parodd y llythyr yma loes i deulu LJ fel y gwelir o'r llythyr sy'n dilyn hwn.

(*Yr Herald Gymraeg*, 5 Mai 1866)

A ganlyn sydd ran o lythyr cyfrinachol Mr. Hugh Hughes (Cadfan Gwynedd) at ei frawd a'i chwaer – Mr. a Mrs. Richards, Union-street, Lerpwl. Mae y copi hwn yn gywir, a gellir cael gweled y gwreiddiol trwy alw efo Mr. Richards:-

Y mae genyf i'ch hysbysu fod Mr. Lewis Jones yn myned i'n gadael am byth, medd ef. Nis gwn pa beth yw yr achos o hyn. Y mae hyn yn peru i mi feddwl ei fod am ymadael er ys llawer dydd. Yr oedd yn meddwl cael llwyth o guano, a dyfod gydag ef i Loegr wedi gwneyd ei gynnysgaeth (*fortune*). Mae yn myned i ffordd, ef a'i wraig gydag ef, yn yr ysgwner ag oedd yn cludo ein pethau o New Bay yma. Yr oedd L.Jones yn meddwl unwaith cael y Mimosa i gyrchu guano; felly yr ydoedd wedi gorchymyn i'w holl ddodrefn gael eu gadael ynddi; ond cyn gynted ag y daethpwyd i ddealltwriaeth nad ydoedd y Mimosa yn myned i gyrchu y guano, daeth ei gelfi ef i'r lan: felly yr wyf yn meddwl ei fod ef yn fwriadol o'n gadael ni er ys llawer dydd. Hefyd yr oedd yn dyweyd ei fod am fyned gyda y llwyth guano i Loegr. Y mae arnaf ofn na chaf mo'r cyfleustra eto am beth amser i anfon llythyr atoch. – Pa beth sydd yn do'd yn mlaen gyda golwg ar anfon mintai eto? Anfonwch i mi ambell i bapyr newydd Cymraeg, ac yn benaf oll y rhai hyny ag a fydd yn crybwyll am y Wladfa Gymreig.

Mr. Dd. Richards.

H.HUGHES

(8) Llythyr John Jones (brawd LJ) at Michael D. Jones. Ysgrifennodd y llythyr ar y diwrnod yr ymddangosodd llythyr Cadfan yn *Yr Herald.*

(Adran Archifau a Llawysgrifau Prifysgol Cymru Bangor)

Caernarfon
Mai 5. 1866

Barch. Syr
Y mae fy Mam wedi cael briwio ei theimladau yn arw wrth gynwysiad llythyr Cadfan Gwynedd yn yr Herald. Y mae yn gofyn a fyddwch chwi gystal ag anfon i ddweyd beth oedd y cytundeb a wnaeth y Pwyllgor a fy mrawd – gyda'r guano yma, a oeddych yn disgwyl llwyth o hono gyda'r "Mimosa" ! hefyd a oedd fy mrawd yn bwriadu dyfod yma gyda hi. A fyddwch gystal ag anfon gair ar y pen hwn ir Faner.
Gan gofio attoch

Yr Eiddoch &c
J.Jones

(9) Rhan o lythyr Lewis Jones yn ymateb i'w feirniaid. (Cyhoeddwyd yn 'Yr Herald Gymraeg, Gorphenaf 28, 1866' ond dyddiad y llythyr yw mis Mai.)

(Yr Herald Gymraeg, 28 Gorffennaf 1866)

SYR (...)

Mudiad y Wladychfa yw yr unig fater cyhoeddus Cymreig y bu a wnelwyf fi âg ef (ac a fydd byth, mae'n debyg), a gweithiais yn egnïol a dyfal gydag ef drwy gydol y rhan oreu o ddeuddeng mlynedd, heb niweidio ungwr byw bedyddiol gyda hyny, hyd y gwn i, ond myfi fy hun yn unig. Ond bum yn nod i saethu y llwfrion ffugenwol yn ystod hyny o amser yn ddibaid, a goddefais iddynt bentyru pa gabledd bynag a fynont ar fy mhen (...)[50]

(...) am yr eiddo a brynais i'r Wladychfa gan gadben y "Mimosa" goddefir i minnau grybwyll ddarfod i ni brynu gwerth cryn lawer o filoedd o bunnau o eiddo yn fy swydd gyda'r

Lewis Jones
(trwy ganiatâd Adran Archifau a Llawysgrifau,
Prifysgol Cymru Bangor)

Wladychfa, ond nad aeth ond 12l. yn unig o *arian* drwy fy nwylaw yn y cwbl. Pob peth a brynais ac a wnaethum i oedd yn gwbl er budd y bobl; a Duw a ŵyr, a'r cadbeniaid a'r masnachwyr a wyddant hefyd, na chefais i ond helbul a cholled fawr. Ac er nad wyf yn bersonol gyfrifol am yr holl arian sydd yn ddyledus, eto yr wyf yn teimlo cyfrifoldeb moesol trwm arnaf am mai myfi a barodd i'r coelwyr roddi eu heuddo a'u gwasanaeth, – nid adwaenant hwy neb arall yn yr ymdrafodaeth, ac edrychent ataf fi yn unig am dâl. (...) – yr wyf yn awr yn synu ac yn dychrynu pa fodd y gellais wneuthur yr hyn a wnaethum, heb arian ac heb llythyr masnachol at ungwr yn y wlad. Fy mai mawr hwyrach oedd ymgymeryd â neges mor ddyrys ac enfawr o dan gymaint o anfanteision, fel y tybiodd rhai pobl wirion, 'rwy'n deall, fod genyf ryw gyfrinach dddealledig rhyngwyf a'r Llywodraeth neu ryw dy masnachol; a minnau, dyn a'm helpo, yn glanio yn y ddinas hon heb ddim yn y byd ond *certificate* oddiwrth yr is-drafnoddwr yn Lerpwl[51] fy mod yn dyfod yma ar neges y Wladychfa Gymreig (...) Beth a wnaethum wedi hyny y mae'r pwyllgor gartref a'r sefydlwyr ar y Chupat yn gwybod i raddau; ond am fy holl anhawsderau a'm helbul nid oes ond Duw a minnau a'u gŵyr. Ond hyn a ddywedaf yn hyf ar goedd gwlad: wedi gwneuthur cymaint drwy gynnifer o anhawsderau ac anfanteision, ni fuasai ond gorchwyl hawdd iawn dwyn y sefydliad yn mlaen yn llwyddiannus wedi hyny; ac os ei chwalu a gaiff, ni fydd gan y sefydlwyr ond hwy eu hunain i'w beio am hyny. Nid am fy mod i wedi ymadael oddi yno – cato pawb! Nid wyf mor hunanol a hyny – ond am fod amgylchiadau fy ymadawiad mor anffafriol i'r bobl nes y torwyd y credit a sefydlasid yn eu cylch (...)

Fe welaf hefyd fod rhai o'r ymfudwyr yn rhoi ar ddeall mai myfi a'u gadawodd hwy. Nage, fy nghyfaill, nid myfi fuasai'r dyn i'w gadael, er saled pobl oeddynt, pe gadawsant i mi. Myfi fuasai'r olaf i dd'od oddi yno, fel mai myfi fu y cyntaf i fyned yno. Drwy gyfrifoldeb a lludded ac enbydrwydd y gwasanaethais i hwy, a chawsent fy anadl olaf o'u plaid pe rhaid fuasai. Mi a fordwyais ol a blaen mewn mân longau a chychod anghysurus ac enbyd drwy ystormydd a pheryglon; ïe, mi a adewais fy mhriod (a chwi a wyddoch nad wyf fi ddiofal ohoni) ar riniog angeu, oherwydd damwain, i fyned i baratoi ar eu cyfer hwy[52]. Eithr hwy a farnasant yn well ymddiried i estron. Pan oeddwn i hyd haner nos yn baeddu i gael bwyd iddynt i fyny yr afon, fe benderfynodd y "pwyllgor" osod Ysbaeniad[53] yn fy lle, am iddo ADDAW gwneyd mwy nag a wneuthum i; a naw o'r gloch boreu dranoeth yr oedd y llong gyda pha un yr oeddwn i ymadael yn hwylio. Ond drwy ymdrech a thrugaredd fe nacaoedd y Llywodraeth a chydnabod yr estron, a gosodwyd yn ei le y gwr o'r "pwyllgor" a ddaethai gydag ef yn dyst o'i etholiad. Yn wir y mae y Llywodraeth Argentaidd wedi bod yn garedicach wrth y sefydlwyr nag y buont hwy wrthynt eu hunain (...)

Dyna fi yn awr wedi gorphen hyny o sylwadau ag a farnwyf yn angenrheidiol ar hyn o bryd, gan obeithio na chaf achos eto i dynu fy sylw oddiwrth fy musnes rheolaidd.

Yr eiddoch yn gywir,

L.JONES

Buenos Ayres, Mai 25, 1866

Cadw Gwladfa'r Camwy yn fyw

(10) Rhan o lythyr Michael D Jones[54] o Gymru at Lewis Jones yn y Wladfa. Bu'n dipyn o frwydr gan yr arweinwyr i gadw'r sefydlwyr rhag digalonni yn Nyffryn Camwy a rhag ymfudo i rannau eraill o'r Ariannin.

O'r holl lythyrau gwreiddiol yr wyf wedi eu darllen, llawysgrifen MDJ yw'r fwyaf aneglur ohonynt i gyd. Adysgrifennais y llythyr hwn (ac eraill o'i eiddo) gorau medrwn, gan obeithio na fu imi gamddeall, ac felly gam-gopïo, rhai geiriau.

(Copïais o'r llythyr gwreiddiol sydd ym meddiant Tegai Roberts, Plas y Graig, y Gaiman yn 2007.)

Bodiwan, Bala.
Gorp.12.1866[55]

Mr Jones Hoff.
Derbyniais eich nodyn o Patagones[56] ar eich ffordd i'r Wladfa[57] o B.Ayres.

Nid oes genyf ond gobeithio yr erys ryw ddwsin ohonoch yn nyffryn y Camwy i gymeryd gofal yr anifeiliaid sydd yno, y bu cymaint a thrafferth i'w cludo yno, – byddant yn ddefnyddiol erbyn dyfodiad pobl briodol.[58] Os gellwch gadw gwladfa'r Camwy rywsut yn fyw, da iawn fydd, a symud y gweddill i Patagones (...) Hoffwn glywed eich bod yn aros (...) Gallech wneud yn dda mi dybiaf o aros, a'r lleill i symud i Patagones (...) Yn Patagones wrth reswm mi fydd bywyd Cymreig, ond pawb o dan awdurdod Mr Murga ac Aguirre[59] (...) Yr wyf am wneud pob ymdrech i gael poblogaeth Gymreig i Patagones. Yno y ceir cyfoeth o anifeiliaid i fyned yn mlaen.

Peidier ag ildio dim i'r amcan o gael gwladfa. (Os a'r bobl i Santa Fe, ni dderbyniant help oddiwrthym ni yma.)

(...) Ffurfiwch bwyllgor o Wladychwyr, sef y rhai sydd wedi bod yn ffyddlon i'r Wladfa, ac fel cymdeithas fechan ymwrthodant a pawb o'r bradwyr yn aelodau. Rhoddant adroddiad misol i ni o sefyllfa pethau, a'r gobeithion dyfodol. Gofalu pwy i'w dderbyn i'r gymdeithas hon. Os dewisa rhai eraill wneud yr un peth, na ofaler. Arnoch chwi y gwrandewir, mae'n enbyd fod rhyw ymfudwyr dibrofiad yn cymeryd y mudiad i'w dwylaw. Gwnelai hyn gadw'r mudiad mewn dwylaw priodol am mai a hwy y cydweithredwn ni yma. At gael Gwladfa yn Patagonia y rhoisom ni ein harian, ac ni fynwn ni ddim i'w wneud a Santa Fe. Y mae yn dro anonest tuag atom i symud o Patagonia heb dalu yn gyflawn i ddechreu i ni. Os arhosir yn Patagones, yn ffyddlon fel cymdeithas fechan o ddwsin, ni a wnawn on goreu a'r bradwyr. Ond hoffwn glywed fod y ffyddloniaid yn nyffryn y Camwy. Dichon fy mod yn dysgwyl gormod.

Yr eiddoch yn Wladgar.
M.D.Jones

Y Parch. Michael D. Jones
(trwy ganiatâd Adran Archifau a Llawysgrifau Prifysgol Cymru Bangor)

Y Malvinas a'r ddeiseb gudd

(11) Rhan o lythyr Joseph Seth Jones o ynysoedd y Malvinas (Falklands) at ei frawd Charles yng Nghymru, Chwefror 1867. Gadawodd JSJ y Wladfa i fynd i chwilio am waith ar yr ynysoedd. Cyrchodd ddeiseb gan rai o'r sefydlwyr anfodlon i grefu am gymorth i'w cludo o'r Wladfa i fan mwy cymwys, tebyg i'r Malvinas. Nid oedd JSJ yn un o'r rhai a lofnododd y ddeiseb. Gadawodd JSJ yr ynysoedd yn fuan wedi hyn a dychwelyd i Gymru.

(LlGC 18177C)

Stanley Harbour, Falkland Islands[60],
Chwefror 8fed, 1867

Anwyl Frawd Charles,
Derbyniais dy lythyr gyda'r mail ddaeth i mewn nos Lun, Ionawr 28ain/67. Yr oedd yn dda annhraethol genyf ei gael. Mae yn dda genyf ddeall eich bod wedi derbyn fy llythyrau oddigerth un (...)

Pan ymadewais i yr oedd y Wladychfa mewn rhagolygon da iawn (...) Ond yr oedd yno deimlad anhapus yn mhlith rhyw ychydig yno am ymadael, pa rai a anfonasant petition at Governor y Falklands yma gyda Chadben y Schooner yma ddaeth i New Bay.[61] Nis gwn beth oedd yn gynwysedig yn y Petition yma, ac nid wyf yn sicr o enwau y rhai a'i harwyddasant. Fodd bynag fe lwyddodd un o'r rhai terfysglyd eu meddyliau i gael ei bassage am ddim yn y schooner, ond nid oedd yn cael dim cyflog. Ei enw yw Dafydd John.[62] Mae wedi bod rownd yr Horn er pan gyrhaeddasom yma yn nghwrs Chili, ac y mae yn bwriadu myned i Gymru gyda rhai o'r llongau yma yn fuan. Mae ganddo deulu mawr yn Nghymru. Ymadawsom o Patagonia ar y 10fed o Ebrill a buom yn cnocio oddeutu y coast am beth amser (...) Yna daethom i Stanley erbyn y 10fed o Fai. Yn mhen ychydig o ddyddiau fe anfonwyd am danom o flaen y Brenin! (Governor y Falklands). Yr oedd arno eisiau gwybod yn nghylch cywirdeb y Petition. Wel, holwyd ni gan y Colonial Secretary (Mr. Pyne), a'r Brenin (His Excellencey Charles Mackensie, Governor) yn achlysurol. Dywedais y "Gwir, yr holl wir, a dim ond y Gwir" gystal ag y gallwn. Nid oeddwn yn arbed dywedyd yr hardships oeddym wedi fyned trwyddynt er pan ymadawsom L'pool; nac yn arbed chwaith ddywedyd fy mod yn credu y gellid gwneyd lle da yno ond cael cefnogaeth, ac fod Buenos Ayres os wy'n cofio yn iawn, yn myned i gymmeryd eu hachos i fynu pan agorai y Senedd. Yn fuan ar

ol hyn fe anfonodd y Governor Frig i Monte Video, at y British Counsel debygaf fi, yn eu hachos. Ac yr wyf yn deall fod Man o'War wedi bod i lawr yn New Bay wed'yn; a chlywais iddi gymeryd dilladau ac amrywiol bethau i lawr.[63] Nid wyf fi wedi cael llythyr oddiwrthynt eto, er fy mod wedi anfon dau atynt – nid yw y cyfleusdra yn hwylus iawn (...)

Yr ydym yn siwr o lwyddo os cawn ond ychydig o gefnogaeth. Gwladychfa Gymreig! Ein hamcan dyfnaf yw gogoneddu Crist. Ein dull yw cael y Cymry ymfudol – y rhai sydd yn Nghymru yn ymfudo – cael lle i'r rhai yma i fyned i'r un fan i gadw eu crefydd a'u Moesoldeb yn y plisgyn eu cawsant – sef Cymraeg. Yr ydym yn lled gredu pe y symudid y cnewyllyn o'r naill blisgyn i'r llall y gallai bydru (...)

Tuag at fy mywoliaeth yn y wlad hon yr wyf yn labro unrhyw beth y deuaf ar ei draws. Weithiau yn gweithio ar fwrdd llongau, dro arall yn eu dischargio; weithiau yn gweithio mewn gerddi, dro arall yn gweithio rhyw beth rhyw beth i rhywun rhywun. Y peth diweddaf fum i Dafydd John yn ei wneyd oedd tori a rhiclo 900 llath (cubic yards) o fawn i'r llywodraeth yn ol 8 y llath. Yr oedd dyn arall gyda ni – yr oeddym yn dri. Gwyddel pabyddol oedd y dyn; ac yn siwr nid oes arnaf awydd gweithio gyda Gwyddel eto. Michael Doolan yw ei enw. Weithiai o ddim llawer ac yr oedd yn colli rhai dyddiau. Bu raid i mi a Dafydd John wneyd trymder y gwaith. Un diwrnod yr oedd yr hen Ddoolan yn absenol a fine a Dafydd John wrthi, fe syrthio yr awen arnaf, neu rywbeth, a dyma ei chynyrch:-

Cas diflas a diaflaidd hyn-
Ail ddiawl yw'r hen Ddwlun.

Mae y dyn hwn yn cael ei gyfrif y mwyaf twyllodrus yn yr ynys.

Yr wyf yn awr yn hynod o'r iachus. Ni fum erioed yn iachach. Dyoddefais gryn dipyn y gauaf diweddaf o herwydd afiechyd. Mae'r crydd melyn wedi fy llwyr adael yn awr er ys misoedd. Gwlad iachus yw hon. Mae yma ddigon o wynt i chwythu holl glefydau y byd i rwle debygaf fi. Yr haf yw hi yma yn awr, ond garw siwt haf yw hi medde fi. Mae hi yn chwythu yn oerllyd ambell i ddiwrnod ddigon i sythu dyn, a thro arall yn hynod o'r twym (...)

Y mae rhagluniaeth wedi bod yn hynod o'r daionus wrthyf er pan adewais L'pool. Os Duw a lwydda y Wladychfa (fel yr wyf fi yn meddwl y gwna) ac i ninau gael cydgyfarfod yno, mae'n ddiamheu y bydd yn ddifyr genych wrando arnaf yn ceisio olrhain ychydig ar diriondeb rhagluniaeth. Mae rhagluniaeth wedi anfon barque

Gymreig yma yr wythnos hon – y mae yn homeward bound, – ac yr wyf wedi bod ar y bwrdd neithiwr yn ymweled a'r Cymry, ac yr wyf wedi cael llyfrau ganddynt at fy nhaste, ac un Cymraeg. Do, y mae rhagluniaeth wedi anfon barque i mewn i dd'od a chyfrol o bregethau John Elias o Fôn gynt i mi. Diolch byth! Mae y llestr wedi colli ei chadben ac y mae arni eisieu ychydig o repairs (…)

Os oes unrhyw gwestiwn mewn unrhyw gysylltiad ar y ddaear eisiau ei wybod genych. Wele fi! Wele fi!!

Peth pur handy yw Arithmatic book yn cynwys esiamplau fel explanations ar y rules. Nid oes genyf un math o Arithmatic na Thable Book. Nid oes yma ddim a luniwyd o'r siort yna yn y wlad yma. Bwyd i'r corph yw'r cyfan sydd yn y wlad yma.

Cofia fi at bawb. Cofia fi adre. (…)

Yr wyf fi wedi rhoddi hanes Patagonia yr ochr hyn dyro dithe hanes Patagonia yr ochr yna (…)

Yr wyf yn cofio attat yn y modd serchocaf.

Ni raid i mi ddyweyd am i ti anfon gyda'r cyfleusdra cyntaf attaf. Ti a wnei.

Nis gallaf gofio am bob peth yn awr. Nid oes yma waith yn y byd yn y lle yma ond jobiau a labro.

Fy nghyfeiriad yw:-
Joseph (Seth) Jones
Stanley Harbour
Falkland Islands
South America

Hindda ar ôl pob drycin?

(12) a (13) Dyfyniad o ddau lythyr: y cyntaf gan R. J. Berwyn[64] o'r Wladfa at Lewis Jones yn Buenos Aires yn ceisio codi ei galon, a'r ail o lythyr y Parchedig David Lloyd Jones[65] at Lewis Jones yn ei annog i barhau i weithio dros y Wladfa. Golygwyd y llythyrau isod gan LJ ar gyfer eu cyhoeddi yn ei lyfr.

 (*Hanes y Wladva Gymreig Tiriogaeth Chubut, yn y Weriniaeth Arianin, De Amerig, t. 50*)

Patagones, Rhag.6, 1866

Na ddigalonwch – mae hindda ar ol pob drycin. Mae tipyn o ddyryswch gyda'r Wladva yn awr. Ar ol yr helynt vawr a'ch gyrodd chwi ymaith, mae y rhan vwyav yn credu vod L.J. yn Wladvawr trwyadl: coelia W.Davies hyny yn awr: a choelia llawer mai brad vu yn eich gwthio ymaith drwy i Diaz chwythu y gwenwyn – anvad o ddyn oedd eve.[66] Mae tua haner y bobl yn bendervynol o beido symud; ac mae vy mryd inau ar y Wladva, ac yno y byddav gallwch vod yn siwr, tra gallav. Mae y teulu arlywyddaidd yn colli tir, ond yn glynu wrthym vel gelod. Bu ail etholiad yn ddiweddar, a bu newidiadau lawer – Mathews[67] allan, a minau yn ysg. yn lle Thos.Ellis.[68]

R.J.BERWYN

(13)

Threapwood, Mawrth 8, 1867.

Mae drwg yn corddi rhywrai yn y Wladva. Ymddengys i mi nad oes dim rhwystr hanvodol i lwyddiant, ond rhwystrau yn codi oddiar vympwyon, camgymeriadau, gwendidau, neu ddrygioni personau. Yn awr, anwyl gyvaill, hyderwyv y bydd i chwi barhau i amddifyn y Wladva – Y WLADVA. Ymddengys na vydd nemawr neb o'r vintai gyntav ar y Chupat yn hir. Amddifynwch y Wladva. Gwnewch eich gorau gyda Dr. Rawson; a gwnewch eich goreu yn Patagones. Anfonwch i'r Wladva. Gobeithio yr ewch chwi yno'n ol yn vuan, ac os ewch, y gwnewch adael i amynedd gael ei pherffaith waith – bydd raid i chwi wrth hyny

D. LL.JONES.

Twmi Dimol a hynt a helynt y Denby

(14) Rhan o lythyr Twmi Dimol[69] at Ceiriog yn sôn am ddyddiau cynnar y Wladfa ac yn cyfeirio at long y *Denby*. Hwyliodd y *Denby* i Batagones ym mis Ionawr 1868. Ni welwyd mohoni wedyn. Roedd chwech o'r sefydlwyr, gan gynnwys Dimol, ar ei bwrdd.

(*Cymru*, Ionawr 1910)

Trerawson, Patagonia,
Mehefin 20, 1866.

FY HOFFUS GYFAILL, CEIRIOG, –

Yr wyf yn cofio yn eithaf da i mi addaw anfon hanes y daith, sef y fordaith o Brydain i Patagonia, i chwi. Ond fe'm lluddiwyd i wneyd un linell o gofnodion ar y fordaith gan ddiffyg amser. Fe gefais yr anrhydedd, neu rywbeth, o fod yn stiward ar y *Mimosa*, a gwyddoch yn dda yn ddiameu y fod gan bob un a lanwo y swydd honno ddigon o fân bethau i'w gwneyd a meddwl am danynt bob dydd; ac yn wir, tipyn y nos hefyd, heblaw cysgu wrth gwrs. (...)

Hwyliasom o Liverpool Mai yr 28ain, ac angorasom yn New Bay, Patagonia, Gorffennaf yr 28. Y mae Bala, Entrance New Bay, tua saith milldir o led. Angorasom mewn cilfach a elwid Port Harbour yng nghwrr de-orllewinol y Bay. Yno yr oedd y *Mimosa* i fyned, ac yno yr oedd Lewis Jones, ac Edwin Roberts, ac eraill, yn codi tai coed i dderbyn y Cymry ar eu glaniad yn eu gwlad newydd. Yr ydym ni wedi ail fedyddio, neu enwi beth bynnag, Port Harbour, a'i alw yn "Borth Madryn," er anrhydedd i Captain Parry, Madryn Hall, neu Madryn Park, beth yw ei enw? Yr ydym ni yn enwi llawer o fannau a phethau ar ol ein cefnogwyr. (...)

Helynt mawr oedd yma amser y glaniad. Yr oedd gan Lewis Jones ac Edwin Roberts Yspaeniwr neu ddau, ac un Gwyddel o'r enw Jeri, ac un o Indiaid Patagonia yn eu gwasanaeth; a mawr oedd pryder rhai o'r fintai, yn enwedig y merched, pan glywsant hyn. Ond, er syndod, daeth yr Indiaid i'w cyfarfod i'r dŵr i'w cario yn droedsych i'r lan, ac ymddangosai yn falch iawn o'r gwaith hefyd. Yr oedd hwn yn ddyn corfforol, canol oed, gwallt du, lliw ei groen melynddu; yr oedd ganddo ddannedd da, ond lled fawrion; ni fwytai ond dau bryd y dydd, ond bwytai hanner dafad y pryd, ac felly wrth gwrs dafad gyfan bob dydd. Go dda oni te? Peth bara heblaw hynny; ac yna yfai fati, – math o lysieuyn yw hwn. "Yerba" y gelwir ef gan rai, tyfa yn Uraquay, a lleoedd yn Neheudir America yma. Yna teimlai ei fod yn weddol lawn, fel y gallwn feddwl ei fod. Ha, ha. Yna lledai groen, neu grwyn beth bynnag, ar y tywod neu y ddaear, a chysgai yno yn yr awyr agored, am fod hynny yn well ganddo nac mewn ty.

Ac yn awr, gan fy mod wedi dechreu son am yr Indiaid, ac am fod llawer mynwes ym Mhrydain yn teimlo yn bryderus am danom ynghanol anwariaid cawraidd Patagonia, gallaf ddyweyd mai o Delcarmen (...) y daeth yr Indiaid y sonais am dano uchod, ac ni welsom yr un o'r Indiaid, a ddarlunir yn crwydro o un cwr i'r llall o'r wlad hyd y 29 o Ebrill. Yr oedd hwn yn ddydd mawr yn Tre Rawson, am fod y Captain Roberts – Edwin Roberts ei gelwid pan oedd yn darlithio ar y Wladychfa yng Nghymru amser yn ol, – yn priodi. Yr oedd y milwyr allan yn eu capiau pluog, – y maent wedi eu gwneyd o grwyn yr estrys. Chwifiai baner Buenos Ayres ar ben lluman bren uchel yn y cwr uchaf o'r dref. A phan oedd y seremoni briodasol drosodd, a'r gwahoddedigion ac eraill yn llongyfarch y parau ieuainc, – yr oedd dwy briodas y diwrnod hwnnw, sef Captain E. Roberts â Miss Ann Jones, Mountain Ash, gynt; a Richard Jones, brawd Ann Jones, gwraig Edwin, â Miss Hannah Davies, Aberdâr, – daeth gŵr ar farch buan, yr hwn farch oedd yn chwys diferu, i lawr y dyffryn, gan ddweyd y fod yr Indiaid wedi dod, ac am i ni oll baratoi ar eu cyfer. Ac erbyn i ni edrych, gwelem fod ei dystiolaeth yn gywir; canys yr oedd dau wrthrych yn y golwg, sef gwr a gwraig. Daethant ymlaen hyd at y Plas Heddwch, trigfod Captain Roberts, yr hwn sydd tua milldir o'r dref. Ar ol iddynt aros am ychydig yno, fel mewn syndod, ac ofn fe allai y milwyr arfog, o ba rai y mae tua ugain o honynt fel Home Guards, fe eu harweiniwyd i'r dref gan Berwyn a Dimol. Nis gallai yr un o'r ddau ddim Saesneg na Chymraeg chwaith; ond gallai y gwr siarad Yspaeneg yn dda, ac yr oedd yn rhaid i ninnau dreio cofio pob gair o'r iaith honno a allem, a cheisio trysori geiriau newyddion yn y cof. (...) Cawsant dderbyniad croesawgar yn y dref, pob un yn holi beth oedd ganddynt ar werth; a beth oedd eu neges. Prynnwyd pluf estrys a pethau ereill ganddynt, anhregasant Mr. Wm. Davies, y Llywydd, â mantell o grwyn gwanacos. Cawsant ychydig fara a thybaco ganddo, yr hyn a'u boddlonodd yn fawr iawn. Ar ol iddynt aros am ychydig ddyddiau yn y dref, aethant ymaith i geisio y gweddill o'r teulu, sef y ferch mewn oed, a dau fachgen tua deuddeg oed. Ail wraig iddo fo yw hi, ac ail wr iddi hithau yw efe, a dyma y teulu. (...) Y maent yma ers agos i ddau fis bellach. (...)

Oh! Cyn terfynu am danynt, y maent yn dysgu Cymraeg yn ardderchog; medrant ddweyd ugeiniau o eiriau yn barod. Y maent yn lecio y Cymry, meddent hwy, oherwydd nid ydynt gymaint lladron ag Yspaeniaid Patagonia. (...)

Cafodd Mr. Wm. Davies, ein llywydd, lythyr yn ddiweddar oddiwrth bennaeth yr Indiaid, yn dweyd ei fod ef a'i holl lwyth yn dyfod i roddi ymweliad heddychlawn â ni ymhen ychydig wythnosau. Nis gwn ei holl gynhwysiad, (...) dywed, fodd bynnag, eu bod yn bwriadu agor masnach fywiog â'r Cymry, os deliont yn onest tuag atynt. Enwa amryw bethau a ewyllysiant gael wrth fasnachu, sef brandi, *rum, gin*, tybaco, yerba, neu mati, siwgwr, bara, cyfrwyau Seisnig, gwlanen, a phethau ereill. Pan ddaw Don Francisco, y pennaeth, yma, cewch dipyn o'i hanes; o'r hyn lleiaf, hanes ei ymweliad â ni yma, os byw ac iach fyddaf. (...)

Wedi hyn daeth y newydd yma y fod llong wedi dyfod i New Bay, ac ymborth i ni, o Buenos Ayres; aeth aelodau y Pwyllgor i New Bay, a'r canlyniad oedd anfon Mr. Davies efo y llong i Buenos Ayres at y Llywodraeth i geisio lluniaeth am flwyddyn neu rodd yn ol ei haddewid. (...) Daeth yn ol ddechreu mis Mawrth mewn llong fechan yn cario 25 tunell, costiodd 30,000 o ddoleri papur, yr hyn sydd tua dau cant a hanner o bunnau, daeth a hi yn llawn o ymborth, megis blawd, gwenith, peilliad, *dried beef,* siwgwr a phethau eraill. A chafodd addewidion gan wahanol foneddwyr Buenos Ayres am 700 doler y mis i ni am flwyddyn, yr hyn sydd tua £70 punt o arian Lloegr. Clywais fod llawer o'r arian hyn wedi eu cael gan Mr. Rawson, Minister of the Interior, Buenos Ayres, a Mr Denby, perthynol i ffirm Dugaid & Co., Liverpool.

Enw ein llong fechan yw *Denby*, sef ar enw ein cymwynaswr. Casglodd Mr.Davies yr arian i dalu am y llong, yn anibynnol ar y 700 dolar y mis, ac yr oedd Mr. Rawson yn teimlo yn hyderus iawn y gwnai y Llywodraeth, ar gyfarfyddiad y Senedd, ryw ddarbodaeth neillduol i ni, yr oedd yr aelodau i ymgynnull i'r Senedd ym mis Mai diweddaf; ac yr ydym yn disgwyl yn bryderus am newyddion da pan fydd ein llong yn dychwelyd o Delcarmen y tro hwn. Y mae llythyrau i'r Wladychfa, a nwyddau ac ymborth, yn cael eu hanfon o Buenos Ayres i Patagones, tref fechan ar yr afon Negro; ac yr ydym ninnau yn eu nol oddiyno yn y *Denby.* (...)

Gyda llawenydd mawr, fy anwyl gyfaill, y darllennais yn yr "Herald Cymraeg" am eich apwyntiad yn station master yn Llanidloes. (...) Nid oes gennyf amser i ymhelaethu y tro hwn, ond dymunaf arnoch fy nghofio at eich serchog briod yn fawr, ac at Enid fechan hefyd; pe buasech eto yn Manchester buaswn yn erfyn arnoch fy nghofio at holl aelodau y "Cambrian Society." Derbyniwch chwithau yr un peth. Cefais amryw fân golledion pan ar y fordaith yma, megis colli pâr o esgidiau cryfion, a bron yr oll o'm papur ysgrifennu, - oddieithr ychydig hen "fly sheets," fel y llythyr hwn, oedd gennyf mewn cist arall; a thros 500 o *foreign envelopes*, - fforch i godi tatws, a bagnet, ac amryw fân bethau eraill; ac os na fyddaf yn anfon llythyrau atoch, cofiwch mai dim papur fydd yr achos, canys nid oes dim i'w gael ar werth yma, eto beth bynnag. (...)

Y mae y cyfaill Berwyn yn cofio atoch yn fawr.[70]

Byddai gair oddiwrthych yn dderbyniol iawn pan y cewch hamdden i hynny, a gwir ddiolchgar os cofiwch weithiau daflu hen bapur newydd i'r post am Patagonia. Ychydig iawn o bapurau sydd yma wedi dod eto i neb. Ni chawsom ddim o hanes Eisteddfod Aberystwyth.

Yfory yw dydd byrraf Patagonia a dydd hwyaf Cymru. Yr oedd caenen fechan o eira ar y ddaear heddyw y bore. Ond yr oedd bron wedi diflannu erbyn canol dydd. Y mae hi yn un o'r gloch prydnawn yn awr, a rhaid i'm llythyr fod yn y post erbyn chwech o'r gloch, pellder o tua saith milldir a hanner.

Yr wyf yn amgau pluen fechan yn perthyn i estrys Patagonia i Enid fach; ofnaf i'r llythyr fod yn ormod o bwysau, neu anfonaswn un i'ch priod hefyd.

Amen

TWMI DIMOL

Dol Erfyn, Tre Rawson, 1866.

Mr. J.C.Hughes

(15) Rhan o lythyr Berwyn o'r Wladfa at MDJ yng Nghymru ynglŷn â cholli'r *Denby*.

(*Baner ac Amserau Cymru*, 24 Hydref 1868)

PORTH MADRYN, *Mehefin 10fed, 1868*

GYMRAWD HOFF A PHARCHEDIG,

Pan oedd y llong fychan yn myned ymaith yr oeddwn mor brysur gydag ysgrifenu pethau cyhoeddus fel nas gallwn anfon gair atoch; maddeuwch os oes angen.

Un newydd drwg sydd genym y tro hwn, sef colliad y llong fach, ac yn nglŷn â hwn, mae fod Cadivor arni yn newydd drwg i'r cwmni.[71] Y mae genym ni obaith cryf fod y dynion ar dir, sef o ddeutu Valdes Creek, ac mor fuan ag y bydd dwylaw yn rhydd eir yno, gan fod dwfr ar hyd y wlad yn awr. O'r blaen nis gallem, ac hefyd ni feiddiasem i neb feddwl mai hwy wnaeth y goleuni a welais i ac ereill, yn ol y "Brut:"[72] gan y parasai flinder i'r teuluoedd, ac ofnau i bawb am fwyd. Hyderwn yn sicr allu anfon newyddion pendant ar y pwngc yn Medi, pan fydd y llong nesaf yma (...)

Y mae Robert Davies, o Landeilo, wedi marw (y farwolaeth gyntaf yma er's dwy flynedd a dau fis); diau y cewch chwaneg o fanylion gan ereill. Pennodwyd fi, W.R.Jones, ac Abraham Matthews yn ofalwyr am ei blant a'i eiddo. Cafwyd esgyrn D.Williams, y crydd, a chynnaliwyd trengholiad arnynt cyn eu claddu yn y fynwent Ddinesig.[73] Bu yma 5 o enedigaethau yma er mis Mehefin (bu farw un baban); cewch restr cyflawn yn fuan o'r holl bethau hyn. Y mae copio y 'Brut,' a llythyrau swyddogol, wedi myned â fy amser yn llwyr y tro hwn (...)

Gyda chofion serchog atoch chwi a Mrs.Jones gorphwysaf.

Yr eiddoch,&c.,
R.J.BERWYN
Y Parch.M.D.Jones, Bala.

(16) ac (17) Rhan o lythyr Lewis Jones o Buenos Aires ynglŷn â'r Denby
ac ymateb MDJ drwy lythyr yn ôl iddo.

(Cyhoeddwyd llythyr 16 yn *Baner ac Amserau Cymru*, 24 Hydref
1868. Adysgrifennais ddyfyniad 17 o'r llythyr gwreiddiol sydd ym
meddiant Tegai Roberts, Plas y Graig, y Gaiman yn 2007.)

Y WLADFA GYMREIG

B.AYRES, *Awst 14eg, 1868.*

ANWYL MR. JONES,

O'r diwedd, cyrhaeddais yma dridiau yn ol. Bwriadwn ysgrifenu
atoch o Patagones, ond hwyliodd yr agerlong heb yn wybod i mi.
Cefais lythyr o'r eiddoch yn Patagones, dyddiedig Ebrill 6ed. Ni
chefais yr un wedi hyny, hwyrach fod un wedi myned i lawr yn fy
ngwrthgefn.

Yr ydych wedi clywed cyn hyn, y mae yn debyg, am golliant ein
llong bach; anfonais hyny a wyddwn i'r 'Standard,' rhag peri pryder
i bawb, ac y mae yn debyg fod hyny wedi ei gyfodi i'r papurau
Saesnig. Nid oes dim o'i hanes wedi ei gael byth, fel y mae pob lle i
ofni ei bod wedi llwyr golli, a'r holl ddwylaw gyda hi. Yr oedd
Cadivor druan ar ei bwrdd. Yr oedd ynddi y llwyth gwerthfawrocaf
a fu ynddi erioed, 60 sachaid o flawd, dau ych, a buwch, rhwyd
bysgota fawr, a llawer iawn o ddefaid, a defnyddiau. Tybiai y
Gwladfawyr mai yn Patagones yr oedd, nes i mi gyrhaedd a'u
hysbysu. Hi hwyliodd oddi yno tua'r 16eg o Chwefror. Gellwch
feddwl fod y braw a'r galar yn fawr iawn (...)[74]

O herwydd oediad y llong fach yr oedd y bobl wedi gorfod bwyta
y gwenith a dyfasant y llynedd, ac wedi rhoi y goreu i weithio ar y tir,
a dyfod oddi ar y tyddynod i fyw i'r pentref (...)
Yr eiddoch yn gywir,
L.JONES

Parch. M.D.Jones, Bala

(17)

Bala, Hyd 7, 1868

Mr Jones Hoff.

Derbyniais eich llythyrau diweddaf, a drwg oedd genyf glywed am
frodyr y "Denby". Mae "Berwyn" yn ysgrifenu ataf, eu bod wedi
gweled goleu ar y "Valdes Creek" yr ochr draw i'r N.Bay, a'i fod ef

yn gobeithio'n gryf mai cyfeillion y "Denby" sydd yno. Hoffwn yn fawr glywed am eu gwaredigaeth. Ond y mae amser mawr o Chwefror hyd Mai, heb glywed gair am danynt. Mae'r hanes allan yn y papurau am eu colliad (...)

Dylai y Llywodraeth wneud ail wladva eanghach nag y mae wedi wneud i'r Wladfa. Mae rhyw gynildeb dal yn ei chadw i roi, i gadw'r gwladfawyr yn fyw, a rhyw ychydig yn ychwaneg. Maent yn sicr o gael eu talu'n dda yn y diwedd. Mae cadw'r Wladfa'n hanner byw, yn rhy wan i gerdded ei hunan, ond yn ddigon byw i gyfarth yn floesg yn gynllun anoeth iawn. Mae'r bobl yn cwyno'n dost am ddillad. Cefais lythyrau gan Cadfan, Hugh Huws, Edwin Roberts, J.Jones Ienaf o ddyffryn y Negro, a Berwyn (...)

Yr wyf fi yn selog am lenwi dyffryn y Negro a gwladfawyr o'r naill ben i'r llall. Bydd fy llais dros hyn yn y cyfarfodydd nesaf. Cewch eu hanes eto. Yr wyf fi am i chwi ddyblu eich diwydrwydd os oedd modd, er cael yr amcan i ben. Ydwyf yn Wladfawr hyd dranc.

M.D.Jones.

(18) Rhan o lythyr Berwyn o'r Wladfa at D. Lloyd Jones. Er nad yw'r llythyr hwn yn perthyn i gategori dyddiadau'r bennod hon, mae'n adrodd hanes a thynged y *Denby* a'i chriw.

(*Baner ac Amserau Cymru*, 31 Gorffennaf 1872)

Mai 24ain, 1872

Yn ddiweddar, cawsom ychydig o newydd yn rhoddi ychydig oleu ar dynged y llong fach Denby, yr hon a gollwyd dros bedair blynedd yn ol. Er's o ddeutu blwyddyn a hanner bellach, cafwyd gweddillion dyn yn agos i bwynt Atlas, tua thrigain milldir i'r de oddi yma gan helwyr morloi. Ymddengys oddi wrth y darluniad a roddant o'i ddillad, mai T.P.Evans, Dimol, ydoedd; o leiaf, mai ei gob ef a gafwyd. Yr oedd ganddo helaethrwydd o ddillad am dano, ond dim esgidiau; hefyd, cludai ddarn mawr o hwyl i gysgu ynddo. Yr ydym yn casglu yn naturiol fod y llong wedi rhedeg i'r lan yn rhywle pellach i'r de, o blegid nis gallai Dimol nofio, ac ni fuasai y darn mawr hwyl ganddo pe'r aethai y llong yn ddrylliau. Y casgliad naturiol yw, mai syched a'i gorchfygodd (...)

Hyn, gyda chofion caredig, oddi wrth

R.J.BERWYN

Trerawson, Colonia de Galense,
Patagonia. Via Buenos Ayres."

(19) Mewn llythyr arall gan Berwyn, dyddiedig 21 Rhagfyr 1897 (*Cyfrol Cymry Manceinion* LlGC 12525B) yn ateb cais am wybodaeth am Thomas Pennant Evans (Twmi Dimol), dywed fod y morwyr a grybwyllir uchod wedi gweld:

(...) **gorff dynol, wedi llwyr sychu. Pan gyffyrddasanat ag ef ymollyngodd yr oll yn friwsion man (...) Yr oedd ganddo ddarn mawr o hwyl yn rhan oi wely. A dau bar o ddillad: ac oriawr yn eiddo Cadfan Gwynedd, fuasai yn cael ei thrwsio:- Clos pen glin a chot lifrau Union Club Manchester lle y buasai yn steward.**

Claddwyd y gweddillion ma ei cafwyd ac awd ar oriawr a botynau ei got i ofal llywydd Ynysoedd Falkland Go.D'Arcy (...)

Nodiadau

[2] Hugh Hughes, Cadfan Gwynedd (1824-1898).

[3] Y bwriad gwreiddiol oedd i 200 o'r darpar ymfudwyr deithio ar long o'r enw *Halton Castle*, ond roedd honno'n hwyr yn dod i'r porthladd yn Lerpwl ac fe dorrwyd y cytundeb. Llogodd MDJ y *Mimosa* ar frys gan fod llawer o'r darpar ymfudwyr yn cael traed oer oherwydd yr oedi, yr ansicrwydd a sylwadau anffafriol i'r fenter yn y wasg. Rhoddodd Mrs MDJ oddeutu £2,500 er mwyn talu costau'r llong a'i haddasu ar gyfer teithwyr. Dyma ddechrau gofidiau ariannol MDJ a'i deulu. Ni ddaeth ymwared iddo o'r pwysau enfawr a roddai'r dyledion hyn arno. Oherwydd yr oedi yn Lerpwl roedd y tymor hau (misoedd Mai a Mehefin) wedi dod i ben ym Mhatagonia ac felly roedd hi'n ganol gaeaf ar y fintai'n glanio.

[4] Gydag arian Anne Jones (gwraig MDJ) y talwyd cludiad y rhan fwyaf o'r fintai. Mae'n debyg i Cadfan wrthwynebu ymgais gan nifer o'r Gwladfawyr flynyddoedd yn ddiweddarach i ad-dalu eu dyled ariannol i MDJ. Ymatebodd MDJ yn chwyrn i wrthwynebiad Cadfan a'i alw'n 'vradwr i'r achos gwladvaol' ac yn 'anwarddyn di-ddiolch a di-egwyddor' (gw. llythyr 31).

[5] David Richards, brawd-yng-nghyfraith Cadfan.

[6] Gyda Cadfan (41 oed) ar y *Mimosa* aeth ei wraig, Elizabeth Jane (40), ei ferch Jane (20), ei ddau fab David (6) a Llewelyn (4) a'i lysferch Jane Williams (24).

[7] Lewis Jones (1836-1904).

[8] Roedd LJ wedi archebu nwyddau ac anifeiliaid tra oedd yn disgwyl y fintai, a'r cyfan ar goel. MDJ fu'n rhaid wynebu'r biliau. Collwyd y defaid i gyd.

[9] Capten y *Mimosa*, George Pepperrell.

[10] Watkin Wesley Williams (27 oed) o Benbedw. Aeth ar y Mimosa gyda'i frawd Watkin William Pritchard Williams (33), aelod o Bwyllgor Cenedlaethol y Wladychfa Gymreig, a'i chwaer Elizabeth Louiza Williams (30).

[11] William Richard Jones 'Teiliwr' (1834-1901). Daethpwyd i'w adnabod fel 'William Jones y Bedol' gan iddo ymgartrefu ar fferm ger afon Camwy a'r rhan honno o'r afon ar dro siâp pedol. Mae W. Meloch Hughes yn ei gyfrol *Ar Lannau'r Gamwy ym Mhatagonia* (t. 198) yn disgrifo William Jones fel hyn: 'Hannai o Gwm Cowarch, ger Dinas Mawddwy ... Meddai egni a gweithgarwch diatal, a rhoddodd ei oreu i'r Wladfa yn ei holl agweddion hyd ei fedd. Yr oedd yn naturiol dalentog, er na chafodd nemor addysg, ond yn ysgol profiad. Siaradai'n rhwydd, a phefriai ei lygaid chwareus liw collen gan hiwmor ... ' Dywed John Daniel Evans amdano yn ei hunangofiant: 'Bod yn ei gwmni byddai'n wellhad hollol i neb a'r pruddglwyf arno ... ' (*Bywyd a Gwaith John Daniel Evans El Baqueano*, t. 153.)

[12] Lewis Jones, mae'n debyg, yw'r enw a ddilewyd yma.

[13] Dafydd Williams, crydd o Aberystwyth a aeth ar goll ar y paith. Ni ddychwelodd. Cofnodir darganfod ei esgyrn yn llythyr rhif 15. Roedd yn hawdd adnabod ei esgyrn (a ganfuwyd ger Llyn Mawr yn ymyl y dyffryn ym 1867) oherwydd mae'n debyg fod copi o'r deg gorchymyn dychanol a luniodd ar y *Mimosa* gerllaw. Gw. atodiad RBW yn *Y Wladfa* (tt. 308-309). Mae'r catecism a luniodd Dafydd Williams yn gorffen: 'Sais mawr, yr hwn wyt yn byw yn Llundain, mae arnaf ofn dy enw; mewn dyled mae'th deyrnas: bydded ewyllys yn Nghymru fel y mae yn Lloegr. Dyro i ni ddigon o lafur a lludded: a maddeu i ni oherwydd cyn lleied ein cyflogau ein bod yn methu talu ein dyledion: nac arwain ni i annibyniaeth, eithr gwared ni rhag y Gwladfawyr: canys eiddo ti yw Prydain, a'i gallu, a'i chyfoeth, a'i gogoniant yn oesoesoedd. Amen.'

[14] Mary Ann Jones (3 oed), y gyntaf o Gymru i'w chladdu yn naear y Wladfa. Fe'i claddwyd ym Madryn (gw. llythyr Joseph Seth Jones, rhif 5, yn disgrifio torri'r bedd). Bu farw'r chwaer fach, Jane (16 mis oed), fis yn ddiweddarach (22 Awst 1865) a'i chladdu hithau hefyd ym Madryn.

[15] Catherine Jones (1834-1915), ei wraig. Yn ddiweddarach cafodd William a Catherine chwech o blant eraill. Ceir llythyrau gan Eluned Morgan at un o'r meibion, John y Bedol, yn y drydedd bennod. Ymgartrefodd teulu'r Bedol yn ardal Tair Helygen, Dyffryn Camwy.

[16] Arhosodd yn y Wladfa a marw yno ym 1901.

[17] Deuai John E. Davies o Aberpennar. Roedd yn 30 oed. Boddodd yn afon Camwy (25 Hydref 1866). Ei wraig alarus oedd Cecilia Davies, 26 oed.

[18] Yn ôl Elvey MacDonald (*Yr Hirdaith*, t. 217), roedd Williams Williams yn 20 oed pan hwyliodd ar y *Mimosa* a gadawodd y Wladfa efo Lewis Jones ym mis Tachwedd 1865.

[19] Prentisiwyd JSJ yn argraffydd yn Abergele. 6 mis cyn gorffen ei brentisiaeth, 'oherwydd amgylchiadau yn y swyddfa' (Llythyr D. E. Jones LlGC 18200 at R. Bryn Williams), aeth JSJ i weithio fel argraffydd i Swyddfa Gee, Dinbych. Ymddengys i un aelod o'r swyddfa edliw i JSJ y ffaith iddo beidio â chwblhau ei brentisiaeth, ac er i Thomas Gee erfyn yn daer arno i aros yn ei swydd, fe ymddiswyddodd JSJ. Yn fuan wedyn penderfynodd JSJ ymfudo i Batagonia. Roedd yn un o 8 o blant. Gwelir o lythyrau ei frodyr mai penderfyniad sydyn ar ei ran oedd hwn i ymfudo ac mae pryder ei frodyr i'w deimlo yn eu llythyrau. Cadwodd JSJ ddyddiadur tra oedd ar y *Mimosa*. Gadawodd y Wladfa a mynd i weithio i'r Malvinas yn 1867, cyn dychwelyd i Gymru ym 1868 ac ymsefydlu yn ardal Treffynnon fel postmon. Bu farw ym 1912.

[20] Catherine Jane Thomas. Bu farw 9 Mehefin 1865.

[21] James Jenkins. Bu farw 10 Mehefin 1865.

[22] John Davies. Bu farw yn 11 mis oed, 27 Mehefin 1865.

[23] Roedd y Parch. Lewis Humphreys (o Ganllwyd) yn 27 oed pan hwyliodd ar y *Mimosa* ac yn efaill i Maurice Humphreys.

[24] Meddyg y *Mimosa*, Thomas William Nassau Greene o Iwerddon. Gadawodd y Wladfa ddiwedd 1865.

[25] Morgan Jones a aned ar y *Mimosa*.

[26] Rachel Jenkins a aned ar y *Mimosa*. Bu farw 22 Medi 1865 yng Nghaer Antur.

27 Elizabeth Solomon. Bu farw ar y *Mimosa* yn 13 mis oed, 17 Gorffennaf 1865.

28 Ar 27 Gorffennaf aeth y Capten Pepperrell, 4 o'i griw, y meddyg Thomas Greene a Watkin Wesley Williams mewn un o gychod rhwyfo'r *Mimosa* i gyrchu Lewis Jones i'r llong.

29 Gw. llythyr 3.

30 Margaret Ann Davies. Bu farw yn 15 mis, 6 Awst 1865.

31 Catherine Davies. Bu farw 20 Awst 1865 yn 38 mlwydd oed.

32 Bu farw Henry Hughes yn 17 mis oed, 8 niwrnod ar ôl glanio, ac yna ei chwaer, Myfanwy Mary Hughes a fu farw yn 4 oed, 16 Tachwedd 1865. (Gw. llythyr rhif 25 gan ei mam, Elizabeth Hughes.)

33 Mary, y gyntaf-anedig o blant Cymru yn y Wladfa. Fe'i henwyd yn Mary er cof am ferch fach William a Catherine Jones. Hysbyswyd ei thad (Maurice Humphreys a oedd wedi mynd gyda chriw o ddynion tua'r dyffryn) ddeuddydd yn ddiweddarach am enedigaeth ei ferch fach. Galwyd y bryniau gerllaw yn Bryniau Meri i ddathlu genedigaeth plentyn cyntaf y Wladfa. (Gw. *Yr Hirdaith*, t. 82.)

34 Yn dilyn diflaniad Dafydd Williams, cytunwyd y byddai'n rhaid i'r dynion fynd mewn criwiau i archwilio'r wlad.

35 Llong fach, y *Mary Helen*. Cludwyd y menywod ar hyd yr arfordir o'r bae i'r dyffryn, taith diwrnod neu ddau. Cymerodd y daith yn agos i bythefnos gan i'r llong gael ei tharo gan stormydd. Dioddefodd y merched a'r plant yn enbyd yn ystod taith y llong hon.

36 Y capten amhoblogaidd yn ystod y daith anffodus hon oedd yr Americanwr, y Capten John Woods.

37 Anfonodd y Llywodraeth bennaeth milwrol Patagones, Julián Murga, i gyflawni'r gwaith o osod baner yr Ariannin fel symbol o hawl y Weriniaeth ar y wlad. Roedd ganddo ugain o filwyr a'r tirfesurydd Julio Díaz gydag ef. Cynhaliwyd y seremoni filwrol hon ar 15 Medi 1865. Rhoddwyd yr enw 'Rawson' ar y dref a fyddai'n cael ei sefydlu yno er anrhydedd i'r Dr Rawson, Gweinidog Cartref y Weriniaeth.

38 William Davies, 30 oed, pensaer o Lerpwl. Etholwyd ef yn ail Lywydd y Wladfa ym mis Tachwedd 1865 yn dilyn LJ. Ymfudodd i Santa Fe.

39 Llong y *Denby*. Gw. ei hanes yn llythyrau 14-19.

40 Robert Charles Jones.

41 Abraham Matthews (1832-1899). Gw. llythyr 6.

42 James Davies o Frynmawr. Ei enw barddol oedd Iago Mawrfryn. Aeth ar goll ar y paith ym mis Chwefror 1868. Ni chafwyd hyd i'w weddillion. Roedd yn 21 oed.

43 Ganed Abraham Matthews yn Drenewydd ger Llanidloes. Daeth o dan ddylanwad MDJ yng Ngholeg y Bala. Bu'n weinidog yn Llwyncoed, Aberdâr. Bu'n olygydd *Y Drafod* o 1894-1899. Ef yw awdur y llyfr ar hanes cynnar y Wladfa *Hanes y Wladfa Gymreig yn Patagonia* (1894). Fe'i claddwyd ym mynwent Moriah ger Trelew (gw. *Y Bywgraffiadur Cymreig hyd 1940*).

44 Gw. troednodyn 38.

45 Galwyd hi gan yr ymfudwyr yn Caer Antur – adfeilion hen gaer a adeiladwyd gan ŵr o'r enw Henry Libanus Jones a ddaeth yno i hela gwartheg gwylltion ddegawd ynghynt.

46 Lewis Jones.

47 Bu William Davies dri mis a hanner o'r Wladfa.

48 *Y Denby.*

49 Bu'n rhaid i Lewis Humphreys ddychwelyd i Gymru ym 1867 oherwydd yr anhwylder ar ei wddf. Dychwelodd i'r Wladfa ym 1886.

50 Mae LJ yn ymateb i rai o'r cyhuddiadau yn ei erbyn yn y wasg gan Mr Henry Lewis a'r Cadben Williams, Lerpwl.

51 S. R. Phibbs. Bu'n fasnachwr yn yr Ariannin ac yna'n drafnoddwr iddi yn Lerpwl. Bu'n gyswllt pwysig rhwng y pwyllgor yn Lerpwl a'r Llywodraeth yn Buenos Aires.

52   Ym mis Mawrth 1865 hwyliodd LJ, ei wraig Ellen ac Edwin Cynrig Roberts ar fwrdd y *Cordoba* i'r Ariannin i baratoi'r ffordd ar gyfer y fintai gyntaf. Cafodd Ellen Jones ddamwain gas wrth iddi ddisgyn oddi ar geffyl ar y 1af o Fehefin. Mewn llythyr ganddo ar y 6ed o Fehefin ac a gyhoeddwyd yn *Baner ac Amserau Cymru*, 19 Awst 1865, dywed: ' ... Bydd yn ddrwg gennych glywed fod Mrs Jones wedi cael damwain lled ddifrifol drwy i geffyl redeg gyda hi, ac iddi hithau neidio oddi arno. Anafodd ei phen yn dost, ond ni thorodd un aelod; ac y mae yn gwella gystal ag y gellid disgwyl. Y mae wedi bod bum diwrnod yn ei gwely; ond disgwyliaf y caiff godi y foru ... '

53   Y tirfesurydd, Julio Díaz.

54   Y Parch. Michael Daniel Jones (1822-1898).

55   Er mai dyddiad y llythyr yw 12 Gorffennaf 1866, mae'n debyg na dderbyniodd LJ y llythyr tan ei fod ynghanol y trafodaethau â Rawson (Gweinidog Cartref y Weriniaeth) yn Buenos Aires ar ddechrau 1867. Bu derbyn y llythyr hwn yn hwb i LJ yn ei drafodaethau ac amgaeodd ddyfyniadau o'r llythyr hwn i'w cyflwyno i Dr Rawson.

56   Carmen de Patagones – treflan filwrol ar lannau gogleddol afon Negro, oddeutu 300 milltir o Borth Madryn. Dyma'r dref agosaf at y Wladfa o dan sofraniaeth yr Ariannin yn ystod y cyfnod hwn. I Patagones y byddai'r Cymry'n teithio i lwytho eu llongau â nwyddau, bwyd ac anifeiliaid.

57   Tua'r amser yma y dechreuwyd arddel 'Y Wladfa' yn hytrach na'r 'Wladychfa'.

58   Bu rhwygiadau rhwng y sefydlwyr a fynnai aros a'r rhai a fynnai fudo. Un o brif wrthwynebwyr yr achos oedd y Parch. Abraham Matthews. Yn sgil anniddigrwydd y sefydlwyr yn ystod y flwyddyn gyntaf, arweiniodd Matthews y blaid ymfudol a geisiai symud i Santa Fe. Gofynnwyd i'r Llywodraeth eu symud i Santa Fe. Mynnodd Dr Rawson iddynt roi blwyddyn o brawf ar ddyffryn afon Camwy. Llwyddodd LJ i argyhoeddi Abraham Matthews i gytuno i'r cais hwn.

59   Murga – pennaeth milwrol y gwersyll ym Mhatagones; Aguirre – ei frawd-yng-nghyfraith. Masnachwyr ym Mhatagones. Dywed RBW (*Y Wladfa* t. 102) i LJ gael cynnig llwgrwobrwy ganddynt o £2,000 i geisio argyhoeddi'r Gwladfawyr i ymgartrefu ar eu tiroedd hwy ym Mhatagones. Gwrthododd LJ. Mae'n debyg i'r Llywodraeth orchymyn Murga ac Aguirre i adael llonydd i'r Gwladfawyr ar lannau'r Camwy.

60   Y Malvinas oedd yr unig drefedigaeth Brydeinig yn yr Ariannin, ac mae hi oddeutu 150 o filltiroedd i'r dwyrain o arfordir Patagonia.

61   Deiseb gudd ac arni 19 o enwau. JSJ a gyrchodd y ddeiseb i Lywodraethwr ynysoedd y Malvinas. Arweiniwyd y ddeiseb gan y Parch. Robert Meirion Williams a hanai o Lanfairfechan. Byrdwn y ddeiseb oedd yr awydd gan rai o'r ymfudwyr i gael eu symud o Ddyffryn Camwy i'r Malvinas. Yn sgil y ddeiseb hon, galwodd y llong ryfel Brydeinig *Triton* heibio i'r Wladychfa ym mis Gorffennaf 1866 i archwilio helyntion y Gwladfawyr. Dyma'r tro cyntaf i long Brydeinig ymweld â'r Wladfa. Yn ôl adroddiad ysgrifennydd y llysgennad Prydeinig, R. G. Watson, ' ... ymddengys nad oedd amryw o'r rhai a enwir wedi ei harwyddo, vod 5 yn blant, ac vod 4 oedd a'u henwau i lawr heb erioed glywed son am y ddeiseb: velly nid oedd ond 9 a thri plentyn am symud, tra'r oedd 90 o'r 130 sevydlwyr yn dymuno aros lle maent, ac yn voddlawn ar eu sevyllva ... ' (Lewis Jones, *Y Wladva Gymreig*, t. 69). Ni wnaeth JSJ lofnodi'r ddeiseb.

62   Dafydd John (31 oed) o Aberpennar. Roedd yn un o'r rhai a lofnododd y ddeiseb. (Ceir ei hanes ef a JSJ yn trosglwyddo'r ddeiseb yn *Yr Hirdaith*, t. 110.)

63   Llong ryfel Brydeinig y *Triton*.

64   Richard Jones Berwyn (1836-1917), un o arweinyddion y Wladfa. Roedd yn gefnogwr brwd i LJ wrth geisio argyhoeddi'r sefydlwyr mai aros yn Nyffryn Camwy fyddai orau yn hytrach nag ailymfudo fel y dymunai rhai.

65   David Lloyd Jones, Cofiadur Teithiol Cymdeithas Fasnachol ac Ymfudol y Wladychfa. Ymfudodd i'r Wladfa ym 1874 ar fwrdd yr *Hipparchus* i fod yn genhadwr

gyda'r Indiaid. Dywed W. Meloch Hughes amdano (*Ar Lannau'r Gamwy ym Mhatagonia*, t. 266): 'Bu'n Ynad Hedd ac Amddiffynydd yr Amddifaid dan y llywodreth am flynyddoedd lawer. Dyn cryf, penderfynol ydoedd, ac efe hwyrach oedd y meddyliwr praffaf mwyaf gafaelgar, ddeuthai erioed i'r Wladfa ... Brwydrodd lawer am weinyddiad teg o gyfreithiau'r Weriniaeth yn y Wladfa, a llanwodd lawer bwlch cyfyng yn ei hanes.'

[66] Y tirfesurydd Díaz a fu'n ceisio argyhoeddi'r Cymry i symud i Patagones.

[67] Y Parch. Abraham Matthews. Yn sgil anniddigrwydd y sefydlwyr yn ystod y flwyddyn gyntaf, arweiniodd Matthews y blaid ymfudol a geisiai symud i Santa Fe yng ngogledd-ddwyrain yr Ariannin, ond cytunodd i gais y Dr Rawson i roi blwyddyn o brawf ar y Wladfa.

[68] Thomas Ellis o Lerpwl. Fferyllydd a meddyg y Wladfa. Ymfudodd i Santa Fe.

[69] Thomas Pennant Evans (Twmi Dimol). Brodor o Bennant Melangell a fu'n byw ym Manceinion. Priododd ag Elizabeth Pritchard (merch 21 oed a faged yn Nhynypwll Waenwen, Pentir ger Bangor) ar y 30ain o Fawrth, 1866.

[70] Berwyn oedd cofrestrydd priodas Twmi Dimol ag Elizabeth Pritchard. Cawsant 2 o blant. Priododd Berwyn ag Elizabeth, gweddw Twmi Dimol, ar ddydd Nadolig 1868. Cawsant 13 o blant.

[71] Daeth T. Cadivor Wood (Ysgrifennydd y Cwmni Ymfudol) i ymweld â Phatagonia ym 1867 er mwyn archwilio'r wlad ac i drefnu ar gyfer minteioedd newydd. Aeth gyda chriw'r *Denby* (6 i gyd) i Batagones gan ei fod yn awyddus i weld a oedd yno lythyrau gan ei dad. Mae'n debyg iddo gael ei siomi gan nad oedd yno lythyr yn ei ddisgwyl.

[72] *Y Brut* oedd papur newydd cyntaf y Wladfa a'i olygydd oedd Berwyn. Fe'i cyhoeddwyd yn fisol ym 1868. Dywed RBW (*Y Wladfa*, t. 123): 'Pump ar hugain oedd rhif ei dudalennau, a'r rheini mewn llawysgrif. Y tâl amdano oedd deuddeg tudalen o bapur ysgrifennu yn flynyddol, ac yr oedd yn rhaid i bob derbynnydd ei anfon ymlaen i'w gymydog ymhen deuddydd.'

[73] Yn ôl llythyr gan Berwyn at Aaron Jenkins yn *Y Brut Rhiv IV*, 1868, mae'n debyg mai Aaron Jenkins a James Jones, wrth hela rhwng Trerawson a Phorth Madryn, a ddaeth o hyd i weddillion Dafydd Williams, y crydd o Aberystwyth.

[74] Treuliodd LJ beth amser yn mynd yn ôl a blaen i Buenos Aires i sicrhau lluniaeth misol i'r Gwladfawyr. Tybiai'r Gwladfawyr fod y *Denby* yn Patagones o hyd. Pan ddychwelodd LJ o Buenos Aires *via* Patagones i'r Wladfa ym mis Mai, gwyddai i'r *Denby* adael Patagones ar yr 16eg o Chwefror, felly disgwyliai ei gweld, ynghyd â'i chriw, yn ôl yn y Wladfa. Cafodd fraw wrth sylweddoli nad oedd y Gwladfawyr wedi gweld na chlywed sôn am y *Denby* ers iddi adael ym mis Ionawr. Roedd yn rhaid i ddeuluoedd criw y *Denby* wynebu'r posibilrwydd cryf nad oedd fawr o obaith iddynt weld eu hanwyliaid eto.

PENNOD 2

Cyfyngderau ac unigedd
(Llythyrau 1870-1885)

Erbyn 1869, dair blynedd wedi glanio'r *Mimosa*, haerai Lewis Jones fod 'y cymylau doasai y Mudiad Gwladfaol' (*Hanes y Wladva Gymreig Tiriogaeth Chubut, yn y Weriniaeth Arianin, De Amerig*, t. 81) wedi dechrau clirio. Efallai yn wir, ond roedd y Gwladfawyr yn parhau i wynebu caledi. Ym mis Tachwedd 1867, cafodd Rachel Jenkins (gwraig gyntaf Aaron Jenkins) y syniad un bore Sul, wrth weld bod yr afon yn uwch na lefel y tir, o greu ac agor ffosydd o'r afon er mwyn dyfrio'r tir. Gwelwyd ffrwyth y llafur caled pan gynaeafwyd gwenith rhagorol ar ddechrau 1868. I unrhyw un sydd wedi ymweld â'r Wladfa, mae creu'r ffosydd hyn yn destun rhyfeddod ac yn orchestol, yn enwedig o gofio i'r ffosydd cynnar gael eu cloddio heb fawr mwy na chaib a rhaw. Cydweithredodd y Gwladfawyr yn ddyfal am flynyddoedd gan rannu adnoddau eu llafur er mwyn eu creu. Diolch i lwyddiant dyfrio'r tir, anfonodd Rawson hadyd, ymborth a gwartheg i'r sefydliad ym mis Mai 1868. Ond byrhoedlog fu'r llwyddiant hwn. Parhaodd anawsterau'r dyfrio i flino'r Gwladfawyr am flynyddoedd i ddod. Dywed Aaron Jenkins mewn llythyr (27), dyddiedig 1873: ' ... Pe gallwn i gael rhyw gynllun sicr i ddyfhrau, gallwn fyw fel brenin yma.' Yn ogystal â llythyr o eiddo Aaron Jenkins, ceir llythyr hefyd yn y bennod hon gan William R. Jones (Gwaenydd) (32) yn disgrifio llofruddiaeth Aaron Jenkins ym 1878. Wedi ei lofruddiaeth cyfeirir at Aaron Jenkins fel 'Merthyr Cyntaf y Wladfa.'

Ar ôl y cynhaeaf llwyddiannus cyntaf, cafwyd tywydd stormus ym 1869 a gorlifodd yr afon ei glannau gan ddifetha'r cnydau. Weithiau byddai afon Camwy yn rhoi; dro arall yn cymryd. Bu'r afon hon yn ddidostur i'r Cymry yn eu hymdrechion i'w defnyddio ar gyfer dyfrio'r cnydau ac wrth iddynt geisio'i rhwystro rhag gorlifo a difetha'u bywoliaeth a'u cartrefi. Roedd dyfrio yn allweddol i lwyddiant y Wladfa, ac i roi paid ar y rhai a fynnai symud i Santa Fe. Arweiniai anawsterau'r dyfrio at gynaeafau aflwyddiannus wrth gwrs, a hynny'n ei dro yn achosi prinder bwyd affwysol. Dywed Abraham Matthews am y cyfnod o Awst 1867 hyd at Awst 1874 (*Hanes y Wladfa Gymreig yn Patagonia*, t. 47): ' ... y mae yn ddiamheu i rai dynion a'u teuluoedd ddyoddef graddau o newyn yr adeg hon ... '

Un o anawsterau pennaf y Gwladfawyr yn ystod y cyfnod hwn oedd diffyg cyswllt â gweddill y byd, ac yn arbennig felly â Phatagones a Buenos Aires. Pan hwyliodd llong y *Myfanwy* o Borth Madryn i Montevideo ym mis Mai 1870, bu'r Wladfa wedyn am 13 mis heb unrhyw fath o gymundeb â gweddill y byd. Wrth ddarllen llythyrau'r Wladfa yn y cyfnod hwn, synhwyrir unigrwydd y sefydlwyr a'u rhwystredigaeth o beidio â derbyn llythyrau o Gymru. Dywed Berwyn mewn llythyr ym 1872 (24):

> ... Pan dderbynia un lythyr, bydd y lliaws yn tyru tuag ato, gan hyderu y dichon fod ynddo air bach atynt, neu ychydig o newyddion cyffredin. Benthycir papur newydd a ddigwydd ddyfod i law o dŷ i dŷ am fisoedd, a darllenir ef drosodd a throsodd, mewn gobaith am bwt bach ynghylch rhyw gydnabod ...

Gallaswn fod wedi cynnwys sawl llythyr neu ddetholiad o lythyrau R. J. Berwyn yn y bennod hon, ond bu'n rhaid bodloni ar un. Mae llythyrau Berwyn yn werthfawr gan mai ef erbyn hyn oedd cofrestrydd y Wladfa, ac fe geir felly yn rhai o'i lythyrau adroddiadau o niferoedd y Gwladfawyr a'u hamgylchiadau. Rhaid ychwanegu bod ei ystadegau mor gywir ag oedd modd i ddyn ei gasglu wrth deithio ar gefn ceffyl mewn ardal mor eang a'i phoblogaeth mor wasgaredig. Dywed RBW amdano (*Y Wladfa*, t. 124):

> ... un o'r gwŷr galluocaf a fu yn y Wladfa ... Aeth i'r Wladfa gyda'r fintai gyntaf, a'i ddewis yn ysgrifennydd y Cyngor, a golygai hynny ei fod hefyd yn Is-lywydd, yn gyfreithiwr y Llys, ac yn Bostfeistr. Dewisiwyd ef yn arolygydd y llythyrdy yn y flwyddyn 1871, a daliodd y swydd honno am ddeng mlynedd ar hugain. Dewisiwyd ef hefyd yn Is-brwyad dan Oneto, cynrychiolydd y llywodraeth yn 1875. Aeth ar neges i Buenos Aires yn y flwyddyn 1879, a dychwelyd oddi yno gyda chant a phedwar o weithredoedd ffermydd i'r gwladfawyr ...

Ceir yn ei lythyrau ef (a sawl un arall) gwynion am y diffyg llythyrau o Gymru. Synhwyrwn mai unig iawn oedd bywyd i'r sefydlwyr yn ystod y blynyddoedd cynnar hyn. Roedd dyfodiad llythyr yn gysur a diffyg llythyr yn loes.

Ym 1868 cyhoeddwyd *Y Brut*, sef 'Newyddur y Wladfa Gymreig', dan olygyddiaeth Berwyn. Mae'n anhygoel bron fod y Gwladfawyr wedi llwyddo i gynnal misolyn ynghanol eu cyni a'u llafur, ond mae'n debyg bod eu hawydd am newyddion ac am gysylltiad â'i gilydd yn drech na dim. Yn anerchiad y golygydd yn rhifyn cyntaf *Y Brut* (Ionawr 1868) dywed Berwyn: 'Cedwir yn fyw gymundeb ein calonau a'r Hen Wlad, drwy lythyrau a newyddion ... '

Roedd y Gwladfawyr yn wasgaredig, ond trwy'r papur misol hwn fe gâi'r Gwladfawyr rywfaint o hanes eu cymdogion ar hyd y dyffryn a'r peithdir. Ym 1878 daeth Lewis Jones â gwasg argraffu o Buenos Aires i'r Wladfa gan gyhoeddi rhifyn cyntaf *Ein Breiniad* ar yr 21ain o Fedi, 1878.

Yn ystod y cyfnod hwn y dechreuwyd ymwneud â'r Indiaid brodorol. Yn raddol bach, dechreuodd y Cymry fasnachu â hwy. Bu'r berthynas rhwng y Cymry a'r brodorion, ar y cyfan, yn heddychlon yn ystod blynyddoedd cynnar y sefydliad. Byddai'r Indiaid yn masnachu ceffylau, plu estrys, carthenni gwanaco a chrwyn gwahanol anifeiliaid yn gyfnewid am nwyddau, baco a gwirodydd. Nid oedd y ffaith fod rhai o'r Cymry yn cyfnewid baco a gwirodydd am nwyddau wrth fodd pawb yn y Wladfa nac yng Nghymru, ac yn arbennig felly y dirwestwr a'r gwrthysmygwr mwyaf ohonynt, MDJ. (Ceir llythyr ganddo ym mhennod 3 at ei feibion yn eu rhybuddio yn erbyn ysmygu ac yfed alcohol.) Fodd bynnag, roedd y fasnach hon yn werthfawr i'r Cymry ar adeg pan nad oedd ganddynt fawr o gymundeb â gweddill y byd.

Cafwyd newid llywodraeth ym Muenos Aires ym 1869 a gweinidog cartref newydd, Dr Velez Sarsfield. Nid oedd ef mor wresog ei gefnogaeth i'r Cymry â'i ragflaenydd, Rawson. Cwynai fod y Cymry'n ddrud i'w cadw. Yr oedd o blaid symud y Cymry i dalaith Buenos Aires, gan fod y llywodraeth honno yn cynnig talu am eu cludo yno (gw. *Y Wladfa*, t. 120). Gwrthodai Lewis Jones y cynnig hwn a hwyliodd i Brydain i chwilio am fwy o ymfudwyr. Yn anffodus, yn sgil y gorlif a methiant y cynhaeaf dilynol o'i herwydd, nid oedd y syniad o ymfudo i'r fath le yn apelio at y Cymry gartref. Hwyliodd LJ yn ôl i'r Wladfa ar fwrdd y *Myfanwy* ym 1870. Roedd LJ wedi ceisio atal MDJ rhag prynu'r llong gan ddadlau mai llong 100 tunnell fyddai fwyaf buddiol i'r Wladfa. Lliniarwyd mymryn ar ei wrthwynebiad pan gytunwyd i enwi'r llong yn *Myfanwy* ar ôl ei ferch fach, tan iddo sylweddoli nad oedd y llong hon ond yn gymwys i gludo un ar ddeg o ymfudwyr. Ar y fordaith hon y ganed ei ferch, Eluned Morgan, y gwelir ei hanes mewn llythyr gan ei mam yn y bennod hon.

Yn ogystal â'u hunigrwydd, yr hyn a amlygir yn bennaf yn ystod y cyfnod hwn yw helyntion diddiwedd y llongau, llongau megis y *Denby*, y *Myfanwy*, y *Maria Ana/Chubut*, y *Monteallegro*, y *Rush* a'r *Electric Spark*.

Nid oedd y ffaith fod aber afon Camwy yn dwyllodrus a pheryglus o ddim cymorth i neb a geisiai (yn aflwyddiannus fel rheol) ei mordwyo. Sigwyd sawl llong yn aber yr afon hon. Yn wir, mae yma destun gwaith ymchwil toreithiog i rywun ar hanes cythryblus llongau'r Wladfa! Dywed W. Meloch Hughes yn *Ar Lannau'r Gamwy ym Mhatagonia* (t. 281), mor ddiweddar ag 1926, wrth drafod y mater hwn: 'Heddiw ni fedd Cymry'r Wladfa gymaint â chwch pysgota, a rhaid iddynt druain fodloni ar y cyfleusterau gânt ... '

Roedd diffyg profiad y Gwladfawyr a'r arweinyddion yng Nghymru o fasnach y môr o anfantais dybryd i lwyddiant y sefydliad yn y blynyddoedd cyntaf hyn. Fel ag yn achos yr *Halton Castle/Mimosa* ym 1865, doedd yr arweinwyr fawr callach wedyn sut i drin a thrafod prynu a llogi llongau, nac ychwaith sut i sicrhau fod y llongau hynny'n addas ar gyfer y gwaith o anfon ymfudwyr neu ar gyfer masnachu. Enghraifft drychinebus o hyn oedd pryniant y llong *Myfanwy*, fel y gwelir yn llythyrau'r bennod hon. Mae'n debyg mai prynu'r *Myfanwy* oedd yr hoelen olaf yn arch ariannol MDJ.

Er gwaethaf llu o anawsterau, daeth tro ar fyd ac ymgais at gael rhywfaint o drefn ym mywydau'r Cymry yn ystod y 1870au. Allforiwyd gwenith o'r Wladfa am y tro cyntaf ym 1873 yn y llong *Irene*. Roedd yr arolygon yn dda. Ond gan i'r Wladfa dderbyn llu o ymfudwyr newydd yn y cyfnod hwn, sylweddolwyd, oherwydd y fasnach â Buenos Aires, nad oedd digon o wenith ar eu cyfer i gyd. Roedd pryder prinder bwyd unwaith eto.

Gwelir mewn rhannau o ddau lythyr gan MDJ yn y bennod hon fod ei broblemau ariannol yn cynyddu. Oherwydd pryniant y *Myfanwy*, fe'i gwnaed yn fethdalwr. Mae'n amlwg i wrthwynebiad Cadfan i ad-dalu dyled y Wladfa iddo ym 1877 ei frifo i'r byw (31) a synhwyrir mai bytheirio yn ei erbyn a wna MDJ yn y llythyr hwn. Parhâi MDJ hefyd i ohebu'n ddi-baid â'r wasg er ceisio denu mwy o ymfudwyr yno. Cymaint oedd ei awydd i boblogi'r Wladfa fel iddo, mewn llythyr i *Baner ac Amserau Cymru* (2 Mehefin 1880), geisio denu merched cymwys i ymfudo fel hyn:

> Y mae yn y Wladfa gryn lawer mwy o feibion nag o ferched. Y mae yma faes ymfudol rhagorol i ferched amaethyddol a fedr drin blith. Ar gyfer 76ain o feibion nid oes ond pedair merch. Hefyd, y mae mwy o feibion yn cael eu geni yno o lawer nag o ferched. Ar gyfer 136 o ferched dan oed, y mae yn o 282 o feibion.

Gwyddai MDJ a'i debyg y byddai'n rhaid wrth fwy o lawer o ymfudwyr o Gymru (a Chymry Gogledd America) os am gynnal y Wladychfa Gymreig fel uned ddiwylliannol gref. Rhwng 1873 a 1874 anfonwyd tair mintai o'r Unol Daleithiau i'r Wladfa. Ni fu eu taith yn rhwydd o bell ffordd. Aeth 29 o ymfudwyr ar long y *Rush*, ond wedi glanio yn Montevideo gwasgarodd y fintai. Aeth 33 o ymfudwyr ar long yr *Electric Spark*. Drylliwyd y llong ger Brasil ond ymhen hir a hwyr, wedi profiadau anodd a thorcalonnus, cyrhaeddodd y fintai i'r Wladfa yn ddiogel, ond heb eu heiddo a'u harian. Cyrhaeddodd y drydedd fintai (46 o ymfudwyr) yn ddiogel ar ôl dioddef newyn. Roedd chwistrelliad newydd o ymfudwyr yn gymorth ac yn galondid mawr i'r criw bach gwreiddiol. Roedd dirwasgiad yng nghymoedd diwydiannol de Cymru yn ystod 1875 wedi bod yn ysbardun i niferoedd o'r ardaloedd hynny ymfudo. Rhwng mis Medi 1875 a mis Ionawr 1876 daeth 412 o ymfudwyr i'r Wladfa gan godi rhif y boblogaeth i bron i 700. Ataliwyd rhywfaint ar yr ymfudo am ychydig gan nad oedd cnwd mis Chwefror 1876 gystal, ond erbyn 1879 roedd poblogaeth y Wladfa wedi cynyddu i 778.

Darllenais lawer o lythyrau gan ymfudwyr newydd y cyfnod hwn yn cwyno am eu byd. Doedd amgylchiadau cyrraedd Porth Madryn ddim yn fêl i gyd i ymfudwyr y 1870au ychwaith. Dywed Gwilym Lewis mewn llythyr at Daniel Davies, Ton ystrad, Morgannwg (LlGC 3191-7C), dyddiedig 8 Awst 1876:

> Glaniasom yma ar yr 21ain o fis Tachwedd 1875 yn Porth Madryn, neu y New Bay, wedi bod rhywle tua saith wythnos o daith. Gorfu arnom gerdded o'r (New Bay) i ddyffryn y Gamwy tua deugain neu haner can milldir o ffordd ar hyd le tywodlyd ac anial heb ond ychydig o fwyd na dwfr yr hyn yn gwneid ein sefyllfa yn ddrwg iawn oblegid nid oes yma ffynonau a ffrydiau fel sydd yna a bu mor galed ar rhai o honom nes ei gorfodi i yfed dwfr ei hunain a cyrhaeddasom (Tre rawson) prydnawn yr ail ddydd wedi cychwyn o'r (New Bay) yn flin a lluddedig iawn ...

Yn ôl ystadegau Berwyn, roedd 1205 o drigolion yn y Wladfa erbyn 1881. Parhâi MDJ i ohebu dros achos y Wladfa. Nid oedd ball ar ei frwdfrydedd a'i genadwri ac ym 1882 (gyda D. Rees, Capel Mawr, Môn) aeth ar ei ymweliad cyntaf – a'r unig un ganddo – â'r Wladfa. Fel y gellid disgwyl, cafodd 'Tad y Wladfa' groeso tywysogaidd. Bu yno am gyfnod o bum mis ac fe'i bodlonwyd gan yr hyn a welsai, er gwaetha'r cynhaeaf gwael a gafwyd y flwyddyn honno. Yr oedd ei broblemau ariannol yn parhau i bwyso'n drwm arno a threfnwyd tysteb iddo yng Nghymru. Dirywiodd ei iechyd dros y blynyddoedd dilynol a bu farw yn ei gartref ym Mod Iwan, y Bala ym 1898.

Ym 1873 cyhoeddwyd y Ddeddf Gweinyddiad Barn gan Thomas Davies, Llywydd y Wladfa (gwelir y ddogfen yn llawn yn Atodiad V111 *Y Wladfa*, RBW). Roedd gan y Gwladfawyr gyfundrefn lywodraethol ddemocrataidd effeithiol. Ym 1874 penodwyd Antonio Oneto fel swyddog porthladd ar ran yr arlywydd Avellaneda i lywodraethu'r Wladfa. Gwyddai Avellaneda fod Chile â'i llygaid ar Batagonia ers peth amser, ac felly dechreuodd ddangos diddordeb yn eangdiroedd Patagonia a oedd yn gymydog mor agos i Chile. Hyd at yr amser hwn, roedd y Wladfa wedi llwyddo i weithredu fel uned wleidyddol led annibynnol, ar y cyfan, a hynny drwy gyfrwng y Gymraeg. Dyma'r cyfnod y dechreuodd y Wladfa golli gafael ar ei hymreolaeth. Yn fuan wedyn daeth D. Juan Finoquetto'n brwyad amhoblogaidd i'r Wladfa ar ran yr Ariannin. Gwrthodai gydnabod sefydliad y Cymry. Ym 1883 carcharwyd Lewis Jones a Berwyn am ddeng niwrnod wrth iddynt geisio diogelu hawliau'r Cymry a herio awdurdod swyddogion yr Ariannin yn y Wladfa. Aeth Finoquetto gyda nhw mewn llong i Buenos Aires ac fe'u carcharwyd yno am noson, cyn cael eu rhyddhau y diwrnod canlynol.

Efallai i amodau'r Gwladfawyr ddechrau gwella fymryn erbyn diwedd y cyfnod hwn, ond nid felly'r oedd hi ar yr Indiaid brodorol. Cafwyd ymgyrch ffyrnig gan y Llywodraeth i geisio cael rheolaeth lwyr ar y brodorion hyn rhwng 1879 a 1885. Enw'r ymgyrch hil-laddol hwn oedd *Conquista del Desierto* – Concwest y Paith. Roedd yr Indiaid wedi bod ar delerau da â'r Gwladfawyr ac yn gymorth iddynt yn y blynyddoedd cynnar. Nid anghofiodd y Gwladfawyr am eu cydweithrediad a gwnaed ymgais i ffrwyno llid llywodraeth yr Ariannin, fel y dengys llythyr y Pennaeth Saihueque (33).

Anodd deall felly pam y bu i'r Indiaid brodorol, ym 1884, ymosod yn fileinig ar bedwar o Gymry a oedd ar daith i archwilio'r fewnwlad, yn y gobaith o ddod o hyd i aur. Lladdwyd tri ohonynt ond arbedwyd John Daniel Evans, gŵr o Aberpennar yn wreiddiol, diolch i'w ddihangfa wyrthiol ar ei geffyl Malacara. Taenwyd sawl damcaniaeth am gymhelliad yr Indiaid i ladd y tri Chymro. Dyma'r ymosodiad gwaedlyd cyntaf gan y brodorion yn erbyn y Cymry, a hynny bron i ugain mlynedd ers i'r Cymry cyntaf sefydlu ym Mhatagonia. Mae'n bosib mai dial yr oedd y brodorion am y driniaeth erchyll a gawsant gan yr Archentwyr yn ystod Concwest y Paith. Ond un ddamcaniaeth o nifer yw hon. Erys yn ddirgelwch hyd heddiw paham yn union y digwyddodd hyn. Casglwyd mintai arfog o 43 o Gymry i ddychwelyd i safle'r gyflafan – a adwaenwyd yn ddiweddarach yn Ddyffryn y Merthyron. Darganfuwyd cyrff y tri Chymro wedi'u malurio (gw. llythyr 35). Claddwyd y gweddillion yn ymyl y man y'u llofruddiwyd. Arweiniodd LJ y fintai alarus mewn gwasanaeth ar lan y bedd a chanwyd yr emyn 'Bydd Myrdd o Ryfeddodau'. Yn hunangofiant John Coslett Thomas (1863-1936), dywed yr awdur am y gwasanaeth: 'O bob canu a glywais ar lan bedd hwn oedd y canu dwysaf a mwyaf o wylo wrth ganu o'r un a glywais ac a welais erioed, serch nad oedd yno berthynas o gwbl i'r un o'r tri a gladdwyd ond perthynas cenedlaethol' (*Bywyd a Gwaith John Daniel Evans El Baqueano*, t. 320).

Y gamlas
(trwy ganiatâd Llyfrgell Genedlaethol Cymru)

Y Myfanwy

(20) Rhan o lythyr Ellen Jones (Griffith gynt), gwraig Lewis Jones, oddi ar fwrdd y llong *Myfanwy*, at ei mam (Mary Griffith) a'i brawd (roedd ganddi dri brawd – William, Thomas ac Owen) yng Nghymru. Hwyliodd y *Myfanwy* o Brydain ar y 3ydd o Fawrth, 1870. Ysgrifennwyd y llythyr oddi ar fwrdd y llong ym Mhorth Madryn i hysbysu'r teulu gartref am eni Eluned Morgan ar yr 20fed o Fawrth, 1870.

   (Adysgrifennais y llythyr hwn o'r llythyr gwreiddiol sydd ym
   meddiant Tegai Roberts, Plas y Graig, y Gaiman yn 2007.
   Gofynnodd y teulu imi hepgor rhan o'r llythyr.)

New Bay
Patagonia Mai 13/ 1870

Fy Anwyl Fam a Brawd
Y mae Llew[75] a'r Capt[76] wedi myned i'r Chupat a rhag ofn na fydd Llew wedi rhoddi fy hanes yn fanwl i chwi dyma fi yn ysgrifenu ychydig fy hunain nis gallaf gael hamdden i ysgrifennu at neb arall, felly a fyddwch chwi cystal ag anfon y llythur yma i Fangor a Llanberis a Caergybi.

   I ddechreu fy hanes, y mae yn dda genyf eich hysbysu, fod gan Mivi[77] bach chwaer er dydd Sul yr 20 o Fawrth, deuais trwyddi mewn ychydig iawn o amser, yr oedd y wraig oedd ar y bwrdd yn bur glyfer, yn wir yr oedd yn well na'r un Dr a fu hefo mi erioed, yr oeddwn yn abel i godi a myned ar y deck ddydd Mercher, dyna beth na fedrais erioed pan oeddwn gartref, yr oeddwn mewn lle cynhes iawn, mor gynes fel ag yr oeddwn ar y deck naw or gloch y nos yn mhen yr wythnos, heb na shawl na bonnet, yr oedd yn rhy boeth i roddi rhywmyn gwlanen am y babi y nos, dim ond wrapper galico; a Mivi heb ddim ond pais gotton a brat, a bron a thoddi hefo rhaini; y hi oedd yr unig un wir hapus oedd ar y bwrdd, byddai yn gallu cerdded hyd y deck, pan oedd y llong yn rowlio cymaint nas gallwn i sefyll. Y mae hi yn dyweyd ei bod am ddyfod i edrych am Nain hefo'r cadben, a dyfod yn ei hol ataf finau wedyn.

   Yn mhen tua tair wythnos wedi geni y babi, cafodd Mivi anffawd, trwy syrthio dwy step a thori ei braich, rhoddodd y Capt – hi yn ei lle cyn pen y deg munud a buo ei braich mewn sling am dair wythnos; mae wedi hollol fendio er's hir amser (...)

   Y mae y babi yn bwyta yn ddel iawn corn flour yw ei bwyd, y mae

y Capt wedi rhoddi tin mawr o hono i mi fyned ir lan, hefyd, parcel
o sago a parcel o pearl Barley a paced o salts a parcel o Linseed meal,
potel bach o Castor Oil potel Lemon Belly peth i wneyd diod sharp
pan fydd yn boeth, y mae wedi addaw potel o Frandy pan ddaw yn ei
ol or Chupat ac amryw fan betheu ereill rhyw ddyn digon rhyfedd
yw ef weithia yn garedig iawn ar pryd arall yn ddigon cas; y mae yn
son y daw yna i edrych amdanoch, y mae ef yn myned i Briodi pan
ddaw yn ol i Loeger.

Cawsom dywydd digon oer cyn cyrhaedd yma, fel yr oeddwn yn
gorfod lapio y babi mewn gwlanen; ond nid ydyw hi na minau wedi
gweled tan er pan y ganwyd hi ...

Y mae y dwr yn brin iawn ers tro bellach mor brin fel na chaem
ond un cwpaned o de, a gorfod golchi dillad y babi mewn dwr hallt
ai sychu allan dim gweled tan yn airio, ond y mae yr hogan yn dod
yn mlaen yn gampus trwy'r cwbl, yn hogan bach dda iawn, y mae yn
dda genyf erbyn hyn fy mod wedi dyfod cawn fod gyda'n gilydd
bellach yr enw yr ydym yn feddwl roddi ar y babi iw, Elined
Morgan.[78]

Gyda chofion atoch oll yn Caernarfon, Bangor, Llanberis a
Caergybi, a gobeithio eich bod oll yn iach, ac y caf air oddi wrthych
oll yn fuan (...)

Ydwyf eich merch
Ellen.

(21) Llythyr Lewis Jones at ei fam a'i frawd yng Nghymru, yn fuan wedi iddo gyrraedd y Wladfa ar y *Myfanwy*.

(Adysgrifennais yr isod o'r llythyr gwreiddiol sydd ym meddiant Tegai Roberts, Plas y Graig, y Gaiman yn 2007.)

Porth Madryn
Mai 17/70

Fy anwyl hen Fam a John[79]
Cyrhaeddasom yma wythnos i heddyw (dydd pen blwydd Elen) wedi mordaith faith o 68 o ddyddiau. Chwi gewch yn llythyr Elen ein hanes ar y bwrdd. Yr ydym yn awr yn llawn ffwdan yn glanio y pethau. Y mae Ellen a Mivy ac Eluned Morgan a Marged, a M.A.Morris, wedi myned drosodd i'r Chupat yn y goach yn gysurus echdoe. Y mae'r pethau yn dechrau myned drosodd ar eu holau. Bydd raid i mi aros yma bythefnos i anfon y pethau.

Mae'r gwladfawyr oll yma yn gysurus. Collasant beth wmbreth o'u gwenith gyda'r llifogydd, a'r llynedd ni allasant hau nemawr oherwydd hyny. Y maent yn paratoi i hau cryn lawer yn awr. Collasant hefyd haner cant o wartheg yn y llifogydd, a llawer o dai.[80] Er hyn i gyd y mae pawb yn gysurus a chalonog.

Nis gallodd Richard wneud y ty i mi yn barod, ond y mae wedi llosgi y bricks yn barod. Prynodd dy lled fychan i ni, ac yr ydym wedi cael benthyg un arall am y gauaf yn ymyl.[81] Cawsom un fuwch laethog yn rhodd, a phrynais un arall: y mae genym 3 o geffylau; ieir ddigonedd; digon o wenith i'w hau a'i fwyta. Nid wyf yn myned i B.Ayres gyda'r llong hon. Gellwch fod yn dawel, rwy'n meddwl, yn nghylch Ellen a Mivy bellach.

Y mae Richard yn iach a chysurus. Pe gwelech y lle rwy'n ysgrifenu hyn fe welech mor anhawdd yw gyru dim yn drefnus atoch – mewn ogof fudr, ac oddeutu dwsin o bobl yn clebar ar draws eu gilydd.

Nid oes genyf ond gobeithio yn awr eich bod chwi eich dau mor iach a boddlawn ag ydym ni. Rwy'n dysgwyl cyfle arall i ysgrifenu yn mhen tua deufis, wedi setlo i lawr, a gyru mewn pwyll. Y pryd hyny gyraf bale o grwyn gwanacod i edrych a gewch chwi 6/9 y pwys am y gwlan.
Yn faw o'i goryn i'w draed.

Lewis

(22) Llythyr MDJ o'r Bala yng ngogledd Cymru at gwmni twrneiod Protheroe & Fox yn y de.

Wrth ddychwelyd o daith i'r America ym mis Ebrill 1871, hysbyswyd MDJ gan R&D Jones, Ship Brockers, Lerpwl, mai John Wilson Bibell oedd perchennog y *Myfanwy* bellach. Roedd MDJ mewn dyfroedd ariannol dyfnion erbyn hyn. Prynwyd y *Myfanwy*, llong 300 tunnell, yng Nghasnewydd gan y Cwmni Ymfudol, ond yn enw MDJ. Pe baent wedi prynu'r llong yn enw'r Cwmni Ymfudol, efallai y byddent wedi llwyddo i arbed MDJ rhag mynd yn fethdalwr. Drannoeth y llythyr hwn meddiannwyd Bodiwan, cartref MDJ.

(Llyfr llythyrau MDJ, Archifdy Prifysgol Bangor 8052)

Copy of letter sent to Messrs Protheroe & Fox, Solicitors N.Port.[82]

Bala, June 16 1871

Gentlemen.

If your clients are resolved upon making me a bankrupt, I have no means of avoiding it, as it must be some time before I can realize the very large sum I have adventured in the affairs of the colony.[83] I must hold your clients to be indebted to myself and two others in the difference between £1000 and the value of the "Myfanwy", with all its fittings, which without the fittings was valued by them at £2700. they have rendered me no account. Will you please inform me in whose possession the "Myfanwy" now is, and how he has come by it.

I remain, Gentlemen,

Yours faithfully,
M.D.Jones

Yr angen am lythyr!

(23) Llythyr Catherine Jones[84], gwraig William Jones y Bedol (gw. llythyr 3), o'r Wladfa at ei mam yng Nghymru. Ysgrifennwyd y llythyr hwn chwe mlynedd wedi glanio, ac er gwaetha'u holl helbulon, ceir yr argraff fod y teulu'n dechrau cael trefn ar eu bywyd newydd.

(*Baner ac Amserau Cymru*, 25 Tachwedd 1871)

FY ANWYL FAM.

Yr oedd yn dda iawn genyf glywed oddi wrthych. Yr oeddwn wedi disgwyl llawer am lythyr, ond y cwbl yn ofer. Yr oeddwn yn gwybod os oeddych yn fyw eich bod wedi anfon lawer gwaith ataf. Buasai yn dda iawn genyf i chwi fod yma. Buasech wrth eich bodd gyda'r gwartheg a'r lloi bach. Yr ydwyf fi yn hollol gysurus gyda hwy, er fy mod yn bur drafferthus, drwy fy mod heb yr un forwyn.

Edifarhëais lawer fy mod wedi cychwyn i'r lle hwn, ar ol i mi golli fy ngenethod bach.[85] Bum yn meddwl pe buasai fy mam wedi gorfodi i mi fod gartref y buasai yn dda genyf. Cawsom hi yn galed ar y fordaith, ac wedi dyfod i'r tir. Ni chawsom ddim ond dwy heffer, un o'r rhai hyny wedi dyfod a llô ar y llong, a hwnw wedi trigo, a'r llall yn wyllt ar y cytir. Ni chawsom yr un ceffyl o un math. Prynasom gaseg gan yr Indiaid, a diangodd hono yn min dyfod ag ebol. Felly, chwi a welwch ein bod wedi cael tipyn o golledion, a bod hyny wedi ein cadw yn ol. Ond yr ydym erbyn hyn wedi dyfod yn go dda, drwy ein bod wedi byw yn lled gynnil, a pheidio lladd ein creaduriaid, fel y mae rhai wedi gwneyd yma. Y mae yma lawer wedi cael mwy o wartheg, a phethau ereill, na ni. Ond erbyn hyn, y mae genym ni fwy na hwythau, er ein bod wedi cael llai o'r hanner. Yr wyf yn meddwl fod William wedi dyweyd y nifer sydd genym. Yr oeddwn yn meddwl ysgrifenu llawer mwy atoch pe buasai amser, ond y mae yn rhaid i mi derfynu gyda hyn yn bresennol.

Eich anwyl ferch,
CATHERINE JONES

(24) Rhan o lythyr Berwyn o'r Wladfa yn arddangos unigedd y Gwladfawyr. Nid yw'n manylu at bwy yn union mae'r llythyr.

(*Baner ac Amserau Cymru*, 22 Mai 1872)

TRERAWSON, *Ionawr 15fed.*

GYMMRAWD ANWYL,

Ysgrifenais atoch gyda'r gwnfad *Cracker*, a chlywais eich bod wedi gyru hwnw i'w gyhoeddi.[86] Y mae ein newyddion o'r hen wlad yn brin a darniog hynod yn ddiweddar. Gan fod yn debyg y gyrwch hwn i'r wasg, y mae arnaf awydd rhoddi gwers yn gyntaf peth ynghylch

Prinder llythyrau.[87]

Yr wyf yn credu mai prin ugain o lythyrau a dderbyniwyd yma wedi cael eu hysgrifenu o fewn y pymtheng mis diweddaf. O'r ochr arall, yr wyf yn gwybod fod amryw ugeiniau, os nad cannoedd, wedi eu hanfon oddi yma. Yr ydym yn rhyw 35 o deuluoedd, a'n ceraint a pherthynasau, gyda pha rai y gohebwn, wedi eu chwalu trwy y rhan fwyaf o siroedd Cymru. 'Does bossibl na wêl y rhan fwyaf o honynt gŵyn fel hon, a theimlo, gobeithio. Y mae rhai wedi cadw cymmundeb da, ond y mae ereill wedi llwyr esgeuluso. Rhai o honom wedi anfon dro ar ol tro, ond heb dderbyn un llythyr er pan y maent yma. Pe bae y cyfeillion esgeulus hyny yn ystyried ein sefyllfa am ychydig funydau, barnwyf y cydymdeimlent â ni. Dyma ni, drwy y blynyddoedd, heb weled neb ond ein ychydig gymmydogion, oddi gerth dwylaw ambell long, ac weithiau fisoedd heb gymmaint â hyny – heb glywed dim ond y mân ddigwyddiadau a gymmerent le yn ein plith ein hunain – heb wybod pa un ai byw ai marw yw ein ceraint a'n cyfoedion – ac o'r bron ein holl gymmundeb â dynion wedi ei gyfyngu i ymweliad anniwylliedig. Pan dderbynia un lythyr, bydd y lliaws yn tyru tuag ato, gan hyderu y dichon fod ynddo air bach atynt, neu ychydig o newyddion cyffredin. Benthycir papur newydd a ddigwydd ddyfod i law o dŷ i dŷ am fisoedd, a darllenir ef drosodd a thorsodd, mewn gobaith am bwt bach ynghylch rhyw gydnabod. Y mae hen newyddiadur yna yn llawn o newyddion i ni. Gallwn feddwl mai gorchest fach i lawer hen gyfaill fyddai gyru newyddiadur at un o'i hen gymdeithion sydd yn y Wladfa Gymreig. Dwy geiniog a dâl ei gludiad. Ac wrth ysgrifenu llythyr, llanwer yr holl bapur. Peth ffol iawn ydyw anfon darn o

bapur gwyn at gyfaill 8,000 o filldiroedd oddi wrthych. Hefyd, dealler mai nid ein bai ni yw fod swllt i'w dalu am bob llythyr. Trefn y llythyrdy yw talu yna wrth anfon neu dderbyn o'r parthau hyn. Rhag ofn fod rhywrai mewn dyryswch am y cyfeiriad, dyma fe:-
Trerawson, Colonia de Galense, Patagonia, via Buenos Ayres.

Yn awr, nac esgeulused neb anfon at ei gâr, neu ei gyfaill yn Patagonia.

A ddaw neb yma bellach?

Yr ydym bron a chredu na ddaw neb o Gymru atom. Ond os na ddaw neb oddi yna, daw rhai o wledydd ereill (...)

Mae ein caws a'n hymenyn yn dechreu tynu sylw. Chwe mis yn ol, yr anfonwyd peth oddi yma gyntaf i Del Carmen. Yn awr, mae genym long[88] at wasanaeth y Wladfa yn tramwyo i Buenos Ayres, ac y mae un arall yn yr afon yn awr o Monte Video ... Ein gwartheg sydd yn talu oreu eleni. (...) Y cnydau yn unig sydd ar ol eleni, ac y mae hyny o herwydd nad ydyw ein cynlluniau dyfrhau yn gyflawn. (...) Bychander ein gallu gewynol sydd yn ein lluddias o hyd. Yr ydym yn gweled y diffygion, ond yn analluog i'w trechu. "Pe buasem yn fwy o rif". "Pe buasai yma gymmaint arall o bobl," a'r cyfryw, ydyw y byrdwn parhaus a glywir (...)

Mae tebygolrwydd y bydd yma fasnach Indiaidd fawr eleni. Daeth yma dri o negeseuwyr oddi wrth wahanol lwythau, un yn llwyth newydd i ni, ac y maent oll wedi myned yn ol gyda hysbysiad fod yma lawer o nwyddau masnachol ar eu cyfer erbyn y gauaf. Mae rhai o honom yn gwneyd masnach helaeth ac ennillgar gyda hwynt er's amser. O'r ochr arall, mae yma rai nad ydynt uwch bawd na sawdl drwy'r blynyddau. Fel y gwyddoch, mae gwahaniaeth rhwng dyn a dyn yn trin y byd a'i amgylchiadau. (...)

Deallaf fod y brodyr yn y taleithiau yn paratoi i ddyfod. Deuwch, deuwch, mae yma ddigon o le, ac y mae genym ni ofn gweled estroniaid yn dyfod i'w feddiannu. Hyd yn hyn, yr ydym wedi cael ein pob peth yn Gymraeg. Mae yn fustl chwerw i feddwl fod perygl y rhaid rhoddi lle i iaith arall.
Ydwyf,

Yr eiddoch, &c.,
R.J.BERWYN.

(25) Llythyr Elizabeth Hughes[89] o'r Wladfa yn holi am luniau neu lythyr gan ei chyn-feistr, Mr Thomas Davies, Tŷ mawr, Llanuwchllyn yng Nghymru. Cafodd Elizabeth Hughes, neu Betsi Hughes fel yr adwaenid hi, lu o brofedigaethau yn fuan wedi glanio ym Mhatagonia (gw. y troednodiadau). Roedd ganddi bersonoliaeth gref ac yn fawr ei pharch. Claddwyd hi ym mynwent Moriah ger Trelew.

(*Baner ac Amserau Cymru*, 15 Ionawr 1873)

Hydref 28ain, 1872

ANWYL FEISTR,

Mi a glywais wrth siarad âg Edward Jones, o Lan-y-mawddwy, fod Evan, yr hogyn bach fu'm i yn ei fagu, wedi myned yn ddyn mawr; ac y roedd yn dda iawn genyf glywed am danoch oll, ond am farw fy meistres: ac yn awr, buasai yn dda iawn genyf gael eich llun chwi, ac Evan, ac Ellis.

Yr wyf yn dyfod yn mlaen yn go lew yn y wlad bell yma. Y mae genyf 13 o wartheg – 10 benyw a thri gwryw – a thri ceffyl a thair caseg. Y mae yma wlad iach iawn, ac y mae y lle yma yn dyfod yn mlaen yn gyflym – llongau yn dyfod atom yn go aml, a mwy o farchnad ar gaws ac ymenyn. Nid oes yma ddim rhent, ac ychydig iawn o dreth. Pe byddai yma dipyn yn chwaneg o bobl, byddai yma le cysurus iawn. Y mae yma olwg dda am wenith, a'r bobl wedi dysgu ei ddyfhrau yn dda. Y mae yma le iawn i amaethwyr ddyfod – deuent yn mlaen ar unwaith. Y mae yr anifeiliaid yn cadw eu hunain ar y borfa wyllt drwy y flwyddyn, a byth angen beudy. Yr holl lafur sydd gyda'r gwenith a'r ffosydd dyfrhau.

Byddai yn dda genyf gael atteb, a'ch lluniau, os byddwch cystal. Eich hen forwyn,

ELIZABETH HUGHES,
(gweddw John Hughes, Hendref).
Glynllifon, Tre'rawson, Colonia de Galense,
Patagonia, via Buenos Ayres.

Prinder merched ifanc

(26) Rhan o lythyr John Jones[90] 'Mountain Ash' (Aberpennar) o'r
Wladfa at ei nai, Richard T. Lewis yng Ngogledd America, yn brolio'i fyd
ac yn dangos agwedd bositif a bodlon.

(*Baner ac Amserau Cymru*, 5 Ebrill 1873)

PARC NEWYDD, GLAN Y CAMWY,
Bro wen, *Hydref 28 ain*,1872.

FY NAI ANWYL,
Derbyniais dy lythyr caredig, dyddiedig Mawrth 11eg, 1872. Diolch
yn fawr i ti am dano. Yr wyf fi wedi ysgrifenu rhai llythyrau i'r hen
wlad er pan ydwyf yma. Y mae fy ngwraig anwyl wedi marw er's tair
blynedd a hanner;[91] a bum yn weddw am flwyddyn, ac yr wyf wedi
ail briodi er's dwy flynedd a hanner. Catherine yw enw fy ngwraig.[92]
Y mae genyf fab bychan o honi, ac y mae ef yn gyru ar ei ddwy flwydd
oed.[93] Y mae yn dyfod yn ei flaen yn gampus. Bachgen tew, braf, a
bochau cochion ganddo. Y mae y plant yn dyfod yn well yn eu blaen
yma nag yn yr hen wlad.

Fe allai y rhyfeddwch fy mod i wedi priodi, a minnau dipyn yn
hen. Wel, yr oedd y plant wedi fy ngadael oll; sef, wedi priodi. Ond,
cofiwch, fy mod yn teimlo fy hun mor ieuangc yr awr hon ag erioed.
Pe caed fy ngweled yn dyfod o bell, nis gallech feddwl nad rhyw
fachgenyn tua 20 oed a fuaswn, gan mor wisgi a heinyf ydwyf yn
teimlo fy hun; ac yr ydwyf braidd, yn credu nad ydwyf etto ond wedi
cyrhaedd hanner fy einioes, ac yr ydwyf yn 67 mlwydd oed.[94] Y mae
yma le iachach o lawer nag yn yr hen wlad. Nid oes yma neb un
amser yn cwyno eu bod yn wael o gwbl; ond pawb yn iach haf a
gauaf. Yr wyf yn credu y bydd dyn fyw yn hwy o 40 mlynedd yma nag
yn yr hen wlad. (...)[95]

Y mae yn dda iawn genyf ddeall eich bod chwithau am ddyfod
yma i wneyd eich cartref. Nis gellwch gael gwell lle byth. Yr wyf yn
credu y bydd yn well i chwi ddyfod â gwraig gyda chwi, am nad oes
yma ond ychydig iawn o ferched ieuaingc i'w cael, a'r rhai hyny oll
yn myned i briodi yn fuan. (...)[96]

Y mae yn dda iawn genyf weled y fath ymdrech yn mhlith fy
nghydgenedl yn y Taleithiau Unedig, i beidio gwasanaethu dim yn
chwaneg i genedloedd ereill, ond yn meddwl am deyrnasu yn
Patagonia a chaned bawb o honoch 'Molawd y Wladfa,' sydd i'w

gweled yn y *Cymro*, llyfr y Wladfa Gymreig, sef 'Cael hen annibyniaeth yn ol fo ein cri,' 7c. Cofiwch ein bod yn teyrnasu yma ein hunain, nad oes yma un swyddog o unrhyw wlad yn y byd yn gorchymyn i ni wneuthur hyn, na gwneyd y llall, ond yn unig ein swyddogion o'n dewis ein hunain; a rhaid i bob swyddog yn ein plith dyngu llŵ o ffyddlondeb i gyfansoddiad y Wladfa. (...)

Am y teuluoedd a gychwynodd tuag yma yn y llong *Rush*[97] – Cadben Evans – torasant eu calonau er y ffordd; buasai yn llawer gwell iddynt pe buasent wedi dyfod yma. Buasent yn sicr o ddyfod yn mlaen fel ag i ddyfod i fywoliaeth gysurus yn fuan. Buasai yn dda iawn gan bawb o honom eu gweled wedi dyfod yma.

Y mae fy mhlant oll yn gwneyd bywoliaeth gysurus yma, ac yn teimlo, fel fy hunan, yn gartrefol iawn. Y mae fy holl blant yn dymuno cael eu cofio atoch, gan obeithio y cant eich gweled yma yn fuan. (...)

Hyn oddi wrth eich ewythr, J.JONES, Parc newydd, Glan-y-Camwy, Bro Wen, Patagonia, at Richard T.Lewis, Box 351, Mahanoy City, Schuykill Co., Pennsylvania North America.

'Dyfrhau ydyw yr orchest fwyaf yma'

(27) Rhan o lythyr Aaron Jenkins o'r Wladfa at ei frawd, y Parch. J. Jenkins, Palmyra, Ohio, America yn cyfeirio at anawsterau'r dyfrio.

(*Baner ac Amserau Cymru*, 26 Ebrill 1873)

ANWYL FRAWD,

Wele fi yn anfon ychydig linellau atat etto, gan obeithio dy gael di a'th deulu yn iach a chysurus, fel ag yr ydym ni yn bresennol[98] (...) Yr wyf wedi hau tair erw o wenith eleni, ac yr wyf yn hyderus am weled yr afon yn codi er cael dwfr i'w egino.[99] Y mae rhai wedi dyfhrau, ereill heb wneyd. Pe gallwn i gael rhyw gynllun sicr i ddyfhrau, gallwn fyw fel brenin yma. Nid oes eisieu dim yma ond rhyw allu celfyddydol i ddyfhrau, yna gallwn wneyd y dyffryn hwn yn baradwys o'r bron. Yr wyf yn meddwl fod y dyffryn hwn, o'r môr i'r creigiau, o 50 i 60 milldir o hyd, ac o 5 i 6 o led, a bryniau uchel yn rhedeg i fyny bob ochr. Felly, gweli fod y dyffryn yn iseldir, ac yn hawdd ei ddyfrhau, ond cael arian i wneyd hyny. Y mae yr afon yn rhedeg yn droellog, ac mor agos ag y gallaf farnu, i ganol y dyffryn am 30 milldir; ac yna, y mae yn newid ei chyfeiriad, gan redeg tua'r gogledd, nes taraw wrth y bryniau, lle y mae digon o geryg at bob gwasanaeth. Yn y fan hono, y gellir gwneyd argae ar draws yr afon o droi y dwfr i'r gamlas. Ond cael y gamlas yn llawn o ddwfr, gellir dyfrhau y dyffryn oddi yno i lawr yn rhwydd bob amser, gan fod y gamlas yn mhob man yn uwch na'r dyffryn. Gellir gwneyd hyn gydag ychydig iawn o arian, gan fod y gamlas wedi ei throi yn barod gan natur, a digon o geryg mor gyfleus, fel pe buasai y Brenin Mawr o bwrpas wedi gosod pob peth yn y modd mwyaf cyfleus i ddyfrhau y lle. (...)

Carwn gynnyg i ystyriaeth Cwmni Masnachol y Wladfa yn yr Unol Daleithiau y priodoldeb o anfon dynion yma i wneyd y gwaith. (...) Deuwch allan, wladgarwyr, a gwnewch fwy o waith, a llai o sŵn. Yr wyf yn credu mai yma y gellwch wneyd mwyaf o ddaioni. Cofier mai nid amaethwyr, am eu bod yn amaethwyr, ydyw y dynion cymmhwysaf i ddyfod yma. Dynion anturiaethus â thipyn o arian ganddynt ydyw y dynion cymmhwysaf i ddyfod yma; o blegid y mae amaethu yma yn beth gwahanol iawn i'r hyn ydyw yn yr Hen Wlad, ac i'r hyn ydyw yna hefyd, y mae'n debyg. Nid ydyw trin tir yma yn orchest yn y byd. Gall pob math o ddyn wneyd ffermwr yma. Dyfrhau ydyw yr orchest fwyaf yma. Nid wyf yn credu fod y Parch.

D.S.Davies yn gywir, wrth ddywedyd mai mintai sal ac anghymmhwys ydyw y fintai gyntaf a ddaeth i Patagonia.[100] Pe buasai y fintai gyntaf oll yn amaethwyr, ni buasai un dyn gwyn ar ddyffryn y Chupat heddyw; eithr buasent wedi rhedeg am eu heinioes tua Santa Fe, fel y gwnaeth yr amaethwyr a ddaethant yma o Gymru ac o'r Unol Daleithiau. (...) Nid teg ydyw dywedyd mai mintai sal ydyw y fintai gyntaf a ddaeth, o blegid yn mha le ar dudalenau hanesyddiaeth y ceir mintai wedi dangos mwy o ddewrder. Onid ydyw saith mlynedd o amser yn ddigon o brawf o'n dewrder, pan y mae yr holl fyd wedi bod ar eu goreu yn ceisio ein digaloni. Yr ydym wedi sefyll trwy bob anhawsder a chaledi, ac erbyn heddyw, yr ydym wedi cael buddugoliaeth, yn medru byw arnom ein hunain, ac yn penderfynu dal ein tir bellach doed a ddelo. Yr ydym yn byw yn gysurus, ac yn chwerthin yn iachus ar y byd yn ymryson yn ein cylch. (...)

Wrth derfynu, dywedaf, Llwyddiant i'r Cwmni masnachol fyned yn mlaen trwy bob rhwystr i boblogi Patagonia, fel y byddo yn wlad i'r Cymry hyd ddiwedd amser.[101]

Cymry America a'r Electric Spark

(28) Rhan o lythyr William ap Rees, Efrog Newydd at N. L. Jehu ynglŷn â'r *Electric Spark*. Hwyliodd yr *Electric Spark* a 33 o Gymry America ar ei bwrdd i'r Wladfa, ond ar y 26ain o Fawrth, 1874 aeth y llong yn ddrylliau ar un o draethau Brasil. Collwyd y peiriannau dyrnu a'r peiriannau medi yr oedd Cymry America wedi eu cludo gyda nhw i fod yn gymorth i'r Gwladfawyr. Roedd eu mawr angen ar y Wladfa. Bu pryder am fywyd D. S. Davies a chyhoeddodd un papur Cymraeg yn America ei fod wedi boddi:

NEW YORK, MAI 27AIN, 1874.

W.S.JONES, Hyde Park, Pa.

Aeth y scwner Electric Spark, rhwym o New York i Patagonia, yn ddrylliau yn ngenau yr afon Parnahiba. Achubwyd yr oll oedd ar ei bwrdd oddi eithr un o'r enw D.S.Davies ... duw'r nefoedd a fyddo yn dyner wrth wraig y Parch. D.S.Davies, a'r rhelyw o'r perthynasau, ac a'u nertho i ddal o dan y ddyrnod drom ac annisgwyliadwy. (*Baner ac Amserau Cymru*, 17 Mehefin 1874)

(LlGC 21817D)

New York
Mehefin 11eg 1874

N.L.Jehu Ysw.
Anwyl Gyfaill
Daeth eich nodyn i law y boreu heddyw ac yr wyf yn prysuro i'w atteb rhag ofn i mi oedi yn ormodol ar ol dechreu (...) Mae awyrgylch ein teimladau ni yma dan gymylau a thywyllwch ers y Saboth ar ol eich ymadawiad. Daeth y newydd trallodus i ni yn yr "Herald" am ddrylliad y Schooner "Electric Spark" ar un o enenau yr Afon Parnahiba Brazil a boddiad fy anwyl dyner gyfaill, y Cymro didwyll ac aiddgar ar Gwladfawr anhunanol, y Cristion Pur a selog, sef y Parchedig D.S.Davies.[102] Mae tonau hiraeth yn rhwygo fy nghalon. (...) Treuliais y dydd Llun hwnw, fel haner gwallgo o Swyddfa i Swyddfa yn y ddinas, yn ceisio rhywfaint bach yn ychwaneg nag oedd yn y papur o oleuni ar yr amgylchiad. Ond doedd dim iw gael yn unman (...) Dim sill pa fodd ei collwyd. Pa ymdrech os dim iw achub? A gafwyd ei weddillion neu beidio? (...) Yn iselder fy yspryd methais ac ysgrifenu at neb yn ei gylch a dyma y tro cyntaf i mi allu tywallt fy nheimlad ar y mater ond yn

neillduedd fy nheulu lle yr ydym yn cael rhywfaint o ysgafnhad ir teimlad wrth gyd alaru am dano. Canys yr oeddem ein deuoedd wedi dysgu iw garu yn fawr iawn. Tybiais y dydd Llun du hwnw, wrth wibio or naill heol ir llall i lawr y dref, fod fy nghyfaill yn fy hysbysu trwy r awel "Fod Duw yn myned i wneud y Wladfa mor ddrud iw chefnogwyr fel nas gallant fforddio iw gadael yn llonydd" (...) Llawer a weddiodd ac a anogodd arnaf finau i weddio ac *ymddiried yn Nuw.* (...)

Y Parch. Michael D. Jones a D. S. Davies (trwy ganiatâd Adran Archifau a Llawysgrifau Prifysgol Cymru Bangor)

Rhaid i mi roi fyny fy ymson. Mae n debyg y gwelwch (fel yr addawsoch wrthyf) y Parch M.D.Jones Bala. Cofiwch ni ein dau ato yn garedig. Gellwch ddywed y bydd yma gyfarfod yn 11th St y nos Lun ola yn y mis yma gan y gymdeithas Genedlaethol ac mae y Pwyllgor wedi penderfynu treulio y Cyfarfod oll mewn Cysylltiad a Choffadwriaeth y Parch D.S.Davies yr hwn oedd yn aelod gweithgar a chymeradwy or gymdeithas.[103] Mae Eglwys 11th st wedi cychwyn casgliad ir teulu. Cangen y gymdeithas y Mudiad yn *Memorial Fund* (Gobeithio) anrhydeddus gyd a chofion caredig attoch.

Ydwyf
Yr eiddoch yn gywir
Mr W ap Rees
No 71 3 Av...

Cartref yr ymfudwyr

(29) Rhan o lythyr 'Ap Gutyn' (Huw Gruffydd)[104] o'r llety i ymfudwyr ('Hotel de Immegrantes') yn Buenos Aires at ei rieni yng Nghymru yn disgrifio bywyd yn Buenos Aires wrth ddisgwyl am long i'w gludo i'r Wladfa.

(*Baner ac Amserau Cymru,* 8 Rhagfyr 1875)[105]

ODDI WRTH "AP GUTYN" O BUENOS AYRES.

HOTEL DE IMMEGRANTES,
Medi 18fed, **1875.**

FY ANWYL RIENI,
Dyma fi heddyw yn cymmeryd fy ysgrifbin yn fy llaw i ysgrifenu atoch o brif ddinas y Weriniaeth Arianin – Buenos Ayres. Cyrhaeddais yma prydnawn ddydd Iau, wedi cychwyn o Monte Video am ddau o'r gloch y boreu; ac yr oeddym yn angori yn La Plata, ar gyfer Buenos Ayres, am haner awr wedi dau y prydnawn. Prin yr oeddym yn gallu canfod y tir, gan fod rhyngom 14 milldir ag ef. Daeth agerfad fechan cyn pen hir at y llong, heb yr un 'fflag wen a seren goch'. Yr unig fflag a garient ydoedd yr eiddo "Lamport & Holt." (...)

Yr oeddym yn myned o'r agerfad i gwch, ac yna yn cael ein glanio ar fath o *pier-head* coed. Yr oedd trol wedi dyfod at y cwch i gyrchu ein coffrau, a gwas y swyddog a elai i'r lan gyda hwynt. Yr oeddym wrth dŷ y chwilotwyr ychydig o'n blaenau; ond daethant yno, agorwyd yr oll, ac edrychwyd hwynt gan ddyn â spectol; - *all right*! Cymmerwyd ni a'n pethau wedi hyny mewn trol i gartref yr ymfudwyr, ac ni chostiodd i ni ddimai am ddim oll!

Yr oeddwn mewn tipyn o bryder meddwl cyn cyrhaedd – yn ofni na byddai yma yr un Cymro i'm derbyn, o blegid fe wyddwn fod llong John Owens, o Gonglywal, wedi ein pasio yn Rio, er fy mod i wedi cychwyn wythnos o'i flaen. Ond fel yr oeddwn yn myned i mewn trwy'r porth, wele wraig John Owen yn gofyn ai myfi oedd Huw Gruffydd! Ni chredech mor dda oedd genyf glywed llais yn galw arnaf yn Gymraeg yn nghanol gwahanol genhedloedd ereill. Pan ddaeth ei phriod yn ol o ymweled â Mr.Thomas, y llong fasnachydd, mawr oedd ein llawenydd yn cwrdd â'n gilydd mewn gwlad estronol.[106] (...) Y newydd cyntaf a gawsom ganddo ydoedd fod yr agerlong wedi cychwyn am y Wladfa gyda 61, neu rywbeth tebyg, o'n cydwladwyr *dri diwrnod* cyn i ni lanio!

Ymwelsom hefyd â Mr. Parry, o gwmni y Rooke a Parry; ac yr oedd yn dda genym ei glywed ef yn ein hanerch mewn Cymraeg eglur.[107] Yr oedd hefyd yn bur ofalus am ein bywoliaeth yn y "cartref." Y mae swyddogion y llywodraeth yn dangos ffafrau neillduol i'r Cymry; yr oeddynt yn ein cyfarwyddo i bob man, ac yn talu i'r *Tram-buss* trosom; nid oeddynt ond yn unig *dangos* y ffordd i genhedloedd ereill. Y mae gwas y swyddog am ddysgu Cymraeg, yn hytrach na Saesneg, er mwyn yr ymfudwyr a ddelo o Gymru.

Ni ddychymmygais fod Buenos Ayres yn dref mor hardd cyn dyfod iddi; y mae yr heolydd yn llydain, ond yn bur arw; y masnachdai mor ffasiynol â llawer o rai Llundain. Y mae *tram-roads* yn rhedeg gydag ochrau yr heolydd. Y mae yma barciau mawrion hefyd – y mae un yn ymyl ein lle ni, a chawn rodio ynddo pan y mynom. Yr ochr arall i ni y mae lluestyr milwyr, ac yr ydym yn cael ein breintio bob nos â cherddoriaeth swynol gan y seindorf bres. Nid oes yma ryw lawer o wahaniaeth rhwng dydd Sul mwy na diwrnod arall. Yr unig "foddion" a gawsom ydoedd tair seindorf bres yn chwareu o flaen yr *Hotel*, a channoedd o bobl yn gwrandaw arnynt! Mor wahanol i Gymru, onid ê!

Bu amryw o foneddigion Cymreig yn edrych am danom; a rhyfedd yw gan y Saeson yma weled uchelwyr o'r fath yn dyfod atom; a hwythau (y Saeson) yn meddwl nad oedd neb mor gymmeradwy â'r Saeson! Druain o honynt! Nid yw eu Saesneg yn fwy o werth yn yr *Hotel* yma na Chymraeg. (...)

Cefais fordaith o'r fath hyfrytaf (...) Yr oeddwn yn hynod o iach ar ei hyd. Dywedir fy mod wedi tewychu. Yr oeddwn wedi myned yn gryn ffafryn gyda theulu'r fwydgell! Y mae yn debyg eich bod yn dyfalu llawer yn fy nghylch: - bum 41 diwrnod ar fy nhaith wedi cychwyn o'r Voel gron. Dylaswn i fod yma yn ddigon buan i fyned gyda'r agerlong i'r Wladfa wrth yr amser y cychwynais; ond yr oeddym yn galw mewn cymmaint o leoedd i'n lluddias i ddyfod yn gyflym ...

Cofiwch fi at bob copa yn y Gloddfa yna, a'm perthynasau yn mhob man. Byddwch galonog, yr wyf yn disgwyl y cawn weled ein gilydd etto.

Ydwyf, eich anwyl fab,

HUW

'Un o'r gwledydd tlotaf o dan haul'

(30) Anfonodd William Edwards, o Gymru, lythyr a dderbyniodd gan
Evan Jenkins i'w gyhoeddi er mwyn rhybuddio pobl yng Nghymru am
galedi bywyd y Wladfa. Cynhwysaf ran ohono.

(*Baner ac Amserau Cymru*, 21 Gorffennaf 1877)

Y WLADFA GYMREIG

FONEDDIGION,
**Darllenais yn y FANER am ddydd Sadwrn diweddaf lythyr â'r enw
John Peters, ffatrwr, o'r Bala, wrtho, ac yn yr hwn yr ymosoda arnaf
fi yn bersonol. Gan fy mod wedi cael fy hudo i i fyned i Patagonia; ac
er fy siomedigaeth, weled y tlodi a'r caledi mawr oedd yno, ac i mi
ddychwelyd yn ol i fy hen wlad, nid oes gan fy nghyfeillion gynt yn
awr ddim i'w wneyd ond fy nifrïo, a dyweyd fy mod yn ddigalon, ac
felly yn mlaen. Hawdd genyf gyfaddef fy mod yn ddigalon yn y
Wladfa: a phwy na fyddai yn ddigalon ar hanner digon o fwyd.[108]
Nid oedd yno ddim bwyd ond ychydig oedd y llywodraeth Arianin
yn ei gyfranu i'r bobl rhag marw o newyn. Ac er yr holl gyhuddiadau
a roddant arnaf, yr ydwyf yn hollol dawel, os bum yn foddion i attal
un o fy nghydwladwyr rhag myned i'r wlad druenus hono. Ond pe
buaswn wedi bod yn foddion i anfon rhyw un yno, nid ydwyf yn
meddwl y buasai fy nghydwybod yn gallu bod yn esmwyth ddydd na
nos. Trwy drugaredd, y mae llawer fel fy hunan wedi cyrhaedd
adref, a llawer yn hwylio etto. Druain o honynt! Y mae yn debyg y
byddant dan waradwydd mawr pan ddeuant, wedi anturio eu
bywydau a gwario eu harian.**

**Derbyniwyd y llythyr canlynol gan Mr.Richard Williams,
Meyrick Square, Dolgellau, yr wythnos diweddaf, oddi wrth ei ferch
a'i fab yn nghyfraith**

"FY ANWYL DAD A MAM
**Y mae'n dda genyf gael y fraint o anfon hyn o linellau i'ch hysbysu
ein bod ni i gyd yn iach, trwy drugaredd, yn y wlad bellenig hon o'r
ddaear, gan fawr obeithio y bydd i'r byr linellau hyn eich cael chwi i
gyd yn iach a chysurus. Y mae yn ddrwg genyf fy mod wedi bod mor
hir heb anfon gair, ond er mor hir, nid oes genyf fawr o newydd i'w
anfon y tro yma. Yr wyf wedi disgwyl am gael clywed oddi yna, ond
ychydig *chance* sydd genym i glywed dim, gan nad oes yr un llong yn**

dyfod yma ond bob rhyw dri neu bedwar mis, ac felly, chwi a welwch nad oes genyf ddim cyfleusdra i anfon yn aml. Pe caem ni y fraint o ddyfod yna unwaith, byddai yn hawdd ein cadw yna. Nis gwn yn iawn pa beth i'w ddyweyd am y wlad hon, ond gallaf ddyweyd ei bod yn un o'r gwledydd tlotaf o dan haul. Nid oes yma le i ennill swllt o fis i fis, ac felly, chwi a welwch nad yw hi ddim yn dda iawn arnom. Ni all neb fyw yma ar godi gwenith. Buasem ni wedi dioddef eisieu mawr, oni buasai fod y llywodraeth wedi anfon bwyd i ni, ac y mae arnom eisieu llawer o bethau heb law bwyd. Y mae y plant yn myned âg eisieu dillad arnynt. Buasem yn dyfod oddi yma yfory nesaf pe buasem yn gallu, ac y mae yn debyg y byddwn yn dioddef eisieu mawr yn mhen ychydig fisoedd, am nad oes yma ond argoel wan am gynhauaf, a bydd y cynhauaf yma cyn diwedd y mis nesaf. Y mae y locustiaid wedi dyfod yma er's wythnos bellach wrth y miloedd, y rhai sydd yn bwyta y gwenith fel y mae ar ei draed. Y mae genym un newydd i'w ddweyd wrthych; sef, fod genym ferch fach etto, ac y mae hi wedi cael ei bedyddio gan Mr.Morris, un o'r Bala.[109] Ei henw yw Anne. Y mae hi yn flwydd oed er yr 16eg o Chwefror. Buasai yn dda iawn genym gael dyfod oddi yma. Yr wyf yn gobeithio y gwnewch chwi eich goreu er ein cael oddi yma. Y mae yma lawer iawn yn cael arian o'r hen wlad trwy fangc y River Plate. Yr wyf yn gobeithio y gwnewch gofio am danom (...) Y mae yn bur boeth yma ar rai prydiau. Y mae ar y plant eisieu cael dyfod oddi yma, ac eisieu i chwi gael gweled Anne bach yn fawr iawn. Yr wyf yn gobeithio yr anfonwch yn ol yn fuan, a therfynwn, gan gofio atoch oll.

Hyn yn fyr oddi wrth eich anwyl blant,

EVAN JENKINS"

Dengys y llythyr hwn yn eglur wir sefyllfa y Wladfa.

Ydwyf, &c.,

Ty'n y fron.

WILLIAM EDWARDS[110]

Y Wladfa'n costio'n ddrud

(31) Rhan bychan o lythyr maith ac ymfflamychol Michael D. Jones o'r Bala yng ngogledd Cymru at arweinwyr y Wladfa yn gofyn iddynt addalu eu dyledion iddo.

(LlGC 18181B)

I ofal y Parchedig
Dewi Llwyd Iwan[111]
Dyffryn y Camwy
Patagonia
At gyfeillion Gwladfaol yn y Wladfa Gymreig

Dyffryn y Gamwy
Bodiwan: Hydref 1af 1877

Gyfeillion Hof,
Yr wyf yn anfon y llythyr canlynol i'w ddarllen gan y Bonwyr D.Lloyd Jones, Lewis Jones, Edward Owen, Edward Jones, William Jones, William Morris, Edwin Roberts, Abraham Mathews, J. Evans (Gaiman) R.J.Berwyn, Thomas Davies, Griffith Hughes, ac ereill a ranant hwy yn briodol i'w glywed (...) a dymunaf arnynt wneud ei goreu i roi ymwared i mi drwy roddi help arianol i mi brynu *Bodiwan yn ol*.[112]

Drwy erfyn hyn arnoch, nid wyf ond gofyn am arian yr wyf wedi ei gwario gyda'r Wladfa. (...) Nid wyf yn disgwyl i'r Cyngor wneud ond fel y byddo'r Wladfa yn dylanwadu arnynt i wneud. (...) Nid wyf ychwaith am i'r Wladfa wneud peth nas gall hi ei wneud. (...) Erbyn hyn credaf fod y gweithredoedd wedi ei rhoddi ar y tiroedd a bod pawb yn gweddol ddeall ei amgylchiadau ei hun. Anhawsder mawr oedd i neb gyfranu cyn deall pa le y roedd ei ddyddyn a'i dy i fod. Mae pawb erbyn hyn yn deall, a gobeithiaf ar y ffordd i wneud cartref cysurus.

Gwn hefyd fod dyled ar y Wladfa o filoedd o bunau i'r Ystordau, yn benaf i Bonwyr Rooke a Parry. Mae y Gwladfawyr yma yn credu y medrant ond cael un cynhauaf da ddileu yr holl ddyled o tua £8.000 os gwir a glywais. Pe byddent wedi dileu y ddyled uchod profent drwy hyny eu gallu fel Gwladfa i dalu ond cael y meddwl yn benderfynol i wneud. Nid oes un amheuaeth na fedr Cymdogaeth Gymreig o weithwyr diwyd yn byw heb dalu na threth, saith cant mewn nifer a tua 3.000 o wartheg yn eu meddiant, 3.000 o ddefaid, canoedd o foch, miloedd o dda pluog tua 500 o geffylau, ac yn codi gwenith, ie, nid oes un amheuaeth na fedr y cyfryw ond ewyllysio dalu £8.000 er ei fod yn swm mawr, a hyny mewn un flwyddyn, ond cael cymedrol. Ni synwn nad yw y Wladfa yn awr yn gwario yn flynyddol ddwbl y swm ar ddiodydd meddwol. (...)

Y mae plwyf Llanderfel yn yr hwn yr wyf yn gweinidogaethu yn talu ei gweinidogion tuag £20 yr wyf fi yn ei gael am weinidogaethu im heglwysi, dair mewn nifer,[113] a tua hyny yr wyf wedi arfer ei gael bob amser. Pan y byddwn yn cadw merlyn, byddai hwnw yn bwyta y gyflog i gyd. Yn bresenol y mae yr holl arian yn myned i dalu'r ddyled sydd arnaf yn nglyn a'r Wladfa. Mae genyf daith fawr ac y mae pwys blynyddoedd yn dechreu gwasgu arnaf a hoffwn gael merlyn ond yr wyf yn rhy ddi-arian i allu ei gadw. Costiai merlyn yma tua £30 a'i gadw tua £20 yn flynyddol gan mor ddrud yw anifeiliaid a'u cynhaliaeth yn y wlad hon. Gwelwch fod y Wladfa yn dal i gostio i mi yn fy ngorff yn gystal ag mewn arian (...)

Deallaf (...) fod arian yn y trysor sef trysor y Wladfa tua £50 a bod y Cynghor yn gwrthod eu hanfon i mi. Yn sicr nid yw hyn yn gyfiawn (...) Mae cadw £50 yn segur yn y Wladfa a gadael i minau yma dalu llogau trymion drosoch ar hyd y blynyddau heb wneud dim i'm helpu yn *ddideimladrwydd mawr*.

Hefyd mae Cadfan er roddi ei wahardd lais i'm hatal i gael arian a bledleisiwyd i'w hanfon yma i mi a minau wedi talu drosto ef a'i deulu i ddyfod i'r Wladfa yn cael ei etholi i'r Cyngor ac yn cael ei ystyried fellu yn un o arweinwyr y Wladfa (...) clywais fod Cadvan yn haeru nad oes eisieu fy nhalu o gwbl am fy mod wedi fy nhynu trwy'r targedlys. Na feddylied Cadfan fy mod i yn mynd i osgoi talu neb o'm dyledwyr cyfiawn. Gwŷr y llong Myfanwy yn unig yr wyf yn peidio a talu eu gofynion am fod ei gofynion yn anghyfiawn ac fel y gall y Bonwr Dewi Llwyd Iwan esbonio. (...)

Mae holl arian Ann fy ngwraig a'm cyflog inau £150 yn flynyddol yn myned yn *gyfangwbl* i dalu dyledion y Wladfa er Gwanwyn 1865, sef y flwyddyn fythgofiadwy y planwyd y Wladfa yn nyffryn y Camwy (...) Yng ngwyneb pethau fel hyn, a yw e yn ddynol heb son am deg a chyfiawn i'r Cynghor yna gadw £50 heb ei hanfon i mi? Ac ai nid brad ar Wladfa yno fod anwarddyn di-ddiolch a di-egwyddor fel Cadfan yn cael ei oddef heb son am ei ethol yn aelod o Gynghor y Wladfa a blanwyd ac arian fy ngwraig a minau (...)? Mae yn wir fod gan Ann fy ngwraig gyfoeth ond nid ydyw wedi bod o nemawr

Y Parch. Michael D. Jones
(trwy ganiatâd Adran Archifau a Llawysgrifau, Prifysgol Bangor)

fudd heb law i dalu dyled y Wladfa – nid ydym wedi cynhilo ceiniog na gwario dim arnom ein hunain. Yr ydym yn byw yn y modd rhataf, ac y mae arnon angen rhoddi ysgol i'r plant. Mor brin oedd yr arian wrth geisio talu dyledion y Wladfa fel y gorfu arnom gadw Myfanwy gartref yn lle ei hanfon i'r ysgol at Miss Williams i Dinbych, y chwarter diweddaf. Yr ydym yn meddwl ei hanfon y chwarter nesaf. Mae meddwl fod y Gwladfawyr yn gwrthod fy helpio dan y fath amgylchiadau yn ddi-deimladrwydd mawr, ac yn peri i mi deimlo'n galed ar adegau at y Wladfa. (...) mae peidio anfon dim arian i mi pan y gallasai y Wladfa anvon peth yn aniolchgarwch. Mae ymddygiad Cadfan yn berffaith aniolchgarwch a brad. Nis gallasai fod ddim yn waeth – (...)

Mae y notice of ejection yn awr yn hongian uwch fy mhen. Ond y mae cynygiad yn debyg o gael ei roddi i mi i *brynu Bodiwan* yn ol. Yn awr fy nghais at y Wladfa yw, i'm helpu i wneud hyn. Os ydynt wedi cael cynhauaf da, bydd hyny yn gymorth iddynt wneud. Gwyr y Gwladfawyr fy mod wedi gwerthu Bodiwan a bod yr arian £2000 – wedi mynd i blanu'r Wladfa a llawer yn ychwaneg iw canlyn os byddaf yn cael fy nhroi o Bodiwan nis gwn yn y byd yn mha le y byddaf yn rhoddi fy mhen i lawr (...) erfyniaf arnoch yn y *modd taeraf* i brynu fy ngartref yn ol i mi, yr hwn a werthais er eich mwyn. Byddai £2000 yn llawenydd mawr i mi ac yn godiad i gymeriad y Wladfa (...) Mae fy oes i yn myned heibio a minau heb wneud yr hyn a amcanwn sef cael Gwladfa ir Cymry. Yr wyf yn teimlo fod fy einioes yn cerdded yn mhell a phrynawn bywyd ar fy nal a'm dal mewn methiant a chryn ddiraddiad, os goddefa'r Wladfa i mi gael fy nhroi o'm cartref Bodiwan. (...)

Hefyd yr wyf yn rhy dlawd i ymadael o'm cartref ac y mae y Wladfa yn fy ngadw yn y tlodi hwnw. Pe buaswn mewn amgylchiadau gwell, buaswn yn ymweled a'r Wladfa ac yn cylchynu Patagonia.[114] Mae fy nhlodi fel hyn yn lleihau fy ngallu a'm gwerth fel Gwladfawr (...)

Wrth derfynu, nid oes genyf ond erfyn arnoch beidio gwerthu diodydd meddwol i'r Indiaid. Yr ydych drwy hyn yn lladd eu cyrff, ac yn dinistrio eu heneidiau. Daw hi yn ddydd cyfrif arnoch am hyn eto. Byddwch dangnefeddus yn eich plith eich hunain, heb ymladd am y prif gadeiriau.

Ydwyf
Yr eiddox yn Wladgar
Michael D Jones. (...)

Llofruddiaeth Aaron Jenkins

(32) Rhan o lythyr William R. Jones (Gwaenydd)[115] o'r Wladfa at ei chwaer yng Nghymru yn disgrifio dal a lladd llofrudd Aaron Jenkins.

(*Baner ac Amserau Cymru*, 17 Medi 1879)

TRE RAWSON, *Mehefin yr 21ain, 1879.*

FY ANWYL CHWAER,

Dymunwn gydnabod derbyniad eich llythyr – diolchwn i chwi am dano. Buom yn hir, hir ddisgwyl gair oddi wrthych. (...) Yr oedd yn ddrwg iawn genyf glywed fod fy hen dad wedi bod mor wael; gobeithio ei fod wedi cefnu arni, ac wedi ei adfer i'w iechyd cynhenid. (...) Yr oeddwn wedi bwriadu yn bendant ddyfod trosodd eleni am dro yn eich plith; ond gan fod y fath dlodi masnachol yna, bernais yn well aros yma. (...)

Y mae yr hen Antonio Oneto[116], Comissarie y Chubut, wedi ei alw i Buenos Aires, a dyn arall[117] wedi dyfod i lawr i lanw ei le. Daeth gydag ef ddeg o fôr-filwyr, i edrych ar ol y borthfa, fel na ddaw mewn i'r afon un long dramor heb dalu y tollau pennodedig gan gyfreithiau y wlad. Nid ydyw y Cymry yn gallu edrych yn rhyw hynod siriol ar y geriach hyn; ond nid oes dim neillduol i'w ddyweyd am eu hymddygiadau hyd yma.

Bu yma ddigwyddiad pwysig iawn yr wythnos hon. Daeth dyn dyeithr i lawr o'r wlad yr wythnos o'r blaen, a dywedai ei fod yn dyfod o Sandy Point. Tybiwyd yn y fan ei fod yn un o'r rhai a gyflawnasant yr ysgelerderau ofnadwy hyny yn Sandy Point, ac anfonwyd at y llywydd am dano. Y llywydd a ysgrifenodd wŷs i'w ddal; ac anfonodd un o'r enw Aaron Jenkins gyda'r wŷs i'w gymmeryd yn garcharor. Pan ar y ffordd, cyfarfu Aaron Jenkins y dyeithrddyn yn dyfod i lawr am Dre Rawson, yn nghwmni dau o fechgyn y sefydliad, a dywedodd ei fod yn dyfod i'w gymmeryd i fyny, a thrödd Aaron Jenkins yn ol gyda hwynt; ond gadawodd y ddau Gymro Aaron Jenkins, ac aethant yn mlaen, am nad oedd y carcharor yn gallu teithio yn ddigon rhwydd ganddynt. Ar ol i'r bechgyn adael Aaron Jenkins a'r carcharor, yn mhen o ddeutu milldir o bellder, ymosododd y carcharor ar ei wyliwr, a thrywanodd ef chwe gwaith gyda chyllell, ac yna ffödd i'r paith (*camp*), gan gymmeryd ceffyl Aaron Jenkins, ei gyfrwy, a het gydag ef. Cyflawnodd y llofruddiaeth o fewn llai na dau can llath i dŷ; ond ni welodd neb ef yn cyflawni y gwaith. Pa fodd bynag, yr oedd dyn yn digwydd myned heibio yn fuan ar ol hyny, a chanfyddodd gorph Aaron Jenkins yn gorwedd yn farw, ac aeth yn ebrwydd i'r tai cyfagos, i hysbysu am y digwyddiad trallodus.[118] Rhedodd y newydd dros y sefydliad fel trydan, ac aeth trigolion y rhanbarth y cymmerodd y llofruddiaeth le i ymlid ar ol y llofrudd mileinig; ond o herwydd fod y nos ar ddynesu, gorfu arnynt droi yn ol hyd dranoeth. Boreu dranoeth, cyn bod yr haul yn gwneyd ei ymddangosiad, yr oedd ugeiniau yn dechreu ei dracio ar geffylau. Traciwyd ef yn rhwydd am o ddeutu deng milldir, pryd y daeth ei drac i ganol trac anifeiliaid oeddynt allan ar y paith yn pori, ac yma collwyd ef. Ond yn fuan caed allan ei fod wedi lladrata ceffyl oddi wrth dŷ gyferbyn a'r man y collwyd ei drac. Yna, anfonwyd gwŷr allan i bob cyfeiriad, i edrych pa ffordd yr oedd wedi myned; chwiliwyd hyd nes y daeth y nos heb weled ymliw o hono. Boreu dranoeth, caed ei drac yn croesi rhyd yn yr afon wrth y tŷ uchaf yn y sefydliad. Yna gwnaed pob brys i fyned ar ei ôl; ond rhywfodd collwyd ei ôl newydd iddo fyned i lan yr afon. Aeth pawb i fyny y dyffryn nerth carnau eu ceffylau, gan gredu yn sicr mai i fyny yr aeth; ond wedi teithio amryw filldiroedd heb weled un ôl o hono, daethpwyd i'r penderfyniad fod yn rhaid iddo fod wedi llechu yn y marchwellt uchel a dŷf yn nglan yr afon, a elwir genym ni yn hêsg; felly, trowyd yn ôl, gan chwilio pob twmpath am dano yn fanwl. A phan gyferbyn â'r fan y croesodd, gwelodd un dyn ben ei geffyl, a gwaeddodd, "Dyma fo." Ar hyn, neidiodd y llofrudd ar gefn y ceffyl; a phan yn sythu, saethwyd ef gyda *rifle* nes yr oedd yn disgyn yn bats; a dyna ddiwedd yr adyn a ruddodd gyntaf y Gamwy â gwaed Cymro.[119]

Yn marwolaeth Aaron Jenkins, amddifadwyd chwech o blant o dad tyner, a gwraig o ŵr bywiog a siriol, a'r Wladfa a ysbeiliwyd o'r gwladwr mwyaf parod a blaenllaw a feddai ar bob amgylchiad. Pa fodd y bu iddo beidio a diarfogi yr adyn a wnaeth ei frâd pan yn ei gymmeryd i'r ddalfa sydd yn aros yn dywyllwch; diammheu ei fod yn fai ynddo, a chostiodd ei fywyd iddo, druan! (...)

Nid oes genyf ddim byd o ddyddordeb i'w anfon atoch yn chwaneg, os oes dyddordeb yn yr hyn a ysgrifenwyd. Dymunwn anfon ein cofion atoch, ac yn bendant at fy anwyl hen fam – gobeithio ei bod yn gwella; hefyd fy nhad. Yr wyf yna gyda chwi bob dydd, fel y cwyd yr haul. A chwithau, fy chwaer, yr un modd; yr ydym yn uno ein cofion atoch fel teulu, gan obeithio eich bod oll yn mwynhau iechyd, a chysuron eraill bywyd, fel ag yr ydym ninnau.

Hyn yna oddi wrth eich brawd a'i deulu

W.R.JONES (*Gwaenydd*)

Yr Indiaid

(33) Rhan o lythyr un o benaethiaid yr Indiaid, Valentin Saihueque[120] at Lewis Jones ym 1881 yn ei hysbysu am y driniaeth greulon a gawsant gan filwyr y Llywodraeth ac yn gofyn i'r Cymry lythyru â'r Llywodraeth ar eu rhan.

(*Hanes y Wladva Gymreig Tiriogaeth Chubut, yn y Weriniaeth Arianin, De Amerig*, t. 116-118. Cyfieithwyd y llythyr gan LJ.)

Llywodraeth Vrodorol Arianin,
Avon Limay, 3 Ebrill, 1881.

At Lywydd Gwladva Chubut.

Daeth i'n llaw eich nodyn gwerthvawr am Mawrth 3, drwy y dygiedydd Bernardino Arameda. Yr wyv yn trysori gyda hyvrydwch y cynghorion a'r hanesion a roddwch i'm llwyth i vod yn heddychol gyda'r Llywodraeth a chyda chwithau.[121] Gyvaill, dywedav wrthych yn onest na thorais i yr heddwch a'r ewyllys da sydd rhyngov a'r Llywodraeth yn awr er's rhagor nag 20 mlynedd. (...) Eithr ni allwch chwi vyth, vy nghyvaill, amgyfred y dioddevaint dychrynllyd gevais i a vy mhobl oddi ar law Miguel Linares a General. Villegas[122] pan gymerasant yn garcharorion dri o'm penaethiaid a 68 o ddynion, dair blynedd yn ol. (...) Ac yn awr, vy nghyvaill, y mae genym i ddwe'yd wrthych am y rhuthriadau ovnadwy a wnaed arnav ar y 19 o Vawrth, pan y syrthiodd tair byddin ar vy llwythau, a lladd yn ddirybudd niver vawr o'm pobl. Daethant yn lladradaidd ac arvog i'm pebyll trigianu, vel pe buaswn i elyn a lleiddiad. Mae genyv vi ymrwymion divrivol gyda'r Llywodraeth er's hir amser, ac velly nis gallaswn ymladd nac ymryson gyda'r byddinoedd, a chan hyny ciliais o'r neilldu gyda'm llwythi a'm pebyll, gan geisio velly osgoi aberthau a thrueni, yn yr hyn y llwyddais am beth amser o leiav. Nid wyv vi anwrol, vy nghyvaill, ond yn parchu vy ymrwymiadau gyda'r Llywodraeth, ac ar yr un pryd veithrin yn fyddlon y ddysgeidiaeth a'r govalon roddodd vy nhad enwog – sef y prif benaeth Chocorí[123] – i beidio byth a gwneud niweidiau nac amharu y gweiniaid, eithr eu caru a'u parchu yn ddynol. Er hyn oll, yr wyv yn cael vy hun yn awr wedi vy nivetha a vy aberthu – vy nhiroedd, a adawsai vy nhadau a Duw i mi, wedi eu dwyn oddiarnav, yn ogystal a'm holl aniveiliaid hyd i hanner can' mil o benau, rhwng gwartheg, cesyg, a devaid, a gyroedd o gefylau devnyddiol, a thorv ddiriv o verched a phlant a hen bobl. Oblegid hyn, gyvaill, yr wyv yn

govyn i chwi roddi gerbron y Llywodraeth vy nghwynion yn llawn, a'r trallodion wyv wedi ddioddev.[124] Nid wvy vi droseddwr o ddim- eithr uchelwr brodorol (*noble creole*), ac o raid yn berchenog y pethau hyn – nid dyeithryn o wlad arall, ond wedi vy ngeni a vy magu ar y tir, ac yn Archentiad fyddlon i'r Llywodraeth. (...) Ni wnaethum i erioed rhuthrgyrchoedd, vy nghyvaill, na lladd neb, na chymeryd garcharorion- a chan hyny ervyniav arnoch gyvryngu droswyv gyda'r awdurdodau, i ddiogelu heddwch a thangnevedd i'm

Lewis Jones a'r brodorion cynhenid (trwy ganiatâd Adran Archifau a Llawysgrifau Prifysgol Cymru Bangor)

pobl, ac y dychwelir i ni ein haniveiliaid a'm holl eiddo arian, ond yn benav vy nhiroedd. Gobeithiav ryw ddiwrnod gael ymgom gyda chwi, a gwneud trevniad cyveillgar rhwng eich pobl chwi a'm pobl i.
–

Hyn, trwy orchymyn y Llywodraeth Vrodorol.
- VALENTIN SAIHUEQUE,
- Jose A. Loncochino, Ysg.

Bedd y Tri Chymro, Dyffryn y Merthyron
(trwy ganiatâd Llyfrgell Genedlaethol Cymru)

Dyffryn y Merthyron

(34) a (35) Rhannau o ddau lythyr MDJ o'r Bala yng ngogledd Cymru at H. Tobit Evans, Llanarth, de Cymru yn cyfeirio at y driniaeth greulon tuag at yr Indiaid yn y cyntaf, a llofruddiaeth farbaraidd y tri Chymro yn yr ail. (Yn *Y Drafod*, 11 Tachwedd 1898 ceir llythyr gan John D. Evans yn gofyn am gasgliad Gwladfaol i brynu cofadail i'r tri Chymro a laddwyd gan yr Indiaid ym 1884. Ni chodwyd mo'r gofadail tan 1916.)

(LlGC 18427 C)

Bala Mai 7
1884

Gyfaill Hoff.
(...) **yr Archentiaid sydd wedi cyffroi yr Indiaid. Mae tua 3000 (tair mil) o honynt wedi eu halltudio i B.Ayres ac yn gaethion mewn gwahanol ddulliau. (...)**

(35)

Gyfaill Hoff.
(...) **Bid wyf heb ofni fod y Cymry a laddwyd yn Patagonia wedi bod yn rhy eofn ar y (gang) o geffylau yr Indiaid.[125] Os yw hyn yn bod, bu bai mawr iawn arnynt. Amharchwyd eu cyrph. Yr oedd ol triniaeth greulon arnynt, wedi eu trywanu mewn llawer i fanau, ac wedi ysbaddu ar y tir. Yr oedd coes, a throed un ar ol.**
Yr eiddoch yn wir,
M.D.Jones

Nodiadau

75 Lewis Jones. Roedd LJ wedi hwylio ar y *Kepler* i Gymru ym mis Mai 1869 i nôl ei wraig, Ellen a'i blentyn Myfanwy gan obeithio hefyd ddod â mintai newydd yn ôl i'r Wladfa. Gwelwyd yn fuan ar ôl prynu'r llong nad oedd ond yn gymwys i gludo 11 o deithwyr. Daeth LJ a'i deulu i'r Wladfa ar y *Myfanwy*.

76 Capten Griffiths.

77 Myfanwy Ruffudd Jones (1866-1965) a ddaeth yn wraig i Ll ap Iwan, mab MDJ. Roedd hi'n 4 oed ar fwrdd y llong *Myfanwy*.

78 Fe'i henwyd yn Eluned Morganed Jones gan iddi gael ei geni ar y môr. Hepgorodd hithau'r cyfenw yn ddiweddarach a'i galw ei hun yn Eluned Morgan. (Gw. Rhagymadrodd Ceridwen Lloyd-Morgan a Kathryn Hughes, *Dringo'r Andes & Gwymon y Môr*, Clasuron Honno, 2001)

79 John Jones, brawd LJ.

80 Bu llifogydd ym 1869.

81 Ymgartrefodd LJ a'i deulu ym Mhlas Heddwch, hen gartref Edwin Roberts.

82 Cwmni cyfreithwyr yng Nghasnewydd, de Cymru oedd Protheroe & Fox.

83 Costiodd y *Myfanwy* £2800 i'w phrynu a £300 i'w chymhwyso i'r môr. Erbyn gwneud hynny, gwelwyd nad oedd y llong yn gymwys ond i gludo 11 o ymfudwyr!

84 Deuai Catherine Jones (Hughes gynt) o blwyf Llandrillo ger Corwen. Bu'n gweithio yn gwneud hetiau yn y Bala cyn ymfudo ar y *Mimosa*.

85 Oedodd William Jones tan baragraff olaf ei lythyr (3) cyn crybwyll marwolaeth ei ferched, ond mae Catherine ei wraig yn crybwyll ei cholled yn gynnar iawn yn ei llythyr, a hynny 6 mlynedd wedi'r brofedigaeth.

86 *Cracker*, un o ryfel-longau Prydain a ddaeth i helpu'r Cymry ym Mhatagonia. Anfonodd capten y llong adroddiad i Lywodraeth Prydain ar amgylchiadau'r sefydlwyr. Dengys rhai o ystadegau'r adroddiad fod poblogaeth y Wladfa ar y pryd yn 153, gyda 34 teulu. Yr oedd nifer y plant yn uchel, sef 78 a dim ond 35 o ddynion.

87 Cafwyd sawl cri gan Berwyn mewn llythyrau eraill yn y cyfnod hwn am fwy o ohebu rhwng y Wladfa a Chymru. Ym mis Rhagfyr 1871 ysgrifennodd at ei frawd: 'Yr wyf yn awr yn gyru y bedwaredd waith heb gael atteb ... yr wyf yn methu dyfalu pa ham nad anfoni ... ' (*Baner ac Amserau Cymru*, 3 Ebrill 1872). Mewn llythyr ganddo at MDJ, 22 Ebrill 1872 dywedodd: 'Yr wyf yn anfon attoch etto, er nas gwn a ydyw fy llythyrau yn dderbyniol ai peidio, o blegid nid ydwyf fi wedi cael gair oddi wrthych er's blynyddau bellach ... ' (*Baner ac Amserau Cymru*, 31 Gorffennaf 1872). Roedd eraill yn rhannu cwyn Berwyn. Ysgrifennodd William Austin at ei chwaer Miss M. Austin ym Merthyr: 'Yr oedd yn dda genyf glywed ychydig eiriau yn eich cylch, ac etto yr wyf wedi fy siomi yn fawr ynoch. Yr wyf yn y lle hwn er's llawer o flynyddoedd, ac heb glywed gair oddi wrthych' (*Baner ac Amserau Cymru*, 30 Ionawr 1875).

88 Mae'n debyg mai'r *Irene* oedd y llong a brynwyd.

89 Elizabeth Hughes (1826-1894) o Lanuwchllyn. Merch i Jane ac R. E. Jones. Hwyliodd ar y *Mimosa* gyda'i gŵr John Hughes o Rosllannerchrugog a'u 4 plentyn: William John (10 oed), John Samuel (2 oed), Myfanwy Mary (4 oed), a Henry (15 mis oed), (gw. rhestr y fintai yn *Yr Hirdaith*, t. 216). 8 niwrnod ar ôl glanio bu farw Henry yn 17 mis oed, ac yna ymhen 3 mis bu farw Myfanwy yn 4 oed. Lai na blwyddyn ar ôl glanio (fis Mawrth 1866) bu farw ei gŵr, John (yn 30 oed) ' ... o effaith croesi'r paith mewn niwl a glaw yn tywys defaid o Fadryn i Gaer Antur ... ' (*Yr Hirdaith*). Magodd ei dau blentyn ar ei phen ei hun. Nid cheir unrhyw gofnod iddi ailbriodi.

90 Roedd John Jones yn daid i John Daniel Evans a ddihangodd oddi wrth yr Indiaid yn Nyffryn y Merthyron ym 1884.

91 Elizabeth (Betsan) Jones. Bu farw 17 Ebrill 1869. Yr oedd ganddi hi a John 6 o blant.

92 Catherine Hughes o Fiwmaris. Priodwyd y ddau ym mis Mai 1870.

93 Samuel Jones.

112

94 Mae peth amryfusedd am ddyddiadau geni a marw John Jones. Yn llyfr Paul W. Birt (*Bywyd a Gwaith John Daniel Evans El Baqueano*) ceir y dyddiadau 1798-1882. Os felly byddai John Jones yn 74 yn ysgrifennu'r llythyr hwn. Yn rhestr mintai'r *Mimosa* yng nghyfrol Elvey MacDonald (*Yr Hirdaith*), dywedir fod John Jones yn 61 yn hwylio ar y *Mimosa*. Os felly, byddai John Jones wedi cael ei eni o gwmpas 1804-1805. Mae'n debyg mai hyn sy'n gywir, gan nad oes rheswm amlwg i John Jones ddweud celwydd am ei oedran yn y llythyr hwn at ei nai.

95 Tybir i John Jones farw ym 1882 yn 88 mlwydd oed, 10 mlynedd wedi ysgrifennu'r llythyr hwn.

96 Roedd merched sengl, ifanc yn brin yn y Wladfa.

97 Prynwyd llong y *Rush* gan Adran Ymfudol yr Unol Daleithiau o'r Cwmni Ymfudol. Hwyliodd o Efrog Newydd am Buenos Aires ym 1872. Ni chyrhaeddodd yr un o'r 29 ymfudwr y Wladfa. Wedi storm fawr, glaniodd y *Rush* yn Montevideo. Clywodd yr ymfudwyr adroddiadau anffafriol am y Wladfa a gwasgarodd y fintai. Atgyweiriwyd rhywfaint ar y llong ac aeth yn ei blaen, gyda dim ond tri ymfudwr arni – Ed Jones (Rhandir), J. Griffith (Hendre Veinws) a T. B. Phillips, Brasil.

98 Roedd gan Aaron a'i wraig Rachel ddau fab yn hwylio ar y *Mimosa* gyda nhw, sef James (2 oed) a Richard (4 oed). Yn ôl Joseph Seth Jones (gw. llythyr 5), bu farw James ar fwrdd y *Mimosa*, a hynny'n fuan wedi gadael Lerpwl. Bwriwyd ei gorff bychan i'r môr. Ganed merch fach iddynt ar y *Mimosa* ac fe'i henwyd yn Rachel. Bu hithau farw ym mis Medi 1865 yng Nghaer Antur. Cawsant ferch arall o'r enw Arianwen, ond ni bu fyw ond am ychydig iawn gan farw ym mis Mai 1868. Bu farw'r fam ar y 15fed o Orffennaf, 1868. Ailbriododd Aaron â Margaret Jones, merch 17 oed, ddeufis yn ddiweddarach ar y 12fed o Fedi, 1868. Cawsant 6 o blant.

99 Yn dilyn colli'r *Denby* ym 1868 bu prinder bwyd am gyfnod yn y Wladfa. Yn fuan wedi hyn cafodd Rachel Jenkins, gwraig gyntaf Aaron, y syniad o ddyfrio'r tir drwy agor ffosydd o geulannau'r afon. Bu sylweddoli'r broses hon o ddyfrio yn gaffaeliad mawr i'r Gwladfawyr, er iddynt wynebu llu o broblemau wrth geisio adeiladu ffosydd ac argaeau am flynyddoedd wedyn.

100 Treuliodd D. S. Davies bedwar mis yn y Wladfa. Cyhoeddwyd cyfres o erthyglau ganddo yn fuan wedyn yn *Baner America* yn adrodd hanes y Cymry ym Mhatagonia. Cyhoeddwyd yr adroddiadau hyn ar ffurf llyfryn bychan ym 1875.

101 Lladdwyd Aaron Jenkins ddeng mlynedd wedi ei ail briodas, fel y tystia llythyr 32.

102 Yn ystod trafodaethau'r Cwmni Ymfudol yng Nghymru a phrynu'r *Myfanwy*, daethai MDJ i gysylltiad â Chymry ariannog Efrog Newydd drwy D. S. Davies (1841-1898), gŵr o Abertawe yn wreiddiol a ymfudodd i'r America ym 1857. Ffurfiodd D. S. Davies gwmni ymfudol yn Efrog Newydd gyda chymorth awdur y llythyr hwn er mwyn prynu llongau. Er ei ddiddordeb mawr yn y Wladfa, ni fu'n byw yno erioed. Ymwelodd â'r Wladfa ym 1874. Bu'n olygydd *Y Celt* yn ddiweddarach. Aeth yn weinidog i Gaerfyrddin ym 1886 a bu fyw yno tan ei farwolaeth ym 1898.

103 Fe achosodd y newyddion trist yma bryder mawr i ffrindiau'r Wladfa a chydnabod a pherthnasau D. S. Davies. Cynhaliwyd gwasanaeth coffa iddo cyn darganfod bod D. S. Davies yn fyw ac yn iach:

FONEDDIGION,

Y mae rhai papyrau yn medru cael newyddion yn ol fel y byddont am eu cael. Y mae ganddynt ohebwyr pwrpasol iawn i anfon newyddion iddynt yn ol fel y byddo'r gorchymyn. Dywedodd un newyddiadur Cymreig fod y Parch D.S.Davies wedi boddi, pan y drylliwyd y llong Electric Spark, ar dueddau Brazil. Y mae y Parch. D.S.Davies yn fyw yn ol yr hanesion diweddaf, ac nid yw wedi boddi, gan fod Mr Michael D. Jones, Bala, wedi cael llythyr oddi wrtho wedi ei ysgrifenu yn mhen mis ar ol y llongddrylliad ...

Ydwyf, foneddigion,

PANWR.   (*Baner ac Amserau Cymru*, 17 Mehefin 1874)

Yn sgil y llongddrylliad, bu'n rhaid i'r fintai (Cymry America) werthu eu heiddo i gyd er mwyn talu am long arall (y *Galileo*) i'w cludo i Buenos Aires. Cyrhaeddodd y fintai i'r Wladfa gyda 49 o ymfudwyr o Gymru ar y llong Irene ym mis Medi'r flwyddyn honno.

104 Huw Gruffydd (1866-1933). Bu'n ynad heddwch yn y Wladfa ac yn fawr ei barch. Roedd yn fab i Griffith Griffiths (Gutyn Ebrill) ac Ellen Griffiths (Williams gynt).

105 Hotel de Immigrantes – llety i ymfudwyr yn Buenos Aires a sefydlwyd gan y Gweinidog Ymfudiad, Juan Dillon. Ar rai adegau, yn ystod dylifiad mawr y 1870au, fe gartrefai'r llety hwn dros gant o Gymry wrth iddynt ddisgwyl cludiad o B. Aires i Batagonia.

106 Mae'n debyg mai John Murray Thomas yw hwn (o Benybont ar Ogwr yn wreiddiol), un o arloeswyr masnachol y Wladfa. Agorodd fasnachdy yn y Wladfa ym 1874. Bu ei long *Gwenllian* yn gaffaeliad i'r Gwladfawyr wrth geisio cynnal masnach rhwng y Wladfa a B. Aires. Bu'n arloeswr ac arweinydd mentrus a llwyddiannus wrth i'r Gwladfawyr ddechrau lledu ffiniau'r Wladfa tuag at yr Andes.

107 William Parry, brodor o Lanrwst. Roedd yn un o berchenogion y cwmni masnachol Rooke, Parry & Cia yn Buenos Aires.

108 Bu cynhaeaf 1876 yn fethiant ac mae'n debyg i lond dwrn o'r ymfudwyr newydd ddychwelyd i Gymru. Parodd llythyrau tebyg i'r uchod i lawer yng Nghymru ddechrau amau eto a oedd Patagonia yn lle addas i ymfudo iddo. A oedd y Cymry yn Ne America yn newynu?

109 Mae'n debyg mai'r Parch. W. Morris oedd hwn.

110 Cyfeirir at awdur y llythyr hwn, William Edwards, mewn llythyr gan R. Vaughan (*Baner ac Amserau Cymru*, 3 Mai 1876), lle noda'r ffaith i William Edwards adael y Wladfa a dychwelyd i Gymru: 'Yr oedd arno ofn yr Indiaid, neu rywbeth.'

111 Anfonwyd David Lloyd Jones fel cenhadwr i'r Wladfa ym 1874.

112 Mae'n debyg i Gyngor y Wladfa bleidleisio dros anfon arian at MDJ ond i Cadfan bleidleisio yn erbyn a thrwy hynny wyrdroi'r penderfyniad. Casglwyd tysteb i MDJ a dywedir i'r Wladfa anfon £300 ato ym 1881.

113 Y tair eglwys yn ei ofalaeth oedd Soar, Bethel a Llandderfel.

114 Aeth MDJ ar ei unig ymweliad â'r Wladfa ym 1882.

115 William Jones (Gwaenydd) neu 'William Jones y Band' (1840-1906), mab i Robin Sion o Dan-y-grisiau ym Mlaenau Ffestiniog. Ceir hanes Gwaenydd yn *Ar Lannau'r Gamwy ym Mhatagonia* (t. 252). Bu farw 3 Awst 1906 yn 65 oed:

> Meddai Gwaenydd ar gynheddfau naturiol disglair, ac 'roedd yn gymeriad hynod amryddawn. Bu iddo ran bwysig yn natblygiad rhan o'r Dyffryn Uchaf elwir heddiw yn Ddolafon, lle 'roedd ei dyddyn a'i gartre tawel 'Camlyn'. Roedd yn gerddor medrus, a bu'n arweinydd seindorf ym more'i oes yn Ffestiniog, ei fro enedigol. Dyma'r paham, mae'n debyg, yr adnabyddid ef fel William Jones, y Band, drwy'r Wladfa. Yn ddiweddarach cymerai ddiddordeb mewn barddoniaeth, a daeth yn gynghaneddwr cryf yn y mesurau caethion …

> Dywed RBW amdano yn *Awen Ariannin* (t. 12): 'Dyma un o'r dynion mwyaf diddorol, ac un a ystyriaf ymhlith beirdd gorau'r Wladfa.'

116 Antonio Oneto, y Prwyad Cenedlaethol a anfonwyd fel cynrychiolydd y Llywodraeth yn Nyffryn Camwy ym 1875. Dychwelodd Oneto i Buenos Aires ym mis Ebrill 1879.

117 Mae'n debyg mai Candido Charneton oedd hwn. Aeth yn sâl a phenodwyd Petit Murat yn ei le. Penodwyd Lewis Jones yn Brwyad y Wladfa yn niwedd y flwyddyn tan iddo yntau gael ei ddisodli a phenodwyd Juan Finoquetto.

118 Evan Jones, Triongl oedd y dyn a ddigwyddodd fynd heibio.

119 Mae'n debyg mai William R. Jones, Y Bedol (llythyr 3) a saethodd y llofrudd gyntaf, ond er mwyn iddo beidio bod yn unig gyfrifol am ei ladd, saethodd pob un o'r Cymry eraill hefyd at y corff.

[120] Yr uwch-bennaeth Saihueque (1823-1903).

[121] Gweinidog rhyfel yr arlywydd Avellaneda yn y cyfnod hwn oedd y Cadfridog Julio Argentino Roca ac fe'i hanfonwyd, ynghŷd â byddin gref, i roi trefn ar frodorion Patagonia a'r Pampas, sef y Mapuche a'r Tehuelche. Bu'r ymgyrchoedd hyn yn greulon yn erbyn yr Indiaid. Daliwyd rhai o'r brodorion hyn a difa llawer.

[122] Y Cadlywydd Villegas – ef oedd yng ngofal yr ymgyrch filwrol.

[123] Chocori – pennaeth Arawcanaidd.

[124] Roedd y Gwladfawyr wedi gohebu â rhaglaw y dalaith ar y pryd, y Dr Lorenzo Winter, yn ymbil arnynt i gadw'r heddwch gyda'r Indiaid a gadael iddynt aros yn eu cartrefi. Dywed Lewis Jones (Hanes y Wladva Gymreig Tiriogaeth Chubut, yn y Weriniaeth Arianin, De Amerig, t. 116): 'Tra yr erlidid y brodorion yn yr amserau blinion hynny, byddai'r penaethiaid yn arver llythyru yn aml i'r Wladva i ddwey'd eu cwyn a'u cam ... '

[125] Cyflalfan yn Nyffryn Kel-kein pan ymosododd yr Indiaid a lladd Richard B. Davies, Llanelli; John Parry, Rhuddlan; a John Hughes o Gaernarfon. Dihangodd John D. Evans ar ei geffyl heini Malacara. Mae LJ (Hanes y Wladva Gymreig Tiriogaeth Chubut, yn y Weriniaeth Arianin, De Amerig, t. 121) yn ceisio gwneud synnwyr o'r ymosodiad hwn gan yr Indiaid drwy ddweud: ' ... cymysgva o'r brodorion erlidiasid o van i van gan vilwyr Roca yn y gadgyrch ... oedd y gang wnaeth y gyvlavan.' Ymhen 30 mlynedd, codwyd cofgolofn i'r tri Chymro yn yr ardal a adwaenir fyth ers hynny yn 'Dyffryn y Merthyron'.

PENNOD 3

Arloesi a chyfnod y newidiadau mawr
(Llythyrau 1885-1895)

Ym 1885 anfonodd Lewis Jones ei ferch ifanc bymtheg oed am y tro cyntaf i Gymru er mwyn derbyn ei haddysg. Ei henw oedd Eluned Morgan. Hon fyddai'r gyntaf o chwe thaith gan Eluned i Gymru yn ystod ei hoes. Fe'n cyflwynwyd ni i Eluned gyntaf (yn llythyr rhif 20) ym mhennod 2, wrth i'w mam ysgrifennu oddi ar fwrdd y llong *Myfanwy* i hysbysu ei mam hithau fod 'Elined [sic]' wedi ei geni. Ar y môr y ganed Eluned – rhwng Cymru a Phatagonia – ac y mae i hyn arwyddocâd gan y synhwyrir o'i llythyrau nad oedd yn gwbl fodlon ei byd yng Nghymru nac yn yr Ariannin. Pan ydoedd ar y môr, yr oedd yn ei helfen. Gan mai ar y môr y'i ganed y rhoddwyd iddi'r enw Eluned Morganed Jones. Gollyngodd hithau'r Jones a'i galw ei hun yn Eluned Morgan. Ychydig a ddefnyddiodd hi ar y 'Morgan' gan ffafrio Eluned yn unig.

Digri i'r darllenydd heddiw yw ei defnydd o'i henw cyntaf yn ei llythyrau. Dyry hyn dinc rhamantaidd i'w llythyrau sydd hefyd yn nodwedd amlwg yn arddull ei chyfrolau ffuglennol. Bron iawn y gellir dweud mai fel cymeriad ffuglennol rhamantaidd y gwelai Eluned hi ei hun. Dywed sawl gwaith yn ei llythyrau nad oes neb (na hi ei hun ychwaith) yn adnabod 'Eluned'. I ferch a oedd ar yr ymylon, heb lawer o ffrindiau mynwesol, roedd ei llythyrau'n gwmni iddi hi. Dywed Eluned mewn llythyr at John y Bedol, dyddiedig 1894 (LlGC 17525 A): ' ... ni allaf ymgymysgu a neb o'm cwmpas, yr wyf wedi treio digon ond nis gallaf.' Mae rhyw arwahanrwydd a phellter yn perthyn iddi, er bod ei hysgrifennu yn gynnes ac agos-atoch.

Beth bynnag fo'i henw, merch LJ oedd hi yn y Wladfa ac yng Nghymru. Cawn gipolwg yn llythyr LJ (39) o afael y tad dros y ferch. Roedd ganddo obeithion mawr iddi o ran ei haddysg a'i chyfraniad i fywyd y Wladfa ar ei dychweliad. Cadwai lygad barcud ar symudiadau Eluned. Pe gwrthwynebai Eluned ymyrraeth ei thad, ni fradychodd hynny yn ei llythyrau. Yn wir, mae'n amlwg fod ganddi'r parch dyfnaf tuag ato a dywed am ei thad mewn un o'i llythyrau at John y Bedol (LlGC 17525 A):

      ... a oedd yn meddwl fy nghadw mewn 'glass case' ar hyd fy oes? Druan o fy hen dad anwyl, os yw fy mywyd unig a digymdeithas

116

Co-op Trelew, c.1900
(trwy ganiatâd Llyfrgell Genedlaethol Cymru)

Gorsaf Rheilffordd Trelew
(trwy ganiatâd Llyfrgell Genedlaethol Cymru)

yn rhoi rhywfaint o bleser iddo, wyf berffaith fodlon byw fel
Robinson Crusoe ar hyd fy oes. Nid yw fy mywyd yn cynwys dim
ond fy nhad a'm brawd ...

Gresynais ar ddechrau'r gyfrol hon nad oes cofiant i Lewis Jones. Da
gwybod bod cofiant i'w ferch ar y gweill, a diau y bydd ei llythyrau
nwyfus yn britho'r gyfrol honno.

Roedd y Wladfa wedi gweld newidiadau lu yn ystod absenoldeb
Eluned. Pan ddychwelodd Eluned i'r Wladfa ym 1888, roedd y Co-op
wedi'i sefydlu er mwyn hyrwyddo masnach a gwarchod buddiannau'r
amaethwyr. Dyma sefydliad o bwys mawr i'r Gwladfawyr. Ar ddydd
Gŵyl Dewi 1885, yn Nyth y Dryw – hen gartref David D. Roberts a thŷ
cyntaf y Gaiman sy'n dal ar ei draed hyd heddiw – y cytunwyd, wedi
trafod am rai blynyddoedd cyn hynny, i sefydlu'r Co-op. Un o'r
sylwadau cyntaf imi eu gweld am y Co-op oedd sylw D. Ll. Jones mewn
llythyr o'r Wladfa ar y 1af o fis Awst, 1878 (Bangor 7622): 'Mae drws
masnach mwy manteisiol yn rhwym o ymagor. Mae **Co-operative** yn
ymffurfio ac yn hwnw y ceir iechydwriaeth fasnachol y lle ... '

Bu'r Co-op (neu'r 'Ec Em Ec' fel y câi ei alw ar lafar gwlad – Cwmni
Masnachol y Camwy, Chubut Mercantile Co., Companía Mercantil del
Chubut) yn fendith ac yn felltith yn ddiweddarach i'r Wladfa. Bu'n
gaffaeliad mawr am flynyddoedd ond dechreuodd pethau ddirywio yng
nghyfnod y Rhyfel Byd Cyntaf.

Tra oedd Eluned yng Nghymru hefyd y daeth Llwyd ap Iwan (mab
hynaf MDJ) i'r Wladfa (ym 1886); codwyd mwy o gapeli ac ysgolion ar
hyd y dyffryn; a chwblhawyd rheilffordd 45 o filltiroedd o hyd. Roedd
poblogaeth y Wladfa wedi tyfu'n sylweddol. Daethai criw o Gymry ar
long y *Vesta*, gan lanio ym Mhorth Madryn ar Ŵyl y Glaniad 1886, un
mlynedd ar hugain i'r diwrnod y glaniodd y *Mimosa*. Roedd ar y llong
hon 465 o bobl a ymfudodd i Batagonia i weithio a pharatoi'r
rheilffordd, pob un ond tri ohonynt o Gymru. (Gw. rhywfaint o dynged
y fintai hon wedi iddynt lanio ym Mhorth Madryn yn llythyr 49.)

Roedd Eluned gartref yn y Wladfa i dystio i seremoni agor yr orsaf
reilffordd yn swyddogol, gyda'r Rhaglaw Fontana yn bresennol. Bu cryn
drafod ar enw'r orsaf a'r pentref bychan o'i chwmpas. Ffafriwyd 'Llanfair'
i ddechrau ond pryderai ambell un y byddai'r enw hwn yn anodd i rai o'r
brodorion ei ynganu. Bu 'Trevell' yn enw arall a gynigiwyd o barch i A.
P. Bell, peiriannydd gyda'r cwmni rheilffordd, y Ferrocaril Central
Chubut. Ond cytunwyd yn y pen draw ar enw er anrhydedd i Lewis
Jones, sef 'Trelew'. Dywed W. Meloch Hughes (*Ar Lannau'r Gamwy ym*

Mhatagonia, t. 132) mai: 'addewid yn hytrach na thref oedd Trelew yr amser hwnnw, (1888). Credaf mai tua thri dwsin o adeiladau oedd yno i gyd ... '

Mae gan y dref hon heddiw dros gan mil o boblogaeth ac mae adeiladau hen orsafoedd Trelew a'r Gaiman yn amgueddfeydd.

Yn ôl RBW yn ei gyfrol *Y Wladfa*, rhoddodd Llywodraeth yr Ariannin dŷ (Plas Hedd) yn anrheg i Lewis Jones a'i deulu fel arwydd o'i gwerthfawrogiad iddo am ei waith yn sefydlu'r rheilffordd. O'r holl newidiadau a fu, mae'n debyg mai'r sioc fwyaf a gafodd Eluned wrth ddychwelyd i'r Wladfa oedd gweld nad bwthyn bychan oedd ei chartref mwyach. Dywed mewn llythyr at Mr a Mrs D. R. Daniel, dyddiedig fis Mawrth 1889 (*Gyfaill Hoff*, t. 29): 'Synwyd fi yn fawr gan faint y ty newydd a adeiladodd fy nhad yn fy absenoldeb i. Y mae yn blasdy anferth a thua 20 o ystafelloedd yno ...' Dyma yn sicr y tŷ mwyaf yn y Wladfa yr adeg hon. Dywed RBW (*Y Wladfa*, t. 194): 'Cludasid y cwbl o'r defnyddiau o Brydain, gan gynnwys piano hardd a theils amryliw i'r lloriau.'

Ceir yn y bennod hon ddyfyniadau o 'pocket book' o lythyrau gan Eluned at John y Bedol (LlGC 1725A). Ymddengys i Eluned ysgrifennu ei llythyr cyntaf ato o Blas Hedd ar ddiwrnod Gŵyl y Glaniad 1892. Gyda chaniatâd John, mae Eluned yn copïo ei llythyrau ato (1892-94) mewn 'pocket book' er mwyn iddo fedru eu darllen tra mae yng Nghymru'n derbyn ei addysg, gan obeithio y byddai hynny'n fodd iddo wrthsefyll temtasiynau! Er gwaetha ei dyheadau ar iddo ddiwyllio ei hun, gobeithiai Eluned y deuai'n ôl o Gymru fel 'John y Bedol' ac nid 'John y Scolar'. Mae gwaelod amryw o dudalennau'r 'pocket book' wedi eu rhwygo ac felly mae rhai bylchau'n anorfod yn y llythyrau a ddetholais. Ni wyddom i sicrwydd a oedd y ddau yn gariadon, er bod llythyrau Eluned yn awgrymu hynny. Ni fedrais ddarganfod beth oedd hynt a helynt John y Bedol yng Nghymru, na phryd y dychwelodd i'r Wladfa, ond gwn iddo, fel Eluned, farw'n ddibriod. Crybwyllir enw John y Bedol mewn llythyr (82) gan Mihangel ap Iwan ym 1910.

Roedd y cyfnod hwn (1885-1895) yn un o brysurdeb, o ddatblygu ac arloesi brwd. Ym mis Ionawr 1891 y cyhoeddwyd rhifyn cyntaf *Y Dravod*. Bu'r papur wythnosol hwn yn allweddol fel cyfrwng i gadw gwead y gymdeithas yn dynn ac i roi cyfle i unrhyw un a fynnai wyntyllu ei farn. Gwelir enghraifft o hyn gan 'Sincyn' (llythyrau 51 a 52) wrth iddo gwyno am gyflwr y ffordd rhwng Trelew a'r Gaiman. I unrhyw un heddiw sydd â diddordeb yn hanes y Wladfa a'i phobl, mae rhifynnau'r *Drafod* o'u dyddiau cynnar hyd at heddiw yn drysorau. Ceir ambell lythyr ynddynt, a chyhoeddaf dri ohonynt yn y bennod hon. Nid yw'n syndod mewn papur â'i gylchrediad mor gyfyng mai ffugenwau a ddefnyddid yn aml ar waelod llythyr. Efallai i 'Aderyn o'r Llwyn' fod braidd yn uchelgeisiol yn ei lythyr (50) wrth gyfarch y rhifyn cyntaf o'r *Drafod*, pan ddywedodd: 'Gobeithio y caif y Dravod roesawiad mor gynhes a chylchrediad mor helaeth yn Nyfryn Camwy nes yn vuan y teimlir angen am bapur dyddiol ac nid wythnosol.' Ond tybed a freuddwydiodd y byddai'r *Drafod* yn parhau i gael ei gyhoeddi dros gan mlynedd wedi ymddangosiad y rhifyn cyntaf – nid yn ddyddiol nac yn wythnosol serch hynny, ond yn weddol gyson.

Yn rhifynnau cyntaf *Y Drafod* ceir sawl erthygl a hysbysebion am gyfarfodydd yn ymwneud â 'Mintai yr Aur'. Roedd y cyfnod hwn yn un cyffrous wrth i'r Cymry chwilfrydig fentro ar draws y paith. Mae'n debyg mai oherwydd y sibrydion am aur yn yr Andes y mentrodd mintai fechan John Daniel Evans adeg y gyflafan yn Nyffryn y Merthyron ym 1884. Ond nid chwilio am aur oedd yr unig atynfa wrth groesi'r paith wrth gwrs. Roedd prinder tir amaethyddol yn Nyffryn Camwy, a hynny'n rhannol oherwydd cyfraith y wlad a bennai fod yn rhaid rhannu'r eiddo'n gyfartal rhwng y plant ar farwolaeth rhieni. Roedd y brodorion wedi hysbysu'r Cymry o diroedd iraidd yr Andes a hynny'n abwyd mawr i'r Gwladfawyr fynd yno i weld drostynt eu hunain. Roedd Llywodraeth yr Ariannin yn dra awyddus i feddiannu cymaint o diroedd Patagonia â phosib, gan eu bod mewn cystadleuaeth â'u cymdogion yn Chile, ac felly rhoesant bob rhwydd hynt i'r Cymry fynd i archwilio.

Penodwyd Luis Jorge Fontana yn rhaglaw cyntaf y diriogaeth ym 1884. Gwnaeth yr arloeswr John Murray Thomas gais i'r rhaglaw newydd drefnu mintai i fynd i archwilio ardaloedd yr Andes gyda'r bwriad o greu sefydliad newydd yno. Mae i Fontana le anrhydeddus yn hanes y Wladfa ac arweiniodd bum taith ymchwil bwysig i'r Andes yn ystod blynyddoedd 1885-1888. Mae'r daith gyntaf ym 1885 yn un hanesyddol bellach. Cyfeirir at y fintai hon fel y 'Companía de Rifleros' (sef 'Mintai'r Ffiwsilwyr', neu 'Mintai Fontana' fel y'i hadnabyddir yn Gymraeg).

Cyrhaeddodd mintai Fontana yr Andes ym mis Hydref 1885. Mae'n chwedl erbyn hyn i Richard Jones, Glyn Du, wrth weld y cwm, ryfeddu at brydferthwch yr olygfa o'i flaen gan ebychu: 'O! Dyma gwm hyfryd' (*Y Wladfa*, t. 220). Rhoddwyd i'r ardal enwau eraill megis 'Bro Hydref' a 'Dyffryn y Mefus', ond dewis Fontana oedd 'Dieciseis de Octubre' (sef '16eg o Hydref') gan mai ar y diwrnod hwnnw ym 1884 y pasiwyd Deddf y Tiriogaethau a greodd yn swyddogol diriogaeth Chubut. Ym mis

Chwefror 1891 ymsefydlodd teuluoedd cyntaf y Wladfa newydd yn yr Andes. Gwelir rhai o lythyrau aelodau'r teuluoedd hyn yn y penodau nesaf. Adwaenir y rhan hwn o'r Andes hyd heddiw gan y Gwladfawyr yn 'Gwm Hyfryd'.

Yn ogystal â chwilio am diroedd, roedd amryw ar dân i ddarganfod aur honedig yr Andes. Aeth y si ar led am yr aur yn ystod y 1880au ac fe ddenodd hyn ddiddordeb mawr ar ddechrau'r 1890au, yno ac yng Nghymru. Un gŵr a ddarganfu aur yn afonydd yr Andes oedd Edwin Cynrig Roberts. Sefydlodd gwmni archwilio ac ar wahoddiad y cwmni hwnnw daeth David Richards, Harlech (peiriannydd mwyngloddio) ac R. Roberts, Efrog Newydd (metelydd) i'w gynorthwyo. Darganfuwyd peth aur ond roedd angen cyfalaf mawr i weithio'r meysydd yn effeithiol. Ym 1892 aeth Edwin Roberts (a'r Capten David Richards) i Gymru i godi cyfalaf i sefydlu cwmni newydd i fwyngloddio am aur wrth odre'r Andes. Ffurfiwyd y 'Welsh Patagonian Gold Field Syndicate' yng Nghymru er mwyn archwilio ardaloedd Corcovado, Tecka a Mica. Roedd D. Lloyd George yn un a fuddsoddodd yn ddiweddarach yn y fenter hon (gw. llythyr 65 Ll ap Iwan at Lloyd George yn y bennod nesaf). Dywed Elias Owen yn *Y Drafod* (3 Mawrth 1944): 'Deallwn i'r diweddar Mrs D.LL.George gael ei modrwy briodas o aur y Cutsh, ond ni fu llawer o broffid i neb o'r anturiaeth.'

Bu Edwin Roberts farw tra oedd yng Nghymru ym 1893 ac aeth â chyfrinach union leoliad yr aur gydag ef i'w fedd.

Er gwaethaf y cynnwrf gan y Gwladfawyr, roedd rhai yn poeni y byddai darganfod aur yn niweidiol i'r Wladfa Gymreig. Ysgrifennodd Ll ap Iwan o Gwm Hyfryd at ei rieni a'i chwaer ym 1891 (Archifdy Prifysgol Bangor 11422) gan ddweud y byddai aur: ' ... yn iachawdwriaeth neu ddamnedigaeth i ni fel gwladfa Gymreig ... '

Oherwydd blerwch, diffyg trefn ac anghydweld aeth y fenter yn ffliwt. Bu sawl menter arall i chwilio am aur yng ngorllewin Patagonia ond ni ddaeth dim elw ariannol o werth o'r teithiau hyn. Yn sgil yr archwiliadau hyn, fodd bynnag, daeth y Gwladfawyr yn gyfarwydd â rhai o rannau mwyaf anghysbell talaith Chubut.

Ceir dau lythyr diddorol gan y Capten David Richards yn y bennod hon yn disgrifio rhai o'r teithiau hyn. Anodd oedd i ddyn deithio a byw ar y paith: ' ... lle nad oes dim gwell ffyrdd na llwybrau Indiaid ... ' (LlGC 21199D); anos fyth oedd anfon llythyr. Mae David Richards yn ymddiheuro am flerwch ei lawysgrifen yn ei lythyr at ei wraig am nad oedd ganddo 'fwrdd o dano'. Mae'n troi i'r Saesneg yn ei lythyr wrth ymddiheuro am beidio ysgrifennu at gyfaill gan ddweud: ' ... I promised to write to him; but really all my friends must excuse me – I have only very little time to myself, and no Post Office to be had within **four hundred miles.'**

Darllenais amryw lythyrau eraill yn mynegi'r un gŵyn. Ceir llythyr yng nghasgliad gwych archifdy Prifysgol Bangor gan M ap Iwan at ei deulu yn y Bala ym 1889 yn cwyno nad oedd ganddo bapur ac y bu'n rhaid iddo ysgrifennu ei bwt o lythyr ar ddalen o'i ddyddiadur.

Ceir hefyd mewn rhifynnau o'r *Drafod* dyddiedig 1944 (11 Chwefror; 18 Chwefror; 25 Chwefror; a 3 Mawrth) erthyglau diddorol gan Elias Owen dan y pennawd 'Clefyd yr Aur' yn cofnodi a disgrifio hanes teithiau David Richards. Yn un o'r erthyglau hynny (3 Mawrth 1944) gwelir mai diwedd unig a thrist a ddaeth i ran y Capten David Richards ym 1894, er gwaethaf optimistiaeth ei lythyrau: 'Ar ei daith i'r wlad clafychodd Capt. R a bu farw ar y llwybr, lle y gwelir ei fedd hyd heddiw yn agos i Dol plu.' Ond mewn gwirionedd, yn Nyffryn yr Allorau y claddwyd y Capten. Fe'i cludwyd i Eglwys y Tad Vivaldi pan drawyd ef yn wael ac yno y bu farw a'i gladdu yn y fynwent. (Bedd Jack Lewis a welir yn Nol y Plu ar y briffordd i'r Andes.)

Mae llythyr cyntaf y bennod hon gan MDJ yn 1889 at ei feibion Ll ap Iwan (tirfesurydd) a M ap Iwan (meddyg) yn mynegi rhyddhad y tad o ddeall fod Llwyd wedi dychwelyd yn ddiogel i'r Wladfa o un o'i fynych deithiau i'r Andes. Ysgrifennai Llwyd ddyddiaduron ar y teithiau hyn a'u hanfon at ei dad. Diddorol yw nodi fod MDJ yn dwrdio Llwyd am gyfeirio at 'Bell' yn ei nodiadau heb roi 'Mr' o flaen ei enw. Daethai A. P. Bell i Ddyffryn Camwy yn bennaf er mwyn goruchwylio adeiladu'r rheilffordd ym 1885. Bu Bell hefyd yn arweinydd teithiau i archwilio gweddill Chubut. Efallai i Ll ap Iwan beidio â dangos parch at Bell yn ei nodiadau am nad oedd, yn wahanol i Fontana, yn arweinydd poblogaidd. Dywed Glyn Williams (*The Desert and the Dream*, t. 107) fod y Cymry'n llafar iawn eu beirniadaeth o Bell, yn enwedig gan iddo drin y brodorion yn sarhaus.

Yn llythyr y fam (37) wrth drafod priodas arfaethedig Llwyd â Myfanwy (merch LJ), gwelir bod problemau ariannol MDJ yn dal i bwyso ar y teulu:

> ... yr wyf yn meddwl llawer o Mrs Jones a Bon Lewis Jones hefyd ond eu bod yn gwario gormod o arian o lawer ac yn dysgu Eluned i wneud yr un fath. Rhaid i rhyw un yn rhywle ddiodde yn wastad pan y bydd un o'r teulu yn rhy law rydd – gwyddom trwy brofiad hallt yma ag nid yw yn dod dim gwell o hyd ...

Un o'r pethau a oedd yn gyffredin ymysg teuluoedd Cymru, boed ganddynt arian ai peidio, oedd eu gofid a'u hiraeth am eu perthnasau yn y Wladfa. Ymfudodd pedwar o blant Simon a Hanna Jones o Lanarmon-yn-Iâl i'r Wladfa ym 1886. Roedd yr hiraeth yn ddwys, fel y mynegir gan y tad yn y llythyr (53), bum mlynedd wedi i'r plant adael Cymru: 'Mae ein hiraeth ni, dy fam a minnau, yn mynd yn fwy am danoch y naill fis ar ol y llall, gan feddwl y bydd yn rhaid i ni fynd oddiyma heb eich gweled chwi byth mwy ... '

Er mor gyndyn oedd rhai o ysgrifennu, yn hwyr neu'n hwyrach, os am gyswllt â'u teuluoedd, yna roedd yn rhaid ysgrifennu llythyr.

Mintai'r Mimosa yn dathlu Gŵyl y Glaniad a chwarter canrif y Wladfa ym 1890. Yn y cefndir gwelir D. Ll. Jones Tynnwyd y llun gan John Murray Jones. (trwy ganiatâd Adran Archifau a Llawysgrifau Prifysgol Cymru Bangor) Rhestr y fintai fel y'i gwelir yn Y Wladva Gymreig gan Lewis Jones, t. 78.

Y VINTAI GYNTAV YMHEN CHWARTER CANRIV.

Hanedig o	Hanedig o
1. Mrs. Amos Williams, Bangor.	24. Mrs. Ann Davydd, Aberteivi.
2. John ap Williams, Glan-dwrlwyd.	25. Mrs. Josua Jones, Bangor.
	26. H. H. Cadvan, Rhoslryvan.
3. Mrs. L. Davies, Casnewydd.	27. C. Huws, ien., Llanuwchlyn.
4. Mrs. Hanah Jones, Aberdar.	28. Rhys Williams, Nantygla.
5. Thos. Harri, M. Ash.	29. J. Huws, ieu., Rhos.
6. Mrs. Rhys Williams, Brasil.	30. W. J. Huws, Rhos.
7. R. J. Berwyn, Tregeiriog.	31. Wm. Austin, Merthyr.
8. C. Jane Thomas, Bangor.	32. T. T. Austin, Merthyr.
9. Mrs. R. J. Berwyn, Pentir.	33. Davydd C. Huws, Rhos.
10. L. Humphreys, Caollwyd.	34. J. D. Evans, M. Ash.
11. Mrs. W. J. Kansas, Aberdar.	35. Daniel Harris, M. Ash.
12. Mrs. L. J., Plas hedd, Caergybi.	36. Ed. Price, ien., Prestatyn.
	37. Richd. Jenkins, Troedyrhiw.
13. M. Humphreys, Caollwyd.	38. Ll. H. Cadvan, Lerpwl.
14. Mrs. W. R. J., Rodol, Bala.	39. Amos Williams, Llanbedrog.
15. Mrs. M. Humphreys, Cilcen.	40. W. R. J., Rodol, Mawddwy.
16. Mrs. Rhydderch Huws, Bethesda.	41. Rich. Ll. Williams, Bangor.
	42. Robert Thomas, Bangor.
17. J. Harris, M. Ash.	43. Thomas Davydd, Cilgeran.
18. Mrs. Zccaria Jones, M. Ash.	44. Richd. Jones, M. Ash.
19. Mrs. M. Evans, Maesteg.	45. Griff. Huws, Llanuwchlyn.
20. Edwyn Roberts, Wisconsin.	46. W. T. Rees, M. Ash.
21. Mrs. Ed. Roberts, M. Ash.	47. L. Davies, Aberystwyth.
22. Mrs. Eliz. Huws, Clynog.	48. J. Moelwyn Roberts, Fes-tiniog.
23. Mrs. W. Austin, Llanuwchlyn.	

Llawysgrifen Michael D. Jones
(trwy ganiatâd Llyfrgell Genedlaethol Cymru)

Teulu M. D. Jones

(36), (37) a (38) Rhan o lythyr Michael D. Jones at ei feibion, Llwyd a Mihangel ap Iwan, yn eu siarsio i gadw a chynnal safonau yn y Wladfa. Aeth Ll ap Iwan i'r Wladfa ym 1886 fel peiriannydd a thirfesurydd ac fe'i dilynwyd gan ei frawd, M ap Iwan, a oedd yn feddyg, ym 1889. Cyfrannodd y ddau yn helaeth i fywyd y Wladfa. Ceir hefyd lythyr byr atynt gan eu mam (Anne Jones) yn gosod cynghorion iddynt, ynghyd â nodyn byr ganddi at ei darpar ferch-yng-nghyfraith Myfanwy Ruffydd Jones (merch hynaf Lewis Jones).

(LlGC 7256 C)

Bodiwan, 1889
Gorphenaf 13eg

Llwyd a Mihangel Hoff.

Daeth eich llythyrau dyddiedig Ebrill a Mai i law yn mynegu am eich dychweliad dyögel o'r Andes, diölch i Ragluniaeth am hyny. Drwg oedd genyf fod Mihangel wedi colli ei gob, a'i nodiadau. Yr wyf yn tori allan o nodiadau Lwyd ar ei daith luaws o sylwadau personol ar Mr Bell[126]**. Cofiwch ei alw a'i gyfarch yn *Mr* Bell, ac nid "*Bell*" tebyg y bydd hogiau yn Lloegr yn cyfarch eu cymdeithion (...) y mae moesgarwch cymdeithasol yn galw am arfer "mr" o flaen eu henwau. Byddai yn anfaddeuol mewn cymdeithas ddiwylliedig i chwi ddyweud fel y gwnewch yn eich llythyrau "Bell" yn lle *Mr Bell*.**

Yr wyf yn cofio fod Llwyd yn cydnabod ei fod yn Germani pan mewn cwmni er mwyn cyfeillgarwch yn uno â dynion ieuainc Germani i yfed eu "*lager beer*" , a'u gwinoedd.[127]** **Yr oeddwn yn teimlo ar y pryd mai cynllun pur lac oedd hwn. Buasai yn dangos purdeb uwch i gadw at ddirwest fanol a mynegu yn bur bendant mai *dirwestwr* oedd. (...) Deallaf fod Llwyd yn y Wladfa weithiau ar y paith yn y teithiau hirion yn ysmygu ryw *cigarettes* boneddigaidd. Gwn fod y rhan fwyaf o ddynion ieuainc y Wladfa yn ysmygwyr, ac yn lle ymuno hwy mewn rhyw gyfeillgarwch lygredig, dylech eich dau sevyll fel *craig* yn erbyn *ysmygu* , ac ymdrechu diwygio y bobl ieuainc yn lle rhoddi esiampl mor isel iddynt. (...) Ni fu Llwyd erioed yn gawraidd o gryf, a dylai efe fod yn dra gofalus am ei iechyd. Y mae Michael Evans, eich cefnder yn ysmygu, ond ni ddylai yr un ŵyr i Michael Jones Lanuwchllyn fod yn gaeth i chwant fel hyn. Er nad yw Llwyd fe allai yn awr yn gaeth i'r blys, a deallaf nad yw efe yn ysmygu yn nyffryn Camwy, ond bydd yn sicr o fyned yn**

gaeth. Hoffwn yn fawr glywed eich bod fel pobl ieuainc yn y Wladfa yn ymuno i ymwrthod a myglys. Byddai hyny yn goron i chwi, a chedwch at eich dirwest yn vanol. Gwyddoch fod yma un mab i weinidog weithiau yn *meddwi*. Mae ysmygu a meddwi yn perthyn yn agos iawn i'w gilydd. Ni chlywais fod Mihangel yn ysmygu, nac yn yfed dyferyn. Clywaf hefyd fod Llwyd yn ddirwestwr. Beth bynag a fyddo cwmni yn ei wneud nad ydych yn ei gymeradwyo, peidiwch byth a chydsynio ... Os yw Llwyd yn credu mewn ysmygu *cigarettes*, gofaled efe fod Myfanwy Ruffydd[128] yn cydysmygu ag ef, fel Berwyn a Lizzie Berwyn. Mae cysondeb mewn peth felly. (...) Y peth nesaf a fyddaf yn ei ddysgwyl glywed yw, fod Llwyd a Mihangel ap Iwan yn cychwyn mudiad a fyddo'n cysylltu ymwrthodiad a myglys yn gystal ag a diodydd meddwol.

Da oedd genyf glywed fod Mihangel yn darlithio ar fwydydd y Wladfa. Mae y merched yma weithiau pan yn brysur yn codi dwr o byllau budron yn ymyl y tai i wneyd te a paratoi bwydydd, yn lle cymeryd y drafferth o fyned i'r afon i gael dwr iach. Gwelais hyn â'm llygaid fy hun. Ni synwn fymryn nad yw hyn wedi bod yn angau i verched ieuainc ac eraill yma.

Mewn perthynas i waith Llwyd yn hwylio cartref iddo ei hun credaf ei fod yn gwneud yn ddoeth, can belled ag yr wyf yn alluog i farnu. Mae Myfanwy Ruffydd yn ddynes ieuanc rinweddol can belled ag y deallaf fi.[129] Caiff eich mam ddywed ei barn. Mae peth fel hyn yn fwy yn llwybr y merched na'r dynion. (...)

Yr wyf yn meddwl y medraf gael rhai yma i brynu gwlân a chrwyn y Wladfa, ac i roddi maeldâl (commission) i Llwyd am eu prynu. Cymerwch y peth yn ddistaw. Dichon hefyd y medraf gael maeldâl am brynu gwenith. Ar hyn o bryd mae y gwenith yn uwch yn Muenos Ayres nag yma.

Ond i *ddeiseb* ddod oddi yna wedi ei harwyddo gan ryw 30 neu 40, neu lai os na cheir hwynt a'i hanfon i mi *ac nid yn syth at y llywodraeth*, medraf ei chyflwyno i'r llywodraeth, a nodi un ohonoch yn drafnodwr. (Consul). Mae'n debyg y bydd yn ofynol bod yn hyddysg a'r Hisbaeneg! Coviwch am anvon y ddeiseb i mi. Cadwch hyn mor dawel ag y medrwch. Dichon y gwnelai 6 neu 12 o enwau y tro. Cofiwch mai Toriaid sydd mewn awdurdod yma yn awr. (...)

Cawsom eisioes eleni dros 200 (dau can pwys) o fêl.[130] Blwyddyn ragorol. Yr ydym yn dysgwyl tua 500. Ydwyf eich tad hoff a ffyddlon

Michael Jones

Wedi ei ysgrifennu ar hyd yr ochr, ar draws geiriau tudalen olaf y llythyr mae rhywbeth yn debyg i hyn!:

Daeth amryw o'ch llythyrau yr un pryd yn lle dywedaf yr oedd rhai heb ddyddiad arnynt (dates) Cofiwch roddi y dyddiad bob amser. Cofiwch anfon y ddeiseb i mi ac nid i'r Llywodraeth er mai deiseb at y Llywodraeth a fydd hi. Cyflwynaf fi hi. Rhaid gofalu am hyn neu ynte fe roddir rhyw Dori yma yn drafnodwr.

Adeiladu'r ffordd i'r Andes, ger Hafn y Mynach, 1888. Saif Llwyd ap Iwan yng nghanol y llun, yn gwisgo cot wen , a'i law ar ei wregys. Enwau'r dynion eraill a welir yma yw: Ellis Jones, James J. Thomas, Edward O.Jones, Simon Jones, Evan Davies, Thomas Pugh, John Wynne, Martin A.Underwood, David Roberts, David Llwyd Jones ac Emyr Awstin. Tynnwyd y llun gan John Murray Thomas.
(*trwy ganiatâd Adran Archifau a Llawysgrifau Prifysgol Cymru Bangor*)

(37) Rhan o lythyr yn dilyn gan Mrs MDJ at ei meibion.

Bod Iwan Gor 14 89

Fy mechgyn Hoff,

Daethom yn ol o Llanwrtyd ers wythnos yn awr gwellhaodd eich tad yn fawr yno; ond mae yn gweithio gormod gartref a'r Doctor yn dyweud llawer a phendant wrtho am beidio *oeri*. Mae wedi myned i Soar Bethel a Llandderfel heddyw ag yn dod yn ol heno. (...) Ni chawsom yr un llythyr gan L Jones ers misoedd lawer ag yr oedd hwnw wedi agor yn y wlad hon cyn i ni ei gael – na yr un oddi wrth neb arall ond Eluned Morgan gwnawn atteb hwnnw yfory. Gobeithio y byddwch chwi Llwyd a Myvanwy Ruffydd yn hapus iawn gyda'ch gilydd. Clywais ganmoliaeth iddi a'i bod yn ddiwyd a gofalus gartref mae yn gofyn i wraig fod felly yn y wlad yma beth bynag. Nid oes genym ni i'r un gwrthwynebiad, yr wyf yn meddwl llawer o Mrs Jones a Bon Lewis Jones hefyd ond eu bod yn gwario gormod o arian o lawer ac yn dysgu Eluned i wneud yr un fath. Rhaid i rhyw un yn rhywle ddiodde yn wastad pan y bydd un o'r teulu yn rhy law rydd – gwyddom trwy brofiad hallt yma ag nid yw yn dod dim gwell o hyd. Gyda cofion anwyl iawn attoch oll a diolch lawer i chwi eich dau am eich llythyrau.

Eich anwyl fam.

(38) Llythyr gan Mrs M. D. Jones at Myfanwy Ruffudd.

Bod Iwan
Go 14 89

Myfanwy Ruffydd Hoff
Gobeithio y bydd Llwyd a chwithau yn hapus iawn gydach gilydd ag
y cewch fwynhau mordaith bywyd "hir oes a dyddiau dedwydd" i
chwi eich dau i wneud daioni dros eich Harglwydd Iesu Grist –
Anfonais anrheg bach i chwi gydag Eluned Morgan a disgwyliais air
bach oddi wrthych i'w cydnabod ond fe allai nad oeddych yn leicio
ysgrifenu pan nad oeddwn wedi anfon gair attoch nid oedd genym
gyfle ar y pryd gan ein bod yn mynd ar fwrdd y llong gydag Eluned
anfonwn atti yn fuan diolch am ei llythyr gyda ein cofion anwyl
attoch un ag oll – yr eiddoch yn serchog
A.Ll. Jones

Anne Jones, gwraig Michael D.
Jones
(trwy ganiatâd Adran Archifau a
Llawysgrifau Prifysgol Cymru
Bangor)

Eluned Morgan

(39) Rhan o lythyr tadol Lewis Jones o'r Wladfa at Eluned Morgan[131] yng Nghymru yn rhoi cyngor iddi ar ei haddysg. Anfonwyd Eluned i Gymru ym 1885 yn 15 oed i astudio yn Ysgol Dr Williams, Dolgellau. Dychwelodd Eluned i'r Wladfa ym 1888.

(Adysgrifennais o'r llythyr sydd ym meddiant Vivian MacDonald yn Buenos Aires yn 2007.)

P. Madryn 10 Gorph 87

Fy anwyl L.Morgan

Cawsom 3 neu 4 o lythyrau genych ryw bythefnos yn ol, ac er fod son am beswch fel cyfarth ceffyl yn un ohonynt yr ydym yn gobeithio nad oedd ond un o anwydon yr Hen Wlad yna. Yr ydym yma mewn tipyn o fraw wrth weled genethod ieuainc y Wladfa yn marw mor rhyfedd dan ein dwylaw. Dyna Gwladus a Rosa wedi myned, ac yn ol pob tebyg fod Annie Davies ar fin ein gadael a merch hynaf J.Jones Tanygrisiau. Y mae rhywbeth fel hyn yn peri i ni bryderu am danoch chwithau, er yn gobeithio ar i'r Nefoedd eich cadw i ni.

Yr oedd eich *report* diweddaf yn ymddangos yn un pur dda – ond y mae arnaf ovn mai *report pet* yr ysgol ydoedd. Yr un pryd y mae bod yn serch yr ysgol mor ddymunol am a wn i, a bod yr ysgolheiges uchaf: gwell fyth fyddai bod y ddau. Ie, Saesneg ac ysgrivenu mi welaf yw eich man gwan; ac er fy syndod, *symol* yn unig yw eich *music*: sut y mae hyny?[132] (...)

Gwelaf fod eich French yn *"fair"*. Byddai lawer gwell i chwi gael "perfect" am hwnw nac am ganu. Hwnyna, *a school management a gwel'd y byd* yw dyben eich mynediad i Lundain. 'Rwy'n meddwl i mi grybwyll wrthych yr hoffwn yn fy nghalon pe byddech wedi dod yn ol, yn ddigon galluog i agor ysgol uwchraddol – fel ysgol Dolgellau – yn y Wladfa.[133] Nid yn unig credaf yr enillech arian mawr wrth wneud hyny: ond mwy na hyny – gwnaech les anrhaethol i enethod y Wladfa. I wneud hyny yn iawn, bydd eisieu i chwi fod yn ysgolheiges dda; a heblaw hyny fod yn ddynes o *dignity* a barn a phrofiad – yn un y medrai *governesses* a'r plant deimlo parch ac ymddiried yn eich gallu a'ch gwybodaeth. Hwyrach yr aiff dwy neu dair blynedd heibio heb i chwi ddechreu y gwaith hwnw – ond fy amcan yn ei grybwyll yn awr yw ei ddodi yn bwnc o flaen eich meddwl i ymgyrhaedd ato. (...) cofiwch fy mhlentyn anwyl i, ofalu am "gadw eich calon yn dra diesgeulus": tra y mwynhewch eich hun, gobeithio, mewn llawer modd, ymgadwch rhag rhoi eich *bryd* ar bleser: gobeithio y cewch lawer o hyny pan ddowch adref. (...) Ydym, yr ydym *am geisio* dod i'ch nol yr haf nesaf os bydd modd yn y byd: a phe b'ai rhywbeth yn dyrysu ein bwriadau i hyny, mae'n debyg iawn na allai eich mam aros yn hwy heb eich gweled, ac y byddai raid i chwi ddod adref rywfodd neu gilydd. Byddech erbyn hyny yn eneth 18 oed. Bydd yn amser gwyliau haf arnoch pan gewch hwn: llawer o hwyl a mwyniant a gafoch – ond fel yn Llundain gwyliwch ar eich yspryd: y mae'r diafol yn cymeryd arno ei hun ffurfiau "dynion ieuaingc *nice, jolly* neu *seductive.*"

A pheidiwch a lolian *gormod* hefo'ch canu. (...)

Chwi gewch y "newyddion" gan Mivy a'ch mam, mi wn. Heb orphen y mae'r rheilffordd fyth – a llawer o helbul sydd gyda hi. Rhyw 3 ½ milltir sydd rhyngddi a chyraedd Trelew – ond y mae arnaf ofn y byddwn yn fyr o reiliau i gyrhaedd yno, ac y rhaid i ni aros hyd ddiwedd Awst am y rhai sydd yn do'd oddiyna. Y mae yn fy meddwl, os byddwn yn o agos i'r Dyffryn, wahodd *yr hen fintai* i Borth Madryn yma foreu Gwyl y Glaniad, a rhoddi ciniaw iddynt oll yma a'u cipio yn ol erbyn yr hwyr i gynal eu cyrddau ar hyd y Wladfa fel arfer. Beth feddyliech? (...)

Araf, araf yw y ty newydd[134] wrth fy mod i mor brysur hefo'r rheilffordd. Ond hwyrach y bydd yn barod erbyn y dowch chwi yn ol. (...)

Ie purion *idea* yw myned i Lundain erbyn yr Eisteddfod – pe byddech wedi trefnu eich lodging parhaus cyn hyny, a chael rhywun neu rywrai *safe* a *nice* i fod gyda chwi, chwi fwynhaech yr Eisteddfod yn iawn – a dylai fod yn gyfle i chwi adnabod llawer o Gymry Llundain yn yr hyn yr ymdrechaf eich helpu.

Wel dyma ddiwedd *sheet* eto, a rhaid terfynu ar hyn yn awr. Y mae holi a meddwl lawer amdanoch yn y Wladfa – ond neb fwy na

Eich hen dad

(40) Rhan o lythyr straellyd Eluned Morgan, yn Saesneg, o'r Wladfa at Maironwen, merch MDJ yng Nghymru.

(Adran Archifau a Llawysgrifau Prifysgol Cymru Bangor 7917)

Plas Hêdd
Teritorio Chubut
Buenos Ayres
Sept 89

My dear Mair,[135]

I have been a very naughty girl I know, in keeping you waiting so long, but really dear old girl there is *so* much to do in this horrible big house of ours that one does not seem to have time for anything but keeping it clean. But here I am at last with half an hour before me *"so here goes."*

It seems to me that you have had splendid times of it during your father and mothers visit to Llanwrtyd, how I wish I were in Bala just at that time, it would have been simply grand. (...)

Llwyd is working like a nigger on his farm, & building a house & making all comfortable for – you know *who* I think they will be off *very* soon.[136]

My cousin Mair & myself intent moving up to Trelew in about a month to start the school & then my dear old padre & madre will be oh so lonely.[137] Dont you feel inclined to give them a call just to cheer them up? I know one thing, that I would like a call from you very much. I *do* long for dear old Wales sometimes, I had such a merry time of it & everybody were so kind to me, I think that I would have been perfectly spoilt if I had stayed there much longer and I am glad to tell you that my friends do not forget me, although so far away, they all write often.

Myvanwy has just returned from Buenos Ayres after a two month stay there with father, they both enjoyed themselfs very much. As soon as they came home Mair & myself went up the valley for a weeks spree & a jolly week we had. Plenty of hunting and visiting it was such a treat after two months at home, but I suppose that I will not be able to romp about so much next time I visit there as I will be by then the sedate head mistress of Trelew, what a bother! (...)

Have you seen Rhydderch yet? & what do you think of my beau, is'nt he a perfect angel, *(just a bundle of selfishness)*

I was singing "Howell and Blodwen" with a young schoolmaster

132

the other night & we acted it so well that, all the people think we have really fallen in love with each other, it was such a treat to sing with a good singer after hearing such a lot of "Canu Coch Sir von".

Well really I *do* believe that I could go on at this rate for ever but, you would get quite tired of me.

So I will have to say goodbye once more my own dear Mair, with fondest love to all.

I remain your ever loving,
Eluned

Merch Plas Hedd a Mab y Bedol

(41) i (48) Detholiad o lythyrau a gopïodd Eluned Morgan mewn 'pocket book' at John Jones y Bedol. Dyma ddyfyniadau o rai o lythyrau olaf y 'pocket book'. Ychydig a wyddom am John, ar wahân iddo gael ei eni ym 1872 ac iddo farw'n ddibriod. Roedd yn fab i William a Catherine Jones, Y Bedol (gw. llythyrau 3 a 23). Bu Eluned yn gohebu'n gyson a dwys ag ef rhwng 1892 a 1894.

(LlGC 17525 A)

Mawrth 2il/94

Fy hoff John

Y mae twrw y gwlaw ar y to fel miwsig i'n clustiau onid ydyw ar ol y maith sychder; ond mae arnaf ofn mae "false alarm" ydyw hwn eto ac na cheir digon o hono o lawer. Bum yn eistedd yn fy hoff ffenestr yn gwylio y mellt am tuag awr, ac Oh mor ardderchog ac mor ofnadwy yw: pe cawsai pobl Cymru y fath ystorm, buasent yn meddwl fod y byd ar ben, ac yn ffoi am eu heinioes; byddaf bron a chredu weithiau nad oes dim ar wyneb daear a'n dychryna ni, bobl war – galed y Wladfa, yr ydym fel pe yn graddol garegu, ac y byddwn right fuan yn berffaith ddideimlad. Yr wyf fi yn teimlo fy hun yn brysur garegu beth bynag, ond caregu yn erbyn pobl y Wladfa yr wyf fi, ac yn erbyn ein hanifaleiddiwch!! Wyddoch chwi beth John! Mae yma le ofnadwy a dweud lleiaf. Yn nhywyllwch y nos neithiwr, wrth ddreifio i lawr ar hyd yr hen ffordd anghysbell yma, yr oeddwn yn gwrthryfela yn erbyn fy modolaeth. Gorfod byw yn y fan yma, ac *edrych* ar ganoedd o'm cyd-ieuenctyd yn myned ar eu hunion tua distryw; y mae y teimlad bron a'm gwallgofi. (...) Pe buasai awdur y "Bardd Cwsg", wedi cael cip ar Drelew, nos Gwyl Dewi/94, credaf y buasai ei ddesgrifiad o Uffern yn fwy ofnadwy nag y mae (os yw bosibl) (...)

Yn y Wladfa defnyddir y gair "Serch" yn aml mewn cysylltiad a dau ar fin ym briodi, a wyddoch chwi fy mrawd anwyl i, nad wyf yn credu fod *un* par ieuanc yn yr holl Wladfa yn gwybod dim beth yw ystyr y gair; y mae rhaid i'r meddwl fod wedi ei goethi a'i ysprydoli, cyn y gellir cael unrhyw syniad o hono. (...)

bydd raid i chwi osod pob gewyn ar waith i garthu eich Gwladfa o'i haflendid a'i thrueni. Mae y nôd yn uchel iawn onid ydyw fy hoff John? (...)

Ar hynyna, arhosaf hyd nos Sul, pryd y byddaf wedi derbyn yr

eiddoch, a bydd genyf lot chwaneg i sgriblo mae'n debyg.
Nos da fy mrawd anwyl; a melus fo'th hûn.

(42)

Mawrth 20fed/94

Fy unig am hoff frawd,
Dyma'r cloc wedi troi haner nos, ac felly dyma fi yn 24 mlwydd oed:
lle byddwn ein dau pan y byddaf yn 25 tybed? (...) soniwch am
hiraeth am eich cyfeillion ar y paith yna; Ah John, ai onid oes ronyn
o hiraeth am Eluned i fod, pan fydd tonau y Werydd yn golchi
rhyngom?[138] A fydd raid i mi ddioddef y cwbl, ynte a renir fy ngofid
rhwng fy mrawd a minau. Yr wyf yn methu deall fy hun o gwbl, yr
wyf wedi arfer gallu concro [darn ar goll] ond yr hiraeth ofnadwy
hwn; mae yn feistr carn arnaf hwyrach mai dyna pam y'm
hamddifadwyd o frawd naturiol rhag i mi roi gormod o'm serch am
bryd arno. (...) nid oes i mi ddyddordeb mewn dim yn y byd mawr
llydan ond rhagolygon bywyd fy mrawd am cyfaill; pa ryfedd ynte fy
mod yn drist ac ofnus wrth feddwl am y naid fawr ydych ar fin
gymeryd, o'n byd bach ni, ir eangder du – Y Dyfodol nas gwyddom
ddim am dano (...) cofiwch am ffrynd, er yn mhell oddi wrthych,
nad oes ganddi *un* meddwl ar wahan ir eiddoch chwi – "Dwy natur
yn un."

Yr wyf fi yn hoffi'r plan o anfon at yr Hybarch M.D o'ch blaen,
bydd genyf fwy o obaith o lawer wedyn y cewch berffaith chwareu
teg, a bydd Bod Iwan ai ddrws cartrefol yn agor i chwi bob amser,
gallaf ddweyd hyny drwy brofiad ac adgof melus. (...) Ni fyddwch
bell or man y bu meddwl eich chwaer yn ymagor megis blodeuyn ar
lethr y mynydd, sef Dolgellau, wrth droed yr hen Gadair Idris.
Gobeithio yr ewch yno, pe ddim ond i weled y man lle cafodd
Eluned ei natur ramantus. (...)

Hoffwn i chwi gael gweld yr ysgol hono hefyd lle a fu i mi yn
gartref dedwydd. Hwyrach y medraf drefnu i chwi gael mynedfa i
mewn ar ol ich Saesneg ddod yn ddigon llithrig, canys ni all y
brifathrawes yr un gair o Gymraeg. Yr wyf yn mawr obeithio y
medraf drefnu i chwi ddod i adnabod llu o'm cyveillion, fel y bydd
hyny yn ddolen gydiol gref rhyngom tra byddwn byw. (...)

Byddaf yn myned i Drelew dydd Iau, os na fyddwch wedi
dechreu dyrnu, deuwch im cyfarfod wrth ddod yn ol ... [darn ar
goll] stop, for it is nearly morning, and I must be ill on my birthday.
Good night and God bless you my own kind brother.

Ever your dear sister
Eluned

(43)

(...) Hawdd iawn yw i mi ddweyd fy mod am i chwi sefyll wrth fy ochr yn nghoed Plas Hedd *bedair blynedd* i heno, ond Duw yn unig wyr sut y bydd erbyn hyny na lle y byddwn ein dau, ond gallwn ddweyd, Os Duw ai myn! Mae arnaf ofn y byddwn yn adeiladu llawer iawn o gestyll awyrol, ond hwyrach y saif ambell un, i wneud i fynu am golli'r lleill. Y mae genyf fi un castell anferth ar gerdded, ond hyd yn hyn, yn y niwl y mae, ac nid oes fodd cael cip arno (...)

Eich anwyl Eluned

(44)

Nos Wener

Fy hoff John,

(...) Gydar llythyr hwn yr wyf yn rhoddi anrheg fechan i chwi, i gofio am danaf pan y bydd perygl i chwi fy anghofio; a phob tro yr edrychwch arni bydd yn "hint" i chwi fod eisiau ysgrifenu at Eluned, ni fydd eisieu i chwi fynd ir drafferth i chwilio am inc, canys yn yr anrheg wele benholder ai *lond* o inc, ac ysgrifena am fisoedd heb i chwi symud ei flaen mewn inc, yr wyf fi wrthi yn ysgrifenu ag ef yn awr ... [darn ar goll]. Hoffwn yn fawr pe gallai fy narlun eich helpu a'ch cysuro, fel y gwnai Eluned, pe yn eich cyraedd, ond bydd yn goffadwriaeth i chwi sut wyneb fydd yn plygu uwch ben y llythyrau fydd yn llithro dros y Werydd; byddaf yn disgwyl eich darlun chwi yn mhen rhyw dri mis ar ol i chwi lanio draw, cofiwch fynd at arlunydd da, mae'n rhatach yn y diwedd; a pheidiwch tynu eich llun yn eich hyd, ond hyd yr ysgwyddau yn unig. Dyna fi wedi rhoddi cyfarwyddiadau ddigon buan onide? (...) John anwyl, beth sydd i ddod o'r croud sydd yn brysur fynd yn Indiaid: nid ydym ni ond megis dyferyn yn y mor, ond na ddigalonwn. Bu hen Gymru yn cysgu am ganrifoedd, ond mae'n deffro'n awr. Cael nap mae'r Wladfa, a rhaid i ninau fod yn gryf ac eofn i chwythu cyrn gwybodaeth a choethder i'w deffro. (...)

Nid oes ond mis eto ar y goreu, na fydd fy mrawd yn bell, bell oddiwrthyf, ac Ow'r unigrwydd hwnw, pwy ai gwyr! (...)

Ffarwel fy mrawd anwyl i, And God bless thee.

Ever your own Sister Eluned.

(45)

Plas Hedd

Fy hoff John

Nid oes genyf eiriau i fynegu fy siomiant heno, y mae yn rhy "fresh", ar fy meddwl i allu dweyd dim yn ei gylch; yr oeddwn wedi meddwl cymaint am fy llith addawedig, ac wedi gobeithio cael ateb gwironeddol i fy llith diweddaf, canys y mae *ateb* llythyr wyddoch yn meddwl gwneud sylw o'r prif bethau yn y llythyr hwnw. Cofiwch hyny y tro nesaf, os oes *nesaf* i fod! Yr wyf bron credu na chaf Epistol teilwng o honoch rhanog eto, gobeithio mai gwallus fy meddwl. Pe baech chwi on credu, mae ysgrifenu *llythyr* yng ngwir ystyr y gair yn dipyn o gamp, ac o hir ymarfer ar gwaith yr addfeda i berffeithrwydd. Pan fyddwch wedi ymloywi ac ymgoethi; yr wyf am ddangos eich llythyr *cyntaf* ataf, gael i chwi gael gweld gymaint mai ymarferiad yn wneud. Y mae i mi ryw obaith gwan y byddwch mewn hwyl ysgrifenu go lew ar ol gwrando Mr L. nos Sul, ar y gobaith yna byddaf byw!![139] (...)

Nos Sadwrn

(...) Beth ydych am wneud am pentwr Epistolau? Gwnant bonfire iawn ai hel i gyd at ei gilydd. Mil ddiolch i chwi fy hoff John am gofio amdanaf yn y "Batch" anghysbell.[140] Yr wyf yn falch iawn eich bod wedi aros y cwrdd pregethu, bydd yn adgof melus iw gario gyda chwi dros y tonau, a chewch ddarn arall ato yforu gobeithio.

Ffarwel am heno fy mrawd anwyl

Eich hoff a thrist Eluned

Ebrill 10/94

(46)

Fy hoff John

Dyma fi newydd ddod ir ty ar ol bod yn synfyfyrio o dan gysgod y coed, a phwy feddyliech oedd gyda mi ond – "Sky"! Yr oeddwn yn methu deall beth allasai fod yn dyfod im cyfarfod dan ysgwyd ei gynffon. A thra y bum i yn eistedd yn y fan gorweddodd i lawr yn dawel wrth fy nhraed. [darn ar goll] Y mae Sky yn deall y natur ddynol yn bur dda onidydyw? Nid oeddwn yn teimlo haner mor unig tra yr oedd yr hen gi ffyddlon gyda mi. Pan wrth y llidiard i ddod at y ty rhedodd o fy mlaen, ac yna, cododd ei bawen i ddweyd ffarwel, nad oedd am ddod yn mhellach, ac felly fu! Caniasom yn iach, ac aeth Sky yn ol ir coed. Dyna hanesyn werth ei roi yn y Dravod onide?[141] Ond na fuasai neb ond John ac Eluned yn deall paham yr amlygwyd ffyddlondeb mor dirion tuag ataf gan greadur hollol ddieithr i mi. Wel – fy mrawd anwyl i, yr ydym yn ddau greadur rhyfedd iawn. Wrth ysgriblo fel hyn, mae ein syniadau a'n meddyliau fel yn cydblethu a chydgordio. A ddarfu i chwi sylwi fod yna ddwy frawddeg yn y llythyrau newidiasom nos Fawrth bron yr un fath air am air. Ni fuaswn foddlawn ymadael a'ch llythyr diweddaf hyd yn oed pe cynygiai rhywun bás ir Hen Wlad i mi, er cymaint sydd arnaf eisieu anadlu awyr Gwyllt Walia (...) Oh John! Brysiwch i fynd, neu byddaf yn siwr o ildio i'r demtasiwn o ddymuno i chwi fethu mynd, myfi! Yr hon sydd wedi gwneud pobpeth yn fy ngallu i hyrwyddo eich mynediad? Ie myfi fy mrawd anwyl. Pa fodd yr wyf yn mynd i gael nerth i ddweyd y gair 'Ffarwel', sydd fwy nas gallaf ei ddychmygu; ac am *bedair blynedd* hefyd! Mor hyfryd fuasai cael bod mewn cyflwr o ddideimladrwydd yn ystod y 4 blynedd yna, a deffro i weled fy mrawd wrth fy ochr a gwybodaeth a deall yn pelydru yn ei lygaid. (...)

Ac yn awr rhaid im ddwyed Nos da. Cofiwch ddod ir ysgol foru, cofiwch am yr wythnos unig sydd o flaen Eich

hoff Eluned

(47)

Nos Sul

Fy anwyl am hoff John,

(...) Yr ydych wedi rhoddi gofyniad anhawdd iawn i mi ei ateb fy John hoff, – "Pa beth wnewch am tipyn llythyrau?" Maent yn siwr o fod yn sypyn go lew erbyn hyn. Nis gallaf ofyn i chwi eto, ei llosgi, achos mae genyf fi barsel och eiddo chwi, na fynwn eu colli er y byd i gyd, a phe baech yn fy ngorchymyn iw llosgi, teimlwn fy mod wedi colli fy nghysur mwyaf. Felly nis gallaf eich cyngori i wneud yr hyn nas gallaf ei wneud fy hun. (...)

Mae genyf fi pocket-book bychan, os gwnewch anfon fy llythyrau i gyd, ceisiaf gael hamdden iw hysgrifenu, yn hwnw, fel y byddant yn gryno gydai gilydd. Gwell genych eu cael yn fy llawysgrif mae'n debyg, er mor garbwl, bydd yr olwg arni yn rhyw adgof am y ffrynd au hysgrifenodd Que le parese hermano mio?[142] (...)

and now goodnight and God bless thee

Eich Eluned.

(48)

Plas Hêdd
Territorio Chubut
Mehefin/ 94

Fy anwyl am hoff John,

Wel – dyma fi wedi dyfod i ben fy nhâsg o'r diwedd, drwy lawer awr o lafur caled; nid oes genyf ond gobeithio y medrwch ddeall y traed brain wyf wedi wneud drwy'r llyfryn hwn; ac hefyd, y bydd fy nhipyn llythyrau yn rhywfaint o wir help i chwi, gwyddoch mai dyna yr amcan oedd genyf mewn golwg wrth eu hysgrifenu, a gwyddoch hefyd nad oes *dim* yn ormod genyf wneud er eich mwyn, tra y daliwch yn fachgen *sobr* a *phur*. Ond cofiwch hyn f'anwylyd, nas gall Eluned wneud dim ac unrhyw ddyn a fo ansobor neu anwastad ei fywyd; nis gall fy serch [darn ar goll] wrthych fod yn gryfach na'm syniad o beth sydd iawn ac uniawn, y mae hanes fy mywyd gorphenol wedi profi hyny yn anwadadwy. *Nis gellir fy nhynu i lawr,* wyf rhy gadarn yn fy hyder yn fy Nuw. Y mae ynof allu i ddringo yn uwch o lawer, pe cawn rhywun i'm helpu i ddringo, ond ysywaeth pwy a'm helpa yn y wlad wenithog hon? Ond – a wyddoch chwi John, y gellwch *chwi* fy helpu i ddringo, os medrwch sefyll fel craig yn erbyn yr ystormydd y bydd raid i chwi fyned drwyddynt, os medrwch enill *nerth Ewyllys*; (...) Hwyrach eich bod yn gwgu arnaf am ddilio ar yr un pethau o hyd, ond Oh fy mrawd anwyl, pe baech yn gallu sylweddoli y storm ofnadwy sydd yn myned yn mlaen yn meddwl eich Eluned, o dan y gwyneb siriol i gyd, chwi faddeuech lawer o bethau i mi. Byddaf yn teimlo weithiau nas gallaf aros yma ar eich hol, fod yn *rhaid* i mi gael bod yn agos atoch i'ch helpu a'ch cysuro: ond wedyn byddaf yn ceryddu fy hun am ddweyd fod teimlad fel yna yn amlygu diffyg ffydd ynoch, nad oes eisiau help ar neb sydd ai obaith yn ei Dduw. [darn ar goll] ... fy anwyl John, drwy brofiad chwerw, lle mor ddrwg yw y byd yma, a chymaint o blant pur natur, sydd yn ymgolli yn ei chenllif du. Ond – Na, Na, nid yw y byd am fynd am John hoff oddiarnaf, oh na, y mae Duw yn drugarog a graslawn, ac yn gwrando gweddiau taeraf ei blant. Chwi ddeuwch yn ol oni ddeuwch fy John anwyl yn ddyn a all edrych ar Eluned yn ei gwyneb gyda dau lygad yn llawn purdeb a gonestrwydd? Gallaf ddychymygu eich elyniad [?] yn dweyd "Rwyn hawlio fy chwaer, canys teilwng wyf." Ie, fy John hoff, Oh deuwch yn ol i ddweyd y geiriau yna. Mawr fydd eich gwobr yn y nef fy machgen anwyl canys nis gall Eluned byth eich gwobrwyo yn ol eich haeddiant, os fel yna y deuwch yn ol. Wele fy llyfr ar ben, ac er ceisio cadw y gair ffarwel yn ol y mlaen y daw o hyd. Oh John! Fy anwyl anwyl John paham yn gwahenir?

[darn ar goll]

Ffarwel

Mintai'r Vesta

(49) Rhan o lythyr gan T. O. Roberts. Roedd yn un o fintai'r *Vesta* a ddaeth i'r Wladfa i adeiladu'r rheilffordd gan gredu iddynt arwyddo cytundeb yn addo tir iddynt ar ôl ei chwblhau. Wrth holi am y telerau wedi cyrraedd y Wladfa, dangosodd y labrwrs gopi o'r cytundeb a arwyddwyd ganddynt yn Lerpwl i LJ. Fe welwyd yr adeg honno nad oedd sôn arno am addewid o dir. Credai mintai'r *Vesta* (fel y *Mimosa*) iddynt gael eu twyllo (gw. *Y Wladfa*, t. 193).

(*Celt*, 18 Ebrill 1890)

LLYTHYR O'R WLADFA

Y BONWR T.O.ROBERTS[143], Glan-yr-afon, Colonia del Chubut, via Buenos Ayres, S.America, a ysgrifena Mawrth 1af, 1890:-
ANWYL FRAWD, – Wele fi o bellafoedd y byd yn ymgais ysgrifenu gair atoch; wyf wedi arfaethu lawer gwaith yn flaenorol, ond rywbeth yn lluddias, hefyd dipyn yn ddibrofiad, hynny yw, heb deimlo fy hun yn rhydd i draethu fy marn am y Wladfa, gan fod cymaint wedi dweud, a'r hen gyfaill M.D.Jones yn addoli cymaint arni, ond gallaf yn rhwydd gydymdeimlo ag ef, mae hi wedi costio llafur caled iddo, ac yn wir mae mawr glod yn ddyledus iddo am a wnaeth. Yr ydym ni mintai y *Vesta*, hyny yw, cymaint ag sydd wedi aros o honom[144], heb fodfedd o dir eto. Serch ei fod yn yr addewid y mynud y gorphenid y *line*, ond dychymyg gwag oedd y cyfan, gan fod y Llywodraeth wedi pasio cyfraith er's saith mlynedd, nad yw hi am roddi rhagor o dir am ddim, ac y mae yn rhaid dileu hono cyn y gellir disgwyl, pob ymgais sy'n cael ei wneud maent yn cyfeirio bys at hono. Mae yma ormod o bobl heb dir, gan nad yw y tyddynwyr yma wedi dysgu cadw gweision, maent yn disgwyl i ddyn weithio o godiad i fachlud haul, ac y mae hwnw yn ddiwrnod maith iawn yma, a hyny am y cyflog o un dollar y dydd. Byddaf yn gwneud pob gwawd o honynt, nid wyf yn ddarostyngol iddynt am fy mod yn feistr arnaf fy hun, yn gweithio coed i'r wlad ac yn cael fy mhris fy hun. Cefais golled drom yn ddiweddar, aeth fy lle ar dân, fel y cefais dros 200 punt o golled. (...)
Yr ydym yn cael trafferth gyda'r Yspaeniaid sydd yn swyddogion dan y Llywodraeth. Cewch eu hanes eto, pan fyddwn wedi cwblhau y frwydr, anfonaf y cyfan o'r hanes. (...)
Mae yma yn ddiddadl le da i'r rhai sydd ganddynt dir, mae yma dir da iawn, cnydiol. Mae yma ddigonedd o bridd, o wahanol

fathau, y tir du, a'r tir coch, a'r tir melyn-goch, a thir tywodlyd, gellir tyfu unrhyw beth yma, gan fod yma y mathau yna o bridd. Mae y tir du yn tyfu gwenith yn ardderchog. Dywedir yma fod Fontana, llywydd y Wladfa, wedi derbyn medal aur o Arddangosfa Paris, am mai gwenith a anfonwyd o'r Wladfa oedd y goreu yno o holl wenithau y byd.[145] (...) Tyfir haidd yma – haidd 4 rhes, ond yn awr maent am dyfu haidd bragu. Mae'r diafol wedi deall y gallant dyfu stwff i ddiodi ei blant ef, ac mai ganddo dŷ a chelfi i wneyd y ddiod, ac mae yma lawer iawn o fanau ganddo, fel mae'r lle ar y ffordd i fod yn lle bach meddw. (...) Mae yma ychydig o goed ffrwythydd wedi d'od y gwanwyn yma. Tyfir digon o *Tomatos*, a *Phompkins*, a *Melons*, &c. Hefyd, lle da iw i fagu anifeiliaid. Mae yma filoedd o wartheg (da corniog), mi oedd lawer o ddefaid (praidd). Mae gan bersonau unigol o bedair i bum mil. Mae yma filoedd o geffylau. (...) Felly, gwelwch fod y Wladfa ar gynnydd er gwaethaf eu gelynion. Talasai yn dda i rai a droisant eu cefnau arni pe buasent yma yn awr; ond mae'n debyg mae eu gweddi hwy oedd, "Na chaffed amynedd ei pherffaith waith." Ond mae yr hen ddihareb yn ddigon gwir, "Ni fu drwg erioed na bai dda i rywun." Felly mae y ffermydd hyny yn talu ar eu canfed yn awr i'w perchenogion presenol. Mae genyf feddwl mawr o'r Wladfa er nad wyf wedi cael tir, ond fod yma rai bodach yn darostwng pawb a phobpeth ond hwy eu hunain. Terfynaf y tro hwn gan anfon fy nghofion caredig atoch, a disgwyliaf air yn ol ryw dro. – Ydwyf, yn bur,

T.O.ROBERTS

Y Drafod

(50) Llythyr gan un yn ysgrifennu o dan y ffugenw 'Aderyn o'r Llwyn' yn dymuno'n dda i rifyn cyntaf *Y Dravod.*

(Rhifyn cyntaf *Y Dravod*, dydd Sadwrn, 17 Ionawr 1891)

Gohebiaethau
GAIR O GYVARCH

Goddevwch i mi vel un sydd er's rhai blynyddoedd bellach yn teimlo dyddordeb mawr yn y Wladva i'ch llongyvarch ar ymddangosiad eich papur newydd. Mae rhyw swyn i mi er yn blentyn yn y Wladva; ond ychydig veddyliais hyd yn ddiweddar y cawswn y vraint o ganvod â'm llygaid vy hun "Gymru Newydd" yn ngwlad machlud haul.

Pan ystyriwyv vod yr hen Wladvawyr wedi myned trwy gymaint o anhawsderau, yr wyv yn synu weled agwedd mor ddymunol ar bethau. Ond er vod cymaint wedi ei wneud, mae llawer yn aros eto cyn y bydd y wlad yn deilwng o'i thrigolion. Ni adeiladwyd Rhuvain mewn diwrnod, ac nid gwiw disgwyl i'r Wladva ymddangos yn ei holl ogoniant pan ond baban mewn oed.

Gobeithio y caif y Dravod roesawiad mor gynhes a chylchrediad mor helaeth yn Nyfryn Camwy nes yn vuan y teimlir angen am bapur dyddiol ac nid wythnosol. Credav y bydd ymddangosiad y papur hwn yn ddechreu cyvnod newydd yn hanes y Wladva, ac y bydd llawer o welliantau yn canlyn
ADERYN O'R LLWYN[146]

(51) a (52) Dau lythyr mewn tafodiaith gan un yn ysgrifennu o dan y ffugenw 'Sincyn' yn mynegi pryder am gyflwr y ffyrdd rhwng Trelew a'r Gaiman.

(Trydydd rhifyn *Y Dravod*, dydd Sadwrn, 31 Ionawr 1891)

YR HEWLYDD

Otwi, wath ta i pw wpo, mas o ngho gyda chi gwyr y wlad isha na, beutu rhewlydd. Dyshyvon i ! Os na chi ddim cwiddyl o rhewl rhwng Trelew a'r Gaiman? Ve wetir i vi bod chi wedi bod yn reparo rhewl i Rawson, O! do wyr bach i'r gwyr mowr. Ond coviwch chi, wyr budir, ma oddi vri ni y ma pob bendith yn dod i chi, ac os na lenwch chi'r twlle sy'n briwon gwageni ni, mi dodwn ni chi, wyr da, ynty nhw, tyna chi; ac mi gwnwn warnins ar ych bedde chi erbyn y lecswn nesa.

SINCYN

(52)

(*Y Dravod*, dydd Sadwrn, 14 Chwefror 1891 – 'rhiv 5')

Y RHEWLYDD

A ma ar ych cadirydd chi isio'm enw bedydd i, oes e? Oes ta vi'r un wath Bydiddiwrs odd n'ad a mam, a cheso i 'run vedudd. Ond ma gyda vi enw bardol, ser' hynu, a hwnw oti SINCYN: a o's ta rwun wbath yn i erbun o?

A cha i ddim silw, ai e ve? Otw i ddim yn mo'yn silw: llenw'r twlle wy'n mo'yn; silw i'r twlle, nid ivi.

Otw ddim yn mo'yn i enw bedudd o – wath ta vi pw oti o: ma'n ddigon i vi taw cydirydd y gafers sy gyntoch chi yn drychid ar ôl y rhewl yti o: a ma ddigon i vynte ma Sincyn, halier ar y rhewl hono, otw ina. Ac otw i'n gweud yto, vod y rhewl o Giman i Drylew yn gwiddil i neb gafers na gwithiwrs.

Otw i ddim yn gwed y gwir, bobol? Tebwch vel dynon.

SINCYN

Llythyr o'r Hen Wlad

(53) Rhan o lythyr hiraethus Mr a Mrs Simon Jones, Llanarmon-yn-Iâl yng Nghymru at eu mab, William Jones yn y Wladfa. Ymfudodd William Jones gyda'i frodyr a'i chwiorydd, John Eryrus Jones, Simon Jones, Margaret a'i gŵr a Fanny a'i gŵr hithau ar y *Vesta* ym 1885.

(O gyfrol Valmai Jones, *Atgofion am y Wladfa*, t. 125. Drwy garedigrwydd ei chwaer, Albina Jones de Zampini.)

Ty'n y Ffynnon
Llanarmon-yn-Ial
Ebrill 8fed,1891.

Fy Annwyl William;

Mi a dderbyniais dy lythyr Chwefror 24ain, ac yr oedd yn llwyr dda gen i gael gair oddi wrthyt a chael clywed eich bod yn iach yna i gyd.

Yr oeddwn i'n meddwl dy fod ti wedi ein anghofio ni fel rhieni ac hefyd dy fod ti wedi dweud wrth y wraig nad oedd gen ti ddim tad a mam mewn bod. Wel, y mae yma dad a mam yn fyw heddiw, ond ddim yn iach iawn chwaith, ond yr ydym yn go dda wrth feddwl am yr holl helynt yr ydym ni wedi dod trwyddo er pan welsom ni dy wyneb di, ond er hynny mae hi lawer gwell arnom na'm haeddiant.

Wel, mae'n dda gen i glywed dy fod wedi cael gwraig i sefydlu dy gartref. Mae yn bur debyg mai yna y byddi di yn treulio yr hyn sydd yn ol o dy oes; er y buasai yn bur dda gen i a dy fam weld wyneb pob un ohonoch y mae'n debyg na chawn ni byth bellach. Mae yn dda gen i glywed fod gen ti eneth fach, cymer ofal ohoni, yn enwedig efo'r pethau a berthynant i'w bywyd tragwyddol hi. Gwna dy orau i'w magu hi i'r Arglwydd. Dyro esiampl dda iddi hi trwy fyw yn sobr ac yn dduwiol yn y byd sydd yr awr hon ac hefyd bydd yn dyner wrth dy wraig – nid wyf yn meddwl na fydd i ti wneud hynny os bydd i ti fod yn feddiannol ar dduwioldeb. Yr wyf fi yn dal i weddio drosoch chi i gyd. Nid wyf yn eich anghofio ddydd na nos. Mae ein hiraeth ni, dy fam a minnau, yn mynd yn fwy am danoch y naill fis ar ol y llall, gan feddwl y bydd yn rhaid i ni fynd oddiyma heb eich gweled chwi byth mwy. (...)

Ac yr oedd arnat ti eisiau cael dy oed. Yr wyt ti'n mynd yn hen weldi! Mi 'rwyt ti wedi cael dy eni yn mis Rhagfyr 6ed. 1863.

Wel, mi fuase'n bur dda gen i a dy fam gael gweld ein merch yng nghyfraith a'r wyres fach, ond mae'n debyg na chawn ni ddim. Ond er hynny cofia ni at y ddwy yn garedig iawn a dwed wrth yr eneth fach fod ei thaid a'i nain yn dweud wrthi am fod yn eneth dda.

Y mae pawb o dy berthynasau yma yn cofio atoch eich tri yn y modd mwyaf caredig. (...)

Wel. Willi, gobeithio i tithau fod yn ddyn da ac y byddi di yn gyrru gair atom cyn pen pum mlynedd eto.

Nos da i chi.

Hyn yn fyr oddi wrth dy dad a dy fam.

Simon a Hannah Jones.

Twymyn yr aur

(54) Llythyr David Richards, Harlech (peiriannydd mwyngloddio) at ei wraig yng Nghymru. Roedd yn ysgrifennu o Batagonia tra oedd yno'n chwilio am aur. Bu farw yn Nyffryn yr Allorau yn ystod taith i'r Andes ym 1894.
(LlGC 21199D)

Man a elwir gan yr Indiaid yn "Gacyl", ar fap Llwyd ap Iwan "Gacel", neu "Nant y Cwts" ar gwr Gorllewinol Dyffryn Sagmatti.

Dydd Sul, November 15th 1891.

Anwylaf Briod,

Cyrhaeddasom i Ddyffryn Sagmatti wythnos i nos Iau diweddaf, a chroesasom yr afon i'r ochr hon tranoeth, sef dydd Gwener. Boreu dranoeth sef boreu dydd Sadwrn, aethym i fynu i olwg gwaith aur y "Cwts" ar gais Edwin Cynrig Roberts a'i gwmni[147], a dechreuodd Roberts[148], Phillips[149] a minau archwilio cateo[150] Erasmus Jones (Buenos Aires) boreu dydd Mawrth. Aeth Mr Humphreys[151] a minau i fynu i'r "Cwts" drachefn boreu ddoe (dydd Sadwrn), a golchwyd aur rhagorol yno. Lle gwael gawsom ar cateo Jones y pedwar diwrnod y buom yn archwilio arno, ond nid ydym wedi ei orphen etto, am y "Cwts" ni fu Gwynfynydd[152] erioed haner mor gyfoethog ar lle hwn, roeddwn yn llawen o weld cymaint o aur yno – Roedd wedi nosi cyn i ni gyrhaedd yn ol neithiwr, ond er llawenydd mawr im calon ac esmwythdra i lawer o feddyliau poenus estynwyd dau lythyr oddiwrthych imi, ynghyda programe Eisteddfod Ffestiniog, a sypyn o'r "Celt" o Fangor, yr oll wedi dod i fynu gyda'r Bonwr Thomas Griffiths, Ynad Hedd, Cwm Hyfryd. Nis gallaf ddesgrifio fy llawenydd ar dderbyniad eich llythyrau – maent wedi eu datio Aug 11th a'r 25th, ac wedi eu hadresio, gallwn feddwl, gan Mr Davies, P.O. Maddeued ef i mi am beidio ysgrifenu ato. Mae dyn yn blino gorph ac enaid mewn gwlad newydd fel hon, lle nad oes dim gwell ffyrdd na llwybrau Indiaid – er bod ar gefn ei geffyl trwy'r dydd. (...)

Yr ydym wedi cwrdd ag amryw o helbulon, colli amryw o geffylau ar y ffordd &c. Gadawsom Bryn Gwyn (tŷ John Henry Jones, yn y Wladfa) yn ddeg o nifer, gyda tair gwagen, un drol, a 42 o geffylau. Daeth amryw gyfeillion i'n danfon gan belled a'r lle a elwir "Los Posos" taith 4 diwrnod o'r Wladfa gyda 15 o geffylau. Aeth olwyn y drol yn yfflon wedi croesi'r afon a elwir yn Rio Chico, a chafodd Arthur[153] godwm melus yn ei chwymp. Roeddym wedi pasio hen wagen ar ochr y ffordd y diwrnod cynt, ac awd i nol pâr o olwynion hono – gosodwyd hwy o dan y drol wedi cryn helbul, ac awd yn mlaen dranoeth, ond cyn ein bod wedi teithio 3 milldir gwelwn Arthur ai wadnau yn y gwynt, yn gwaeddi am help, ag erbyn cyrhaedd ato roedd olwyn drachefn wedi myned yn yfflon – rhanwyd ei lwyth yn y fan hon rhwng y tair gwagen. Roeddem yn colli rhai ceffylau bron bob nos, ond yn dod o hyd iddynt yn rhyfedd yn y boreuau, er hyny, nid ydynt yn eu cyfrif o lawer yn awr. Yr wyf wedi cael fy mhoeni yn y pen a chyda'r ddanodd lawer gwaith ar ol cychwyn – ond mae'n dda genyf glywed eich bod chwi yn gwella. Collais *use* fy nghlun wrth ddisgyn oddiar fy ngheffyl yn Pant-y gwaed (Tromen Wffgo ar fap Llwyd) a bum yn methu rhoi dim pwysau arni hyd nes cyrhaedd ir fan hon – ond yr wyf yn alright yn awr. Barnai amryw mai y rheumatic ydoedd. Mae dau o'r cwmni (J.H.Jones[154] ac Elias Owen)[155] wedi myned i Cwmhyfryd er dydd Llun diweddaf. Mae ganddynt diroedd yno, ac nid ydym yn eu disgwyl yn ol yma am bythefnos etto ac yn ystod yr amser hwn, byddwn ninau yn gorphen archwilio cateo Erasmus Jones, cateo W.Pugh (Buenos Aires), a gwaith arian Mr J.M.Thomas, yn y Dyffryn Oer, rhyngom a'r Andes. Cynygiodd Cwmni Edwin Cynrig Roberts ddoe ymuno a'r cwmni hwn, ac yr ydym oll i gyfarfod yforu i benderfynu'r matter, ac mae genym sicrwydd erbyn hyn fod aur yn dda ar diroedd eang y ddau gwmni. Gofalwch ysgrifenu yn ol y cyfarwyddiadau a anfonais atoch cyn gadael y Wladfa – mae Cwmni E.C.Roberts eisioes wedi cytuno a mi i godi cwmni iddynt yn Llundain. Pe buaswn wedi meddwl aros yn y wlad hon, buaswn yn dweyd hyny wrthych cyn cychwyn, credaf y bydd hyn yn attebiad boddhaol ir gofyniad sydd yn eich llythyr. Maddeuwch fy anwylyd am imi ysgrifenu fel hyn – mor fler atoch nid oes genyf fwrdd o dano. (...) Gofaled Owen John am fod yn fachgen da. Rwyf yn gobeithio y byddaf yn alluog i dalu'n ol i'ch holl gymydogion am fod yn garedig wrthych pan y deuaf yn ôl. Mae'n ddrwg genyf eich hysbysu fy mod heb dderbyn un o'r llythyrau y cyfeiriwch atynt – mae'n sicr ei fod yn y Steamer aeth ar mail i lawr i'r De. (...) Rwyf wedi dechreu gwneud casgliad o bethau rhyfedd y wlad hon at ddod yn ol i chwi ach ffrindiau, meini gwerthfawr, plyf ac wyau estrysod, crwyn gwanacod, llwynogod &c. A gawsoch chwi y llythyrau yn ol o swyddfa'r Herald a'r Genedl? Nid oes genyf gopies o honynt. A wnewch chwi dreio eu cael a'u cadw oll, a chadw'r ysgrifau ar "Gyfoeth Mwnawl y Wladfa" a pheidio a'u hanfon i mi.[156] Nid wyf yn

ystyried llythyr y Dr Mihangel Ap Iwan[157] yn werth i wneud sylw o
hono – gwaith rhai pobl yw clochdar yn dragywydd – er hyn diolch
yn fawr i chwi am fod mor ofalus a'i anfon i mi. Mae hi'n chwythu'n
ddychrynllyd fy anwylyd, a'r hen dent yn siglo, rhaid rhoi goreu i
ysgrifenu tan yforu. Good night both

D.R

(…) Give Gerallt my best respects. I promised to write to him; but
really all my friends must excuse me – I have only very little time to
myself, and no Post Office to be had within *four hundred miles*. (…)
Cofiwch fi hefyd at Edward Ellis a'i deulu oll, ynghyd a Mr Owen y
Rector, roeddwn wedi addaw ysgrifenu ato yntau, eiriolwch
troswyf, ac eglurwch iddo y pellder mawr sydd rhyngom a Phost
Office. I am very sorry to hear that Lloyd George is careless about
the money, you push him on. (…)Tell Owen John that I'll be back
next Summer, and that I will bring him a present for being a good
boy. (…) Tell Hugh Jones that we will have a long yarn together
(when I come home) ar Ben-y-Graig ynghylch y byd ai bethau,
South Wales a South America. (…) Tynodd Mr J.M.Thomas,
Chubut, amryw ddarluniau o'r fintai hon[158], pan oeddym yn
gwersyllu yn Santa Cruz, ac addawodd Llwyd Ap Iwan eu hanfon i
chwi. Mae'n debyg y byddwch wedi eu cael o flaen y llythyr hwn.
(…) Rwyf yn mawr obeithio eich bod yn parhau i wella – diolch i
chwi am eich aml gynghorion.

D.R.

Y criw a aeth i chwilio am aur yn yr Andes, 1891
Tynnwyd y llun gan John Murray Thomas
(trwy ganiatâd Adran Archifau a Llawysgrifau Prifysgol Cymru Bangor)

(55) Llythyr arall gan D. Richards at ei wraig yn adrodd hanes y datblygiadau pellach parthed chwilio am aur.

(LlGC 21199 D)

Cwm Hyfryd. Chubut.
Dydd Sul November
22nd 1891.

Fy anwyl Briod,
Cyrhaeddasom i'r fan hon nos Wener diweddaf – oll yn iach, wedi gorphen archwilio cateos Erasmus Jones a Wm Pugh. Mae hwn yn lle hynod o brydferth, gwelltog, coediog, yr unig fan a welais hyd yn hyn (yn Chubut) y caraswn fyw ynddo. Byddwn yn cychwyn oddiyma ar doriad gwawr yforu (dydd Llun) am waith arian y Dyffryn Oer, ac oddiyno am afon fawr y Corcovado; wedi gorphen yno, bwriadwn dori'n unionsyth am Sagmati, lle yr ydym wedi gadael y gwageni, y pebyll &c a thri o'r cwmni yn gofalu am danynt. Mae genym lethrau a chymoedd llawn o goedwigoedd tewfrig o'n blaenau at yforu a dydd Mawrth, ond mae dau Arweinydd o'r Sefydliad hwn yn dod i'n harwain drwodd, John Evans, y gwr ieuangc a ddiangodd yn fyw oddiar yr Indiaid, pan laddwyd y tri Chymro yn un o honynt – Glyn, brawd Berwyn, postfeistr Trerawson yw y llall. Mae y tywydd yn hynod o hafaidd yn y fan hon, a gorwedda'r cwmwd mewn pantlle prydferth rhwng mynyddoedd cribog yr Andes, ac eira oesol yn gorwedd arnynt.

Atebiad i'ch llythyr dyddiedig Awst 25ain. Hyderaf eich bod wedi derbyn yr hyn a ysgrifenais o'r Wladfa cyn hyn, ydyw, mae yr amser yn ymddangos yn hynod o faith mae'n eithaf gwir, ond cawn gwrdd cyn bo hir fy anwylyd. Byddaf yn ol mor fuan ag y gallaf orphen y gwaith sydd mewn golwg (...) Diolch i chwi am y slip o'r "Celt" sef llythyr M. Ap. Iwan, nac anesmwythwch ddim oblegyd fy nghysylltiadau.[159] Llawenydd im calon oedd deall eich bod wedi derbyn y £10 arall drwy Lloyd George, ac hyderaf eich bod wedi derbyn llawer ychwaneg cyn hyn. Gwnaeth yn ddoeth talu'r *dead sent.* (...) Synais glywed fod Cor Llanelli wedi curo cor Caernarvon. Pwy gafodd gadair Ffestiniog tybed? (...)

Deallaf ei bod yn dywydd mawr pan oeddych yn ysgrifenu'r llythyr hwn – yr ydym ninau wedi bod mewn ystormydd o wynt anferth rhwng y Wladfa a'r lle hwn, ac o dan gawodydd o genllysg fel pys fwy nag unwaith, a'r oerni a'r gwres wedi aredig cefn fy nwylaw.

Maddeued J.G. Menai i mi, bywyd rhyfedd yw bywyd y paith a'r wâl ddilen wrth lwyn o ddrain neu dwmpath hesg. Ceisiaf anfon gair ato os caniata cyfleusderau. (...) Nid oes modd peidio cysgu allan fy anwylyd, nis gallwn fforddio lle ar war ceffyl y pwn i gludo'r pebyll gyda ni a'r wersyllfa – Tin pwmpath [?] ydyw ei henw hi bob nos o'r bron, ar dri chroen dafad. Mae fy hosanau a'm crysau fel rhidill yn barod, a'm pocedi gan mwyaf yn ddiwerth. Da iawn genyf ddeall eich bod yn cael tamaid cysurus, ac ychydig o drugareddau newyddion. Dylai Owen John fod yn fachgen da, ac yn garedig wrth ei fam am iddi ofalu am dano – a ydyw ef yn dilyn ei ysgol yn weddol reolaidd. (...) Dywedwch wrth Owen John y carwn iddo beidio cicio *football*, gwaith hynod beryglus ydyw, a gall yn hawdd gyfarfod a damwain a difetha ei hun am byth. Da genyf glywed eich bod yn cael ychydig o ffrwyth y gerddi a blanais. Mae yma Strawberries, Currants, a Rhubarb, digonedd yn tyfu yn mhobman, oll yn eu blodau ar hyn o bryd – bwytais ddwrn o goesyn ruwbob bore heddyw, praffach nach garddwrn. (...)

Rwyf yn amgau ychydig o ddail a blodau gwylltion yn fro hon yn y llythyrau hyn, ond mae arnaf ofn yn byddant wedi crino cyn y deuant i'ch llaw. Mae Phillips wedi myned i fynu i'r Comisario (ty Mr Underwood[160]) i bregethu ac i fedyddio dau blentyn – mab Underwood yw un ohonynt, sef y plentyn cyntaf a anwyd yn y sefydliad hwn; baban un o'r enw Freeman[161] yw y llall; ganwyd ef mewn lle a elwir "Clafdŷ" ar y ffordd wrth ddod i fynu o'r Wladfa tua 5 wythnos yn ol – neithiwr y cyrhaeddodd y teulu hwn i'r Cwm.[162] Miloedd o gofion melys atoch fy anwylyd – os caf fyw, byddaf gyda chwi cyn bo hir. Codwch allan er mwyn cryfhad iechyd, a byddwch dawel yn fy nghylch i – rwyf fi yn teimlo'n lled dda ers rhai dyddiau yn awr. Mae Phillips yn berffaith iach. Good bye Mag bach, I will write you again if I can find someone that will take the letter down to Trerawson to post. Many, many kisses to both of my dear ones.

Yours for ever,
D.Richards.

Nodiadau

126 Mr Azahel P. Bell, peiriannydd o Lerpwl a aeth i'r Wladfa ym 1886 i arolygu'r gwaith o adeiladu'r rheilffordd rhwng Porth Madryn a Threlew. Ffurfiwyd cwmni Ferrocaril Central Chubut ym 1886. Bu Ll ap Iwan a Bell yn cyd-deithio wrth chwilio am diroedd yn nes i'r Andes.

127 Aeth Ll ap Iwan i'r Almaen i astudio am gyfnod yng nghanol y 1880au.

128 Myfanwy Ruffudd Jones (1866-1965). Merch hynaf Lewis Jones a darpar wraig Ll ap

Iwan.

129 Priododd Ll ap Iwan a Myfanwy Ruffudd Jones ym mis Mehefin 1891, gan uno dau deulu Gwladfaol nodedig.

130 Roedd MDJ yn cadw gwenyn ac yn cynhyrchu mêl yng ngardd Bod Iwan yn y Bala.

131 Eluned Morgan (1870-1938).

132 Roedd gan Eluned lais canu swynol ac fe enillodd sawl gwobr eisteddfodol am ganu. 'Cydnabyddid hi fel prif gantores y Wladfa' (*Eluned Morgan*, t. 17).

133 Yn 1891, yn fuan wedi dychwelyd i'r Wladfa, agorodd Eluned a'i chyfnither, Mair Ryffydd, ysgol ganolraddol i ferched yn Nhrelew, ond ni pharodd yr arbrawf fwy na dwy flynedd. Dywedodd Eluned mewn llythyr at D. R. Daniel ym 1893 (*Gyfaill Hoff*, t. 33):

> ... llavuriais yn galed am agos i ddwy vlynedd, heb *ddim* cevnogaeth gan y Gwladvawyr. Yn niwedd yr amser hyny, deuais o'r ysgol, wedi colli vy iechyd, a vy natur wedi ei chaledi a'i suro:ac yna aethym i'r Briv Ddinas, a chevais gas perffaith ar valchder a gwamalrwydd y Philistiaid.

134 Plas Hedd.

135 Bu Maironwen farw ar y 4ydd o Fehefin, 1898 yn 33 mlwydd oed.

136 Chwaer Eluned, Myfanwy Ruffudd Jones, a briododd â Ll ap Iwan, brawd Maironwen, ar yr 11eg o Fehefin, 1891.

137 Gw. troednodyn 133.

138 Erbyn diwedd 1892 roedd John wedi hysbysu Eluned o'i fwriad i fynd i Gymru i gael addysg. Gobeithiai Eluned y byddai'n gwneud ymdrech i ddysgu Saesneg.

139 John Lewis a ddaeth yn weinidog i Gymru.

140 'Batch' – bachigyn o'r gair Saesneg 'bachelor'. Defnyddid y gair hwn i ddisgrifio annedd dynion sengl yn y dyffryn ac ar y paith, neu ddynion priod a weithiai ar y paith ymhell o'u cartref. Weithiau deuai dynion at ei gilydd (fynychaf ar nos Sadwrn) i 'gadw batch'. Dywed W. Meloch Hughes (*Ar Lannau'r Gamwy* ym Mhatagonia, t. 92):

> Yr hyn fu gweithdy'r crydd a'r gôf yn y llannau gynt i fywyd gwledig Cymru, fu'r Batches hyn i'r bywyd gwladfaol yr amser a fu, – rhyw senedd gwaith cartref ... Megid dynoliaeth gref, anibynnol, yng nghylchfyd y rhain. Ychydig yn arw weithiau, mae'n wir, ond un gref, ddigoegni, a difursendod yn anad dim.

141 Cyhoeddwyd y *Dravod* am y tro cyntaf yn y Wladfa ym 1891 dan olygyddiaeth Lewis Jones, (yr un flwyddyn ag y cyhoeddwyd *Cymru* yng Nghymru gyntaf dan olygyddiaeth O. M. Edwards). Erbyn 1893 roedd Eluned a'i chyfnither, Mair, yn helpu i gysodi'r *Dravod*. Byddai'r gwaith hwn ymhen hir a hwyr yn symbyliad i Eluned ysgrifennu a chyhoeddi ei rhyddiaith ei hun. Dair blynedd yn ddiweddarach ymddangosodd ei gwaith am y tro cyntaf yng nghylchgrawn O. M. Edwards, *Cymru*.

142 'Beth feddyliwch chi, fy mrawd?'

143 Sonia J. H. Rowlands yn ei atgofion am fintai'r *Vesta* (*Y Drafod*, dydd Gwener, 6 Medi 1946) i Tom O. Roberts symud yn ddiweddarach i Gualjaina yng ngogledd-orllewin talaith Chubut.

144 Gadawodd tua chwarter mintai'r *Vesta* y Wladfa wedi eu dadrithio ym mis Mai 1887.

145 Cyfeiria RBW at haidd Benjamin Brunt (a hanai o Lanidloes) yn *Y Wladfa* (t. 167):

> ... a dyfodd ar ei dyddyn 'Argoed' i arddangosfa yn Ffrainc yn 1889, ac ennill y wobr gyntaf a'r bathodyn aur yno. Ni chyrhaeddodd y fedal i'r Wladfa fodd bynnag, oherwydd rhoes rhywun ei ddwylo blewog arni yn y dollfa. Yna anfonodd Benjamin Brunt haidd a gwenith i arddangosfa Chicago, lle'r oedd rhai o ddeunaw ar hugain o wledydd yn cystadlu, ac enillodd y wobr gyntaf a'r bathodyn drachefn ...

146 Tybed ai Gutyn Ebrill, Llwyn Ebrill, yw 'Aderyn o'r Llwyn'? Daeth i'r Wladfa ym 1882.

147 Bu sawl taith archwiliadol gan y Gwladfawyr i chwilio am aur ar gyrion yr Andes. Ffurfiodd Edwin Roberts gwmni archwilio. Ar gais y cwmni hwn, gwahoddwyd David

Richards a R. Roberts i ddod i archwilio'r maes.

[148] R. Roberts, Efrog Newydd.

[149] Y Parch. Arthur Phillips, Penrhyndeudraeth.

[150] Ystyr 'cateo' yw caniatâd i redeg mwynglawdd aur. Mae'r Dr M ap Iwan yn egluro fel hyn yn Y Celt (dydd Gwener, 17 Ebrill 1891):

> Hawl cateo yw tri chan niwrnod i archwilio 200 hectarias o dir, yr archwilwyr i nodi allan y lle. Tra pery y cateo yn ei rym, sef 300 niwrnod, o'r dydd y caiff yr archwiliwr ef i'w law, y mae gan y meddianwr hawl gyfreithiol i gadw pawb ond a ddewisia efe allan o'r tir y mae efe wedi ei nodi ...

[151] Morris Humphreys.

[152] Cwmni Gwynfynydd, Dolgellau.

[153] Arthur Phillips.

[154] Gw. llythyr 116.

[155] Aeth Elias Owen i'r Wladfa o'r Wyddgrug. ' ... un o golofnau'r bywyd Cymraeg ... Bu ei ddylanwad yn gryf ym materion crefydd a masnachol y dyffryn ac yn llais croyw hefyd ym mhethau Cwmni Dyfrhau y Camwy ... ' yn ôl Valmai Jones yn *Atgofion am y Wladfa* (t. 72).

[156] Cafwyd cyfres o erthyglau o dan y pennawd 'Cyfoeth Mwnawl y Wladfa Gymreig' gan y 'Cadben' D. Richards yn Y Celt drwy haf 1891.

[157] Tybed ai cyfeirio a wna'r awdur yma at lythyr a ysgrifennodd y Dr M ap Iwan i'r Celt, 21 Awst 1891:

> ... Daeth Cadben Richards, brodor o gyffiniau yr Abermaw, yn ol, a deallaf, cyn belled a Buenos Ayres, ac yr oedd yn dda genyf glywed am ei ddyfodiad dyogel. Ni chefais yr hyfrydwch o'i weled yn bersonol, ond bum yn gohebu ag ef ... Digwyddodd un amgylchiad anffortunus ar ei ddyfodiad yma, sef fod tri o estroniaid wedi cyplysu eu hunain wrtho – dau Belgiad a Llundeiniwr. Anogais ef i dori ei gysylltiad a hwy, ond y mae yn lled debyg fod yr amgylchiadau yn gyfryw fel nas gallai. Feallai ei fod yn gulni ynof, ond os oes modd yn y byd fy nghred i ydyw anfon yr estroniaid i fanau eraill ...

[158] Yn ogystal â bod yn arloeswr ac yn arweinydd teithiau i'r Andes, roedd John Murray Thomas (1847-1924) yn ffotograffydd cynnar a heddiw mae ei luniau'n gofnod pwysig o hanes y Wladfa.

[159] Roedd gan ei wraig le i boeni am 'ei gysylltiadau'. Dywed Elias Owen yn Y Drafod, dydd Gwener, 18 Chwefror 1944, rhif 2220:

> Daeth Capten Richards Penrhyndeudraeth a'r Parch Phillips o'r un lle i Buenos Ayres o Gymru yng nghwmni Mr Roberts New York ... Gwenodd ffawd arnynt yn y Brif ddinas. Daethant i gyffyrddiad a Belg o'r enw De Leroux yn awyddus i gymeryd rhan yn y fenter. Ni wyddent ar y pryd o ble y cafodd hwnw ei gyfoeth. Digon iddynt hwy ar y pryd oedd cael cyfalaf i brynu peirianau ... Ar ol hyny daethant i ddeall fod De Leroux yn gyfrifol gyda'i frawd arall am gyfoeth mab i frawd arall iddynt oedd wedi marw cyn bod eu nai mewn oed, a gallodd De Leroux ffugio enw ei frawd a chodi arian yn ei enw ei hun, a dod allan i Archentina ...

Carcharwyd y Belgiad yn ddiweddarach.

[160] Martin Underwood. Priododd ym 1886 â Sarah Ann Griffiths o Gwm Aman. Roedd Underwood (o Birmingham yn wreiddiol) a'i deulu yn un o'r rhai cyntaf i ymgartrefu yn yr Andes ar ddechrau 1891. Gweithiai fel prwyad i'r llywodraeth ac roedd yn ynad heddwch.

[161] Gw. llythyrau 79 a 80.

[162] Merch, nid bachgen, a aned ar y paith, sef Mary Paithgan.

PENNOD 4

'Heulwen a chwmwl'
(Llythyrau 1895-1904)

Bu cynaeafau da ym 1894 a 1895 a gweithiai'r camlesi, er nad oeddent oll wedi eu cwblhau, yn foddhaol. Yn sgil hyn roedd byd masnach ar gynnydd; roedd pethau'n argoeli'n dda. Ond roedd sawl cwmwl ar y ffurfafen eto. Yn 1896 daeth cyfnod Fontana fel rhaglaw'r diriogaeth i ben a daeth Eugenio Tello, pabydd selog, yn ei le. Nid oedd hwn mor boblogaidd â'i ragflaenydd. Cyhoeddodd lyfryn ar hanes y Wladfa ac yn hwnnw galwodd y Cymry'n *'Drogloditod'*, sef Ogofawyr (gw. *Ar Lannau'r Gamwy ym Mhatagonia*, t. 159). Ymdeimlir â rhwystredigaeth y Gwladfawyr parthed diffyg cydweithrediad yr awdurdodau Archentaidd mewn llythyr diweddarach gan Ll ap Iwan at OM ym 1900 (rhif 70) pan ddywed:

> ... Ein diffyg ni acw yw, nad ydyw y llywodraeth yn cydymdeimlo ac amcan hyrwyddwyr y mudiad gwladfaol, ac nad oes genym neb yn Senedd y wlad i weithio trosom. Mae'r llywodaethwyr a'u holl egni yn rhwystro ein cynydd ac am ladd yr yspryd Gymreig ...

Pasiwyd cyfraith a orfodai pob dyn rhwng deunaw a deugain oed i fynd drwy gwrs o ddisgyblaeth filwrol. Nid oedd y Cymry'n gwrthwynebu'r egwyddor, ond gwrthwynebent yn chwyrn fod yr orfodaeth filwrol hon, neu'r 'drilio' fel y'i gelwid, yn digwydd ar y Sul, a thrwy hynny'n dinistrio cysegredigrwydd y Sabboth. Aeth amryw o'r Cymry i'r carchar yn hytrach nag amharchu'r Sul (gw. llythyr 62). Ysgrifennodd LJ lythyr at y Llywodraeth yn apelio ar iddynt newid y diwrnod. Rhoddodd y Llywodraeth yr hawl i Tello newid y diwrnod, ond ni wnaeth hynny. Nid tan ymweliad hanesyddol yr Arlywydd Roca â Chubut ar ddechrau 1899 y caniatawyd i'r Gwladfawyr ddrilio ar ba bynnag ddiwrnod y mynnent.

Er gwaethaf diffyg trefn ac ymgecru'r blynyddoedd cynnar, llwyddodd y sefydlwyr cyntaf i gydweithredu i droi anialwch Dyffryn Camwy yn dir ffrwythlon. Ergyd arw i'w hymdrechion arwrol oedd llifogydd 1899 felly. Ceir blas o lid yr afon a'i orlif yn llythyr Meudwy (rhif 64): ' ... a beth pe gwelet ti y gorlif yn dod yn un mur mawr o fryn i fryn, amryw filltiroedd o led, a'i ruad dwfn, lleddf, byddarol pan ysgubai bopeth o'i flaen, yn gwneud i'r dewraf grynu ... '

Ni fu ymwared rhag llid afon Camwy na'i ddinistr. Bu gorlifiadau eraill yn Nyffryn Camwy yn 1901, 1902 a 1904.

Effeithiodd y llifogydd yn drwm ar iechyd LJ, fel y gwelir yn rhai o'r llythyrau a ganlyn. Chwalwyd y cartref, Plas Hedd, a llethwyd ysbryd afieithus y penteulu. Ysgrifennodd at ei ferch, Myfanwy, a oedd ar ymweliad â Chymru ar y pryd ym 1900 (llythyr 67) gan ddweud: 'Hwyrach y deallwch wrth y traed brain hyn y fath wreck yw eich tad! Ac ni ddalltwch fyth y boen a'r dioddefaint imi yw yr ymdrech i **feddwl**, heblaw sgriblo ...'

Ceir sawl llythyr gan Eluned o'r cyfnod hwn yn cwyno bod ei ffrindiau yng Nghymru wedi anghofio amdani hi a'i thad. Fel eraill yn y Wladfa, gyda'r boblogaeth mor wasgaredig, byddai Eluned yn profi cyfnodau o unigrwydd affwysol. Llythyrau oedd ei chyfeillion. Yn wir, gellid dweud eu bod yn fwyd ac yn ddiod iddi hi. Mewn llythyr at William George (brawd Lloyd George) ym 1900, dywed Eluned: 'Bu ddyfal ddisgwyl a hiraethu am air o'ch hynt, ac o'r diwedd fe ddaeth llythyr, ie, llythyr yn ystyr gysegredicaf y gair, trysor i'w gadw a'i fwynhau, "Oasis" yn nghanol crasdiroedd bywyd ...' (*Gyfaill Hoff*, t. 65.)

Effeithiodd y llifogydd ar ei hysbryd hithau hefyd. Hi fu'n rhaid ysgwyddo'r baich o gael trefn ar gartref iddi hi a'i rhieni oedrannus. Nid oedd amser i fawr ddim ond clirio'r llanast. Dywed wrth OM (llythyr 69) ym mis Awst 1901, yn dilyn yr ail lif:

> ... mae gofidiau a helbulon a gerwinder ofnadwy fy mywyd wedi mynd a'r heulwen o'm calon i gyd – cwyno'n dost y mae'm cyfeillion gu ym mhob man, nad oes air o hynt Eluned fyth yn eu cyrhaedd, heb feddwl fod dwylaw Eluned yn rhy anystwyth i gydio mewn pin ai chefn yn crymu'n flin ar ddiwedd dydd gan bwys y gwaith, dim ond ceisio gorphwys ac adennill nerth i ail ddechreu'r gwaith foreu trannoeth ...

Tra bûm yn aros gyda Tegai Roberts a'i chwaer Luned Vychan Roberts de González (gornithoedd Eluned Morgan) yn eu cartref ym Mhlas y Graig, y Gaiman yn 2007, daethpwyd ar draws adysgrif o bedwar llythyr gan OM at Eluned Morgan, dyddiedig 21 Hydref 1896; 31 Rhagfyr 1896; Nadolig 1900; a Rhagfyr 1907. Dyma'r tro cyntaf imi ddarllen rhan OM o'r ohebiaeth rhyngddo ef ac Eluned Morgan. Roeddwn wedi darllen bron i drigain o lythyrau gan Eluned at OM yng nghasgliad llawysgrifau OM yn y Llyfrgell Genedlaethol, ond heb ddarllen ei lythyrau ef ati hi. Gellir tybio i lawer o'r rhain (fel llawer o lythyrau eraill y cyfnod) gael eu colli adeg llifogydd difaol 1899. Fe ysgubwyd cartref Eluned ac mae'n debyg i'w llythyrau ddiflannu gyda'r llif. Profiad cynhyrfus, felly, oedd dod ar draws tudalen deipiedig o rannau o bedwar llythyr gan OM at Eluned. Ni ŵyr neb pwy na pham na phryd yr aed ati i deipio'r pytiau hyn o lythyrau OM at Eluned. Er nad oes fawr ddim llythyrau yn bodoli ganddo ef ati hi, mae'n amlwg o lythyrau Eluned iddo ohebu'n gyson â hi.

Hen ferch fu Eluned tan ei marwolaeth, ac eto, merch a oedd yn hoffi troi mewn cylchoedd gwrywaidd ydoedd. Roedd hi'n llythyru'n frwd â dynion. Ychydig enghreifftiau o lythyrau at ferched sydd gennym yn llaw Eluned. Diddorol yw perthynas lugoer Elin Edwards, gwraig OM, ac Eluned, fel y gwelir yn ei llythyr (58) at ei gŵr, dyddiedig 1896. Does dim amheuaeth bod OM yn dipyn o arwr gan Eluned. Dywed amdano mewn llythyr at William George (*Gyfaill Hoff*, t. 58), dyddiedig Tachwedd 1899: ' ... efe yw'm Ideal i o bob peth sydd Gymreig, o bob peth sydd bur, o bob peth sydd aruchel, efe yw'm hathraw llenyddol ac wrth ei draed yr hoffwn fyw.'

Beth bynnag fo teimladau OM tuag at Eluned yn ystod y cyfnod hwn, fe ysgrifennodd lythyr at ei wraig o Rydychen ym 1906, ddiwrnod wedi i Eluned hwylio'n ôl i'r Wladfa, gan ddweud, 'Un od ydi Eluned ... ' (*Llythyrau Syr O. M. Edwards ac Elin Edwards 1887-1920*, t. 363).

Ddiwedd y ganrif flaenorol fe ymsefydlodd sawl teulu yn yr Andes. Tipyn o gamp oedd croesi'r paith rhwng Dyffryn Camwy a'r Andes ac mae'n rhaid edmygu dewrder y gwŷr, y gwragedd a'r plant hyn. Croesodd y teulu Freeman y paith – ynghyd â thri theulu arall – ym 1891. Roedd gan y teulu hwn ddeg o blant ac roedd y fam yn feichiog. Ganed merch a oedd yn pwyso deg pwys iddi ar y paith, heb gymorth bydwraig na meddyg, ac fe gafodd y fechan yr enw Paithgan. Daeth teuluoedd yr Andes yn rhan o hanes pwysig y Wladfa. Fe'n cyflwynir ni yn y bennod hon i deuluoedd Benjamin Pugh Roberts a Lizzie Freeman. Ceir mwy o'u hanes, a hanes eu disgynyddion, yn y bennod nesaf. Chwaraeodd sefydlwyr Cwm Hyfryd ran allweddol yn ystod y cyfnod hwn wrth i Lywodraeth yr Ariannin a Chile anghydweld parthed ffin y ddwy wlad. I'r Cymry yn yr Andes y mae'r diolch pennaf am sicrhau hawl yr Ariannin i gadw'r tiroedd yn y rhan hwn o Batagonia.

Ar ben diflastod llanast y llifogydd, pasiwyd Deddf Riccheri ym 1901 a oedd yn gorfodi'r dynion i gwblhau gwasanaeth milwrol:

> Amcan y ddeddf oedd proffesiynoli'r Fyddin ac 'archenteiddio' trigolion y wlad. Roedd y conscripts (gorfodogion) yn gwasanaethu am flwyddyn yn y Fyddin neu am ddwy flynedd yn y Llynges. Ym 1993 dirymwyd y Ddeddf Riccheri ac oddi ar hynny troes Byddin yr Ariannin yn gorff proffesiynol.

> ('Polisïau Addysg, Iaith a Hunaniaeth yn y Wladfa (1900-1946)' gan Walter Brooks, *Y Traethodydd*, Hydref 2008.)

Teuluoedd ar eu ffordd i'r Andes ddechrau'r 1890au
Tynnwyd y llun gan John Murray Thomas
(trwy ganiatâd Adran Archifau a Llawysgrifau Prifysgol Cymru Bangor)

Efallai mai mewn ymateb i hyn, ac oherwydd ymgais y Llywodraeth i 'archenteiddio'r' bobl, y ffurfiwyd Cymdeithas Addysg Ganolraddol y Camwy ym 1904. Trwy lafur ac ymdrechion arwrol, gosodwyd carreg sylfaen adeilad yr ysgol newydd ym 1906. David Rees Jones oedd ei hathro cyntaf (gw. erthygl Eluned yn *Cymru* 1910, t. 29-35).

Effaith dinistr y llifogydd yn anad dim sy'n britho llythyrau dechrau'r ugeinfed ganrif. Dinistriwyd dros gant o dai (gan gynnwys Plas Hedd), wyth capel, pum ysgoldy a thri llythyrdy. Canlyniad hyn oedd dechrau trafod ailymfudo unwaith yn rhagor. A oedd Gwladfa'r Gamwy yn addas fel trigfa? Digalonnodd nifer o'r Gwladfawyr yn sgil y gyfres o orlifiadau a bu hyn yn symbyliad i nifer drafod ymfudo i wlad arall, gan gynnwys De Affrica, ac yna Canada. Mewn llythyr at ei frawd-yng-nghyfraith, yr Athro Thomas Rhys, ym 1902, dywed Ll ap Iwan fod nifer o deuluoedd yn ystyried ymfudo i Dde Affrica 'yn dilyn y dinistr a achoswyd gan y llifogydd diweddar ... '. Ym mis Mai 1902 aeth 234 o Wladfawyr o Fadryn i Ganada ar y llong *Orissa*. Dywed W. Meloch Hughes (*Ar Lannau'r Gamwy ym Mhatagonia*, t. 202):

> Mynediad y fintai hon i Canada fu'r ergyd gymdeithasol a chrefyddol drymaf gafodd y Wladfa er adeg ei sefydliad, ac ni allodd ymddadrys o'i effeithiau hyd yr awrhon, os gwna byth.

Magodd y Gwladfawyr hyn a ymfudodd i Ganada genhedlaeth na fedrai siarad Cymraeg. Ym 1903 aeth amryw o Wladfawyr, o dan arweiniad Edward Owen, Maes Llaned, i sefydlu ynys Choele Choel mewn dyffryn yn Rio Negro. Ni pharodd y sefydliad na'r Gymraeg yn hir yno ychwaith. Dyma'r union broblem y gweithiodd MDJ mor ddygn i geisio'i hosgoi wrth argyhoeddi'r Cymry i ymfudo i un fan gyda'i gilydd er mwyn gwarchod eu hiaith, eu diwylliant a'u crefydd. Beirniadwyd MDJ yn chwyrn am ddewis lle mor anghyfannedd â Phatagonia i ymsefydlu ynddo, ond ymddengys mai ymfudiad MDJ i'r Wladfa fu'r mwyaf llwyddiannus o'r holl wledydd a geisiwyd.

Bu MDJ farw ym 1898 a chafwyd nifer o golledion eraill pan bu farw amryw o hoelion wyth y Wladfa – pobl megis Cadfan a D. S. Davies, Caerfyrddin.

Benthycais bennawd y bennod hon gan W. Meloch Hughes o'i gyfrol *Ar Lannau'r Gamwy ym Mhatagonia* wrth iddo ddisgrifio blynyddoedd cyntaf yr ugeinfed ganrif. O ddarllen llythyrau'r bennod hon, cymylau duon a dilyw a welir fwyaf. Y rhyfeddod yw bod y Gwladfawyr wedi dyfalbarhau'n wrol yn erbyn yr holl ystormydd a ddaethai i'w rhan. Heulwen eu ffydd a'u dyfalbarhad sy'n tywynnu drwy eu hepistolau, a hynny'n dyfnhau'r edmygedd ohonynt.

Eluned ac O. M. Edwards

(56) Rhan o lythyr Eluned o'r Wladfa at ei harwr yng Nghymru (o bosib ei llythyr cyntaf at OM).
   (LlGC AG5/2/7)

Ebrill 20fed /95
Plas Hedd, Territorio Chubut. BA

Annwyl Gydwladwr,
Er na chefais y pleser o'ch adnabod yn y cnawd, eto teithiais lawer gyda chwi dros for a mynydd, o fewn tudalennau swynol eich 'Cymru'.[163] A thyna sut y daethum yn ddigon dewr i'ch cyfarch vel hyn. Yr wyf wedi bod yn dderbyniwr (neu derbynwraig, prun sydd oreu?) cyson o'r 'Cymru' er y cychwyn, bu cyfaill i mi yn ddigon caredig a'i anfon hyd ddiwedd y flwyddyn diweddaf, ac yna ni fu ffyddlon mwy, credaf iddo ddal can hired a cyfeillion yn gyffredinol, ond dysgodd hen gast i mi drwy ddanfon y 'Cymru' ac mae'n anhawdd tynu cast o hen geffyl onid ydyw, felly finau hefo'r 'Cymru'. Nid oes fodd byw hebddo, mae fy enaid yn dyheu amdano "fel yr hydd am yr afonydd dyfroedd." (…) Byddwn yn clywed am yr holl bethau da sydd yn eiddo'r Cymry y dyddiau hyn, ond yn gorfod byw yn aml ar ddim ond y clywed, yr ydym mor anghysbell, a'n cymundeb a'r byd mor ansicr.

Ar hyn yma tawaf, gan hyderu na ffromwch yn aruthr iawn am i mi eich trafferthu fel hyn, pe buaswn yn gally gwneud rhyw ffordd yn well o wneud fy neges, ni fynaswn er dim eich poeni, gan wybod mor werthfawr yw pob munud o'ch amser. Ond meddyliaf eich bod yn ddigon o Gymro i hoffi helpu ambell i Gymraes sydd yn byw yn mhell o gyrraedd manteision hen Gymru Wen.

Dymunaf anvon fy nghofion cynes at Mrs Edwards, cefais y pleser o fod yn y Prys, cyn i chwi ei yspeilio o'i rosyn. (…)[164]
Cofion lawer
Yr eiddoch byth yn bur
Eluned Morgan
(neu fel y'm hadwaenir oreu merch Mr Lewis Jones o'r Wladfa
Gymreig. Golygydd y Dravod gynt)

(57) Adysgrif o ran o lythyr canmoliaethus Owen M. Edwards[165], Bryn'r Aber, Llanuwchllyn, 21 Hydref 1896 at Eluned Morgan[166].

(Canfuwyd adysgrifiad o bedwar llythyr gan OM at Eluned yng nghartref Tegai Roberts a'i chwaer Luned Vychan Roberts de González, Plas y Graig, y Gaiman yn 2007.)

... Yr ydych wedi llorio gwr y Darian yn hawdd iawn, ac y mae eich Cymraeg yn brydferth i'w ryfeddu. Bywyd Patagonia; ysgolion merched; teyrngarwch i'r Gymraeg; gwaith bywyd y parch M.D.Jones; bywyd ar y mor, arferion a chredoau Indiaid – y mae testunau dirif o'ch blaen. Ni hoffwn ddweyd dim a gwawr gweniaith arno – ond yr wyf yn teimlo fod eich Cymraeg yn dlws iawn ... Cofiwch fi'n garedig at Mr. Jones.[167] Mwyaf wyf yn ymgydnabyddu a Chymru, cliriaf oll y gwelaf argraff ei fywyd. Bu'n garedig iawn wrthyf finnau erioed ...

(58) Rhan o lythyr pigog Elin Edwards o Lanuwchllyn at ei gŵr OM yn Rhydychen.

(Copïais hwn o lyfr Hazel Walford Davies, *Llythyrau Syr O. M. Edwards ac Elin Edwards, 1887-1920* t. 276)

Bryn'r Aber, Llanuwchllyn
Dydd Iau (Hydref 22, 1896)

Fy anwyl Owen,
Dydw i ddim yn gweld fod achos am wneyd cymaint o Eluned Morgan. Ydych chwi yn cael rhywbeth oddiar ei llaw heblaw ei bod yn prynnu rhai o'ch llyfrau? Mae gen i ddigon. Does arna i eisieu ddim chwaneg ataf. Gan fod gennyh chwi gymaint o ffansi ati, cymerwch hi atoch i Oxford a chysgwch hefo hi os leiciwch chwi. (...)

Cofion cynnes oddiwrthym,
Ellen

(59) Darn o adysgrif o lythyr gan OM, Bryn'r Aber, Llanuwchllyn, 31 Rhagfyr 1896 at Eluned.

(Copïwyd gyda chaniatâd Tegai Roberts a Luned Vychan Roberts de González ym Mhlas y Graig, y Gaiman yn 2007.)

Diolch yn fawr am yr erthygl, y mae'n ddiddorol anghyffredin.[168] Yr wyf wedi cadw lle iddi yn y Cymru, ac yn disgwyl block y darlun bob dydd. Bydd block o blant ysgol y Wladfa yn rhifyn Chwefror o Gymru'r Plant hefyd.

Dyma daleb am ddwy gini – cydnabyddiaeth fechan am eich ysgrifau (...) Yr wyf yn hollol o'r un deimlad a chwi am y merched a'r iaith. Y mae hi'n fwy anodd cael y merched i adael yr hen ffasiwn wasaidd na neb. Dyna destyn iawn i chwi ysgrifennu pwt i Heddyw arno.[169] Maddeuwch i mi am ofyn, – a ydych yn meddwl aros yng Nghymru? Ac os felly, oni ddylech gymeryd un o'r ysgolion sir? Nid oeddwn yn leicio eich holi pan oeddych yma, ac yr roedd yr amser mor fyr ...

(60) Rhan o lythyr personol a phestimistaidd Eluned o Gymru at OM yn Rhydychen cyn iddi ddychwelyd i'r Wladfa.

(LlGC AG5/2/14)

Druid House, Carnarvon. Rhag 2fed/97

Fy nghyfaill hoff,

(...) Mae fy nhad a minnau yn hwylio o Lynlleifiad ar yr 11eg or mis yma – Ni fuaswn i yn mynd yn awr oni bae fod iechyd fy nhad mor wanaidd, fel nad yw yn ddiogel iddo drafeilio ei hun. Trist odiaeth yw fy nghalon heno wrth ysgrifennu hyn o eiriau atoch. Mae cefnu ar hen Gymry Wen yn loes fwy y tro yma nag erioed, gan fy mod yn mynd adref i wynebu llawer o siomedigaethau. Y Cwmni Tir yn fethiant[170] – felly dyfodol y Wladfa yn dywyll – Llyfr fy nhad yn cael ei bacio yng ngwaelod box – gwaith mawr ei fywyd – ar ddau beth hyn wedi nychu ei iechyd ir fath raddau nes ei wneyd yn hen cyn ei ddyddiau a gwneyd y byd yn ddu odiaeth yn ei olwg.[171]

Minau ym mlodau fy nyddiau, a'r byd yn edrych yn ddigon gwyn – ond yn mynd adref i fyw yn y cysgodion. A byddaf yn ofni ac yn crynu weithiau rhag i'r tywyllwch ddyfod ar fy enaid inau hefyd – ac i mi fethu ymysgwyd ohono – a thrwy hyny wneud fy mywyd yn ddifudd.

Maddeuwch y geiriau hyn fy nghyvaill hoff – fe dreiaf ysgrifennu llythyrau gwynnach o'r ochr arall i'r Werydd yma.

Yr wyf yn anvon sypyn or Dravod i chwi, yn mha un y cewch weld fod y drilio ar y Sul wedi ei stopio yn derfynol – ar golygydd[172] yn ofalus iawn rhag rhoi y clod o hyny i Lewis Jones – taw na wnaethant byth heb gynorthwy L.Jones – ond orau hyny – dyna yw ei ddiolch wedi bod erioed a thyna fydd mwyach hyd ddiwedd ei oes lafurus – Wedyn hwyrach y codant gofgolofn iddo ac yr ysgrifenant lyfrau lawer i ddweyd am y gwrhydri a wnaeth! A pha gysur fydd hyny ir hen gorphyn gwael yn mhriddellau'r hen ddaear. (...)

Cof genyf i chwi addaw copi o weithiau Islwyn i mi pan oeddwn ar ymweliad a Rhydychen. Ni fuaswn yn eich adgofio o hyn oni bae fy mod yn meddwl cymaint o rodd oddi ar eich llaw, ac os byddwch garediced ac ysgrifennu fy enw ynddo bydd yn fwy gwerthfawr fyth yn fy ngolwg.

Rwy'n mawr hyderu cael hamdden a thawelwch i ysgrifenu llawer gair bach i'r "Cymru" ar ol gorffwys ar fy rhwyfau ym Mhlas Hedd, a gobeithio y danfonwch chwithau air bach och hanes weithiau sut y byddwch a syt y bydd Mrs Edwards a pha gynnydd fydd Ifan bach yn wneud. (...)[173]

Nid af i ddechreu na cheisio diolch i chwi am eich mawr garedigrwydd yn danfon eich misolion im cartref pell – Gwyn fyd na chawn gyfle i weithio drosoch mewn rhyw fodd neu gilydd.

Rhaid ffarwelio ar hyn gan obeithio eich gweld eto cyn hir iawn. Fy nghofion annwyl atoch ac at Mrs Edwards ac Ifan bach
Eluned.

(61) Darn o adysgrif o lythyr OM o Fryn'r Aber, Llanuwchllyn at Eluned, dyddiedig Nadolig 1900.[174]

(Copïwyd o adysgrif sydd ym meddiant Tegai Roberts a Luned Vychan Roberts de González yn eu cartref ym Mhlas y Graig, y Gaiman yn 2007.)

Nadolig 1900, carden a llun Ifan ab Owen a Haf, ac OME wedi scriblo ar yr amlen.

... Y mae y darluniad o'ch taith i'r Andes wedi rhoi lle arhosol i chwi ymysg llenorion Cymreig y tynnodd sylw mawr yn y wlad hon ... Yr wyf yn edmygu eich gwroldeb, gobeithio y daw pobpeth yn iawn ... yr wyf finnau heno yn ddwy a deugain oed, ac yn gresynnu mor ychydig wyf wedi fedru wneyd, er i mi weithio'n galed ...[175]

Drilio ar y Sul

(62) Llythyr Owen Williams yn ymateb i gais gan RBW am hanes y Wladfa ar gyfer ei gyfrol *Cymry Patagonia* a gyhoeddwyd gan Wasg Aberystwyth ym 1942. Crybwyllir enw Owen Garmon, sef awdur y llythyr hwn, yn y gyfrol honno (t. 111). Er nad yw'r llythyr hwn yn perthyn i gategori dyddiadau'r bennod hon (fe'i hysgrifennwyd ym 1930), mae'n adrodd hanes helynt y drilio ar y Sul. Ym 1899 aeth Llwyd ap Iwan a T. Benbow Phillips[176] i Brydain i geisio cymorth Llywodraeth Prydain i sicrhau hawliau'r Cymry yn ne'r Ariannin i beidio drilio ar y Sul. Roedd awdurdodau'r Ariannin yn amheus o ymyrraeth fel hyn a chafodd sawl Cymro ei groesholi a'i garcharu yn ystod y cyfnod hwn.

(Adran Archifau a Llawysgrifau Prifysgol Cymru Bangor 10219)

(Trannoeth wedi Dy'Gwyl)
1810 "25 de Mayo"[177] 1930
Andesonia
Capel Garmon
Llanrwst.

Bonwr. R.Bryn Williams.
Annwyl Gyfaill,

Yr oeddwn newydd ddarllen y llythyr dderbyniais oddiwrthych ers wythnosau bellach. Deuais ar ei draws wrth chwilota, a rhyfeddwn na buasech cyn hyn wedi cael eich saib a galw yma! Yn y llythyr soniech am y Bonwyr Evan Jones a James Nicols[178], [?] pan draddodech hanes y Wladfa &c, a phwy ddigwyddodd ddod yma wrth ddychwelyd adref ar ei daith frodorol ond y cyfaill James Nicols! Cyd-ddigwyddiad ynte? Yn naturiol iawn wedyn soniem am danoch chwi a'ch cynllun rhagorol i ddwyn i fwy o olau dydd hanes ymdrechion y Wladfa yn ei gwahanol agweddau. Ymhlith pethau eraill aethum dros ystori y "Drilio ar y Sul" yn y Wladfa, y modd y daeth yr hen Franco plismon y Gaiman drwy orchymyn Penaeth yr heddlu i'm cyrchu o Gwrdd Gweddi yng Nghapel y Gaiman[179] am cludo ar hyd y nos i'r Rhaglawdy Rawson gyda y diweddar hen Gyfaill JSWilliams fel Cadeirydd Cyngor y Gaiman. (Ysg. oeddwn i) ill dau yn garcharorion dan orchymyn pendant i'n cadw yn "incomunicados"–. Fy ymddanghosiad gerbron y Rhaglaw O'Donnell[180] – fel y daeth rhyw *Lackey* a *revolver* i'r ystafell, ac un arall ar ei ol a gosod y *ddau* yn *groes* ar y bwrdd ysgrifenu o flaen ysgrifenydd y Rhaglaw yn yr Ystafell eang – cyn dechreu or hen O

Donnell fy arholi yr hyn a wna tan grynu, ac yn wyn fel y papyr yma cyn fy mod i yn ei sgriblo fel hyn. Ac wedi iddo ofyn ai myfi oedd yr un ddywedodd y "rhown y Dafn olaf om gwaed yn erbyn y Drilio ar y Sul" ac i minau ddweud *mai myfi ydoedd* terfynodd fy exam. Pan alwyd y Cadeirydd – nid oedd yno yr un rhych – ddryll na son am dano. Fel y daeth dan [?] i wneud ymholiad. Wedi hynny, ac y diorseddwyd yr hen Raglaw Pilataidd ac bu raid iddo fo a'i holl garsiwn ymadael ar Gobernacíon. Fel y bu i'r Cythrwfl beri newid Deddf y Drilio ar y Sul drwy'r Weriniaeth. Mae yr hanes yn gyflawn ac annileadwy ar fy nghof. Cewch y manylion os bydd hynny yn taro i'ch pwrpas ynglyn a'ch gwaith.[181] Efallai fod gennyf rhywbeth all fod yn gynorthwy i chwi ar ddwyn allan eich amcan, os oes bydd at eich gwasanaeth. Mae llyfr y diweddar Hughes Meloch gennyf, ond yn wir nid rhyw lawer o flas gaf arno. (...)

Gan ddymuno pob llwyddiant i chwi.

Eich ewyllysau da
Owen Williams.

Ergyd arall i deulu MDJ

(63) Rhan o lythyr Mihangel ap Iwan o'r Ariannin at ei rieni, MDJ a Mrs Anne Jones yng Nghymru yn fuan wedi marwolaeth ei chwaer, Maironwen.
(Adran Archifau a Llawysgrifau Prifysgol Cymru Bangor 11384)

Talleres [?] Junin F.C.P.

Prov. B.Aires

Gorph 9fed 1898

Rieni Hoff.

Anfonais atoch ychydig o ddyddiau yn ol, hefyd at Rhys i Fangor.[182] Y mae Llwyd wedi dod yma ers rhai dyddiau ac yn bwriadu aros hyd nes ca long i ddychwelyd ir Wladfa yn lled debyg y bydd hyn oddeutu yr ugeinfed. Y mae wedi bod yn y Rio Negro yn ddiweddar. (...)

Cefais lythyron gan Mam a Myfanwy[183] yn ddiweddar yn dywed fod yna un o'm llythyron wedi cyrhaedd heb un stamp arno, a chredaf fod amryw om llythyron wedi myned ar goll yn ddiweddar ond odid y cyrhaeddant yn well yn awr ar ol rhoi dipyn om meddwl ir bachgen yma sydd yn myned a hwy ir post. Credaf ei fod yn pocedi arian y stamps.

Gobeithio eich bod yn cael mwynhau tywydd yr haf yna yn awr, da chwi Mam cerwch am drip ir Bermo neu y ffynonydd er cael newid cyflawn. Mae yn rhaid i chwi beidio fexio rhaid cymodi a phobpeth fel y daw yn yr hen fywyd yma a phan bydd galw arnom i fyned wel do it with a good grace neu ar hyn leiaf dyna fy nheimlad i ar hyn o bryd. Nid wyf yn credu ei fod yn iawn i ni garu bywyd yn ormodol ac os byw y mae yn ddyledswydd arnom beidio gwneud y byw hwnw yn waeth na angau, rhaid i ni wneud y gorau o bethau. Yr oedd Mair druan heb erioed gael gweled nai hargyhoeddi fod yna fwyniant yn y bywyd hwn, rhaid chwilio am rhyw faint o heulwen ac nid bodoli yn nghysgodion angau o hyd.[184] Peidiwch a fexio da chwi mam bach a gwnewch fel yr wyf yn gofyn sef myned ir Bermo neu y ffynonydd am dymor.

Eich mab hoff

Mihangel.

Y lli mawr

(64) Bu Lewis Evans (Meudwy) yn fuddugol yng Nghwrdd Llenyddol Moriah ar y 10fed o Orffennaf, 1899 ar ysgrifennu llythyr. Mae'r llythyr hwn yn disgrifio llifogydd 1899.

(Cyhoeddwyd hwn, sef 'Llythyr at gyfaill yng Nghymru yn dweyd hanes y Wladfa yn y cyfwng presennol' ynghyd â chwe llythyr arall yn y gyfrol *Adlais y Gamwy – detholiad o waith y diweddar Fonwr Lewis Evans (Meudwy) o'r Wladfa Gymreig ym Mhatagonia*. Cyhoeddwyd y llythyrau hefyd yn y *Drafod*. Detholais yma ran o'r llythyr.)

LLYTHYR AT GYFAILL YNG NGHYMRU YN DWEYD HANES Y WLADFA YN Y CYFWNG PRESENNOL.

UN O Destynau Cwrdd Llenyddol Moriah, Gorfennaf 10, 1899.
Buddugol – L.Evans (Meudwy)[185]
YR AIL LYTHYR

ANNWYL GYFAILL, – Yr wyf wedi dychryn gormod i allu cydio yng nghynffon y llythyr cyntaf a dilyn ymlaen yr hyn addewais yn hwnnw. Daeth yn storm sydyn arnom, oherwydd i Seithenyn feddw fod yn esgeulus gyda'r llif-ddorau, a'r canlyniad fu – boddi ein Cantref. Ni welwyd y fath lif, a gwnaeth ddinistr mawr ar eiddo – lliaws mawr o dai yn adfeilion, dodrefn yn myned ymaith ar frig y cenllif, teisi "Alfafa" fel llongau ar wyneb y dyfroedd, gwenith na ŵyr neb faint eto, wedi mallu, y preswylwyr yn ffoi am eu heinioes i lethrau y bryniau am ddiogelwch, y tywydd yn wlawog ac oer, tanau ym mhob cyfeiriad i geisio cynhesu y rhai bychain, a mawrion o ran hynny, – y fath olygfa! – pwy a rif lwch Jacob! (...) Yr unig greaduriaid wrth eu bodd oedd yr hwyaid. Yr oeddym oll yn hwyrfrydig i symud – dim yn credu fod y fath rym o ddyfroedd ar ddyfod ar ein gwarthaf. Dacw un yn gafael ym mraich ei anwylyd, ac ychydig o lyfrau dan ei gesail yn prysuro drwy y dyfroedd, fel pe yn myned drwy afon angeu yn gorfod gadael y byd a'i bethau ar ol; un arall a'i dylwyth ar nen y tŷ yn llefain am help, ac yn ei galedi fel Manasseh yn gweddïo ar Arglwydd Dduw ei dadau; plismyn yn dreifio byddariaid eraill o'u tai i le o ddiogelwch, y gwragedd yn anffoddlawn gadael eu llestri *crand* a'u *fancy dogs* ar ol, – mewn gair, welaist ti y fath firi yn dy fywyd erioed; a beth pe gwelet ti y gorlif yn dod yn un mur mawr o fryn i fryn, amryw filltiroedd o led, a'i ruad dwfn, lleddf, byddarol pan ysgubai bopeth o'i flaen, yn gwneud i'r dewraf grynu, – ffwrdd ag ef drwy ein pentrefi, gan eu gwneud yn garneddau, – ysgubell distryw yn glanhau ein heolydd. *Inspector of Nuisance* heb ei fath, yn gweithio megis un ag awdurdod ganddo.

(...) Bydd y Wladfa heb ymuniawni fel cynt am flynyddoedd lawer. Mae y golled uniongyrchol yn fwy i'r rhai oedd ganddynt lawer i'w golli, rhai heb feddu ond "poncho" a chwip, lliaws ohonom yn meddu ffermydd salw, anwastad – gorchwyl fawr cael deupen y llinyn ynghyd, rhyw fyw o'r llaw i'r genau, er yn cael cynhaeaf bob blwyddyn, ond ei fod yn ychydig. Ceisio dilyn y bobl gefnog a methu – ddim yn llunio gwadn eu bywyd i droed yr amgylchiadau, - awydd am wageni, driliau, cerbydau a medelrwymwyr newyddion, a'r C.M.C. felldith yna yn codi 10 y cant o lôg. Mae byw, meddaf, am yn agos i ddwy flynedd heb i ddim ddod i mewn yn orchwyl tra difrifol iddynt. Mae y Llywodraeth Genedlaethol yn gwneud ei goreu i leddfu ein anghenion presennol, a haedda glod am ei haelfrydedd yr un modd â chymdeithasau dyngarol eraill ydynt nerth braich ac ysgwydd yn gweithio. Gorchwyl difrifol sydd gan y Pwyllgorau, – sef rhannu y rhoddion, pob un yn ystyried ei hun wedi cael colled, – rhai na fu ganddynt ddim erioed i'w golli. Wyddost ti beth, yr oedd yma rai cyn pen yr wythnos wedi i'r gorlif ddyfod yn gofyn cymorth plwyfol (cynghorol) – dynion cryfion, heinyf hefyd. "Wel yr achlod i garpiau rhechlyd" fuasai Twm o'r Nant yn ei ddweyd am danynt; ond paid ti â rhoi llinell hyll fel yna yn y newyddur, oherwydd mae cymdeithas a'r wasg yn fwy boneddigaidd yn awr na'r pryd hwnnw, er y dywedir fod y ddiweddaf, sef y wasg, yn cadw d---l yn wastadol i wneud "blunders". (...)

Rhaid i mi beidio bod yn faith, neu byddi yn diflasu arnaf. Mae gennyf un cysur i'w adrodd i ti, sef fod y dyfroedd yn treio yn raddol, ac fod ambell i arch (cwch) yn taro i waelod ar fynyddoedd Ararat; gobeithiwn na ddaw ychwaneg eto. Wele fi wedi dod yn ol i edrych yr hen fwth, – mae o yma eto! – rhyw gael a chael bod yn gadwedig. Mae archoll ar ei ochr, a briw ar ei dalcen; mae ei draed a'r cadachau sydd amdanynt wedi "dampio" yn lled ddrwg. Yr wyf wrthi yn twymo ei draed yn awr, ac am ddodi "poor man's plaster" ar ei ochr a'i dalcen, a chyda bendith, ac awyr iach, disgwyliaf ei hybu nes daw hinon haf, ac yna ei ail wampio. Fe dd'wedodd y diafol yn Saesneg wrth ei Greawdwr fod yn well ganddo deyrnasu yn uffern na bod yn was yn y nef. Gwell gennyf innau ar lan y Gamwy yma, er fy mod yn cael pob caredigrwydd wrth odre y Moelwyn, ac ar lethrau hyfryd

mynyddoedd Dolben. (...)
Gyda chofion atat a'r eiddot
Bydd wych.
HELIG AB GLANAWG

(65) Llythyr Llwyd ap Iwan o Gymru at Lloyd George ynglŷn ag aur yn Teca, ardal wrth droed yr Andes. Ym 1896 ysgrifennodd LJ at Lloyd George ynglŷn â'r aur:

... re your Teca Gold Mines I regret to say the 60 lots marked and alloted to your Syndicate have been claimed by some German people (...) As you had no occupiers, the Mining Laws of this country throw open any such abandoned mines to the claimants. After a certain lapse of time and public notices, this is now being done, and if it suits these new people to really work the mines all your buildings machinery &c will revert to them! And all your investmens lost. (LlGC 20462C – rhif 2334)
(Papurau William George, LlGC 4323)

Bod Iwan, Bala
Tachwedd 9, 1899

D.Lloyd GeorgeYsw., A.S.[186]
Fonwr hoff.

Gwelais yn y newydduron eich bod wedi dychwelyd o'ch taith i Canada.[187] Diau i chwi gael mwynhad, hyderaf i chwi gael hefyd adgyfnerthiad corph a meddwl i ailgydio yn eich goruchwylion.

Y mae newyddion pur ddigalon yn dod o'r Wladfa, fel yr ydych yn ddiau wedi clywed. Nid yn unig y mae llawer o gynyrch y cynhauaf diweddaf wedi ei ddyfetha ond hefyd y mae'n anobeithiol am gynhauaf y tymhor eleni hefyd. Y mae'r ddwy brif gamlas wedi eu dyfetha i'r fath raddau, ac amgylchiadau y rhan fwyaf o'r Gwladfawyr wedi dyrysu gymaint, fel ag y mae perygl iddynt wangaloni gormod a cholli ysbryd i wynebu ar y gwaith sydd yn ofynol ei gyflawni i ddod a'r lle i drefn unwaith yn rhagor.

Y mae'n drueni mawr, ac yn anghyfiawnder eithafol, fod y rhai a agorasant y Wlad, ac a roddasant werth ar Patagonia yn cael eu cau i mewn i gornel gul gan lywodraeth estronol, a'u rhwystro i "estyn cortynau eu pebyll". Y mae yno ddigon o dir bras heb fod yn agored i lifogydd, ond ni cha y Cymry ddim o hono.

Os nad ydyw allan o'ch ffordd hoffwn yn fawr gael crynodeb o hanes "Cwmni Aur Tyca" neu o leiaf awgrym yn mha le y mae ymofyn am dano.[188] Yr oeddem ni yn y Wladfa yn dra siomedig am i'r Cwmni hwn fyned yn fethiant. Ni chefais i fy hunan "losgi fy mysedd" gydag ef, am i mi weled mewn pryd fod goruchwyliwr y Cwmni yno yn berffaith anghymwys i'w waith.[189]

Gan hyderu cael clywed oddiwrthych yn fuan
Gorphwysaf

Yr eiddoch yn grwn
Llwyd ap Iwan

(66) Rhan o lythyr Eluned Morgan o'r Wladfa at H. Tobit Evans, Llanarth[190] yn mynegi ei hanobaith ar ôl y llifogydd. Mae hi'n gofyn iddo am waith yng Nghymru.

(LlGC 18427 C)

(Murddyn) Plas Hedd
Trelew,
Territorio Chubut
Chwef/1900

Fy Nghyfaill Cú

Nis gwn a oes genyf hawl i'ch cyfarch fel yna ai peidio, gan nad wyf wedi cael gair oddiwrthych er y dydd y cychwynais o Lynlleifiad[191] er i mi ysgrifenu llithoedd meithion atoch o Blas Hedd o dro i dro yn ystod y ddwy flynedd diweddaf, ond y cyfan yn ofer hyd yn hyn; a ydych yn camgyfeirio neu a aeth Eluned yn anghof hollol, ond 'rwyn methu deall na fuasai'r alanastra Wladfaol ddiweddaf wedi eich cynhyrfu i ddanfon gair at fy nhad oedranus a methiantus[192], canys meddyliwn bob amser eich bod yn *gyfaill* pur iddo ef, a dywedir mai mewn adfyd mae adwaen cyfeillion. Byddaf yn clywed eich hanes weithiau gan gyfeillion *eraill*, a da genyf ddeall eich bod yn fyw ac iach. (...)

Na, nid oes fur o'r hen gartref anwyl yn sefyll erbyn heddyw, dim ond tomen o frics a dodrefn – ar y ty ar dodrefn yn *unig* cyfrifa fy nhad y golled yn £7000 heb son dim am yr holl golledion tirol. Mae fy rhieni anwyl yn dlotach heddyw nag oeddynt 35 mlynedd yn ol pan oeddynt ieuainc a llawn yni ac yspryd, mae'r ergyd wedi bod yn

170

ormod iddynt hwy godi pen fyth mwy, a fy holl ymdrech yn awr yw ceisio cadw gwyneb siriol gobeithiol yn nghanol yr holl anobaith, ac adeiladu rhyw gartref bychan newydd o'r adfeilion yr hen gartref urddasol. Mae genym rhyw bedair o ystafelloedd erbyn hyn ac yn dechreu cael ychydig drefn ar yr yr anrhefn *ond* Oh fy nghyfaill anwyl mor chwith ein cartref.

(...) Os byddaf wedi gallu dod a phethau i dipyn o drefn erbyn diwedd ein haf ni mae arnaf flys dod trosodd yna pe cawn ryw waith iw wneud am galluogai i gadw fy hun, (...) ni ddeuaf hyd nes y cav *sicrwydd* am waith, yr wyf wedi ysgrifenu at Gwenogfryn ac Owen Edwards ar y pwnc, maent hwy yn gwybod yn well na neb arall beth allaf wneud, ac os gellwch chwithau roi tro yn yr olwyn bydd bendith y rhai sydd gyfyng arnynt yn eiddo i chwi. (...)[193]

Mae'r dyffryn yn cyflym sychu yn ngwres tanbaid canol haf a'r $100.000 roddodd y Llywodraeth at gyfanu bylchau'r afon a'r Camlesi yn cael eu defnyddio yn ddoeth gan bwyllgor o Wladfawyr benodwyd gan Roca.

Cofion filoedd atoch
Mewn hiraeth dwys
Eluned

(67) Rhan o lythyr Lewis Jones o'r Wladfa at ei ferch Myfanwy Ruffudd ap Iwan yng Nghymru. Fe effeithiodd y llifogydd ar ei iechyd. Ar ddiwedd y llythyr ceir pwt gan ei wraig, Ellen Jones.

(Adran Archifau a Llawysgrifau Prifysgol Cymru Bangor 7627)

Plas Hedd Murddyn
12 Gorf/1900

F'anwyl ferch Myfanwy Rufudd[194]
Addawswn wrth eich mam y ceisiwn sgriblo gair atoch fy hunan, wrth eich bod yn dwrdio yn ei llythyrau hirion! oeddym yn ysgrifennu atoch. Hwyrach y deallwch wrth y traed brain hyn y fath wreck yw eich tad! Ac ni ddalltwch fyth y boen a'r dioddefaint imi yw yr ymdrech i feddwl, heblaw sgriblo. Dro yn ol danfonais air fel hyn at eich ewythr John am na wyddwn ddim o'i hanes ef na neb arall, ond hyny anfonasech at eich mam. Ac yn awr, dyma hithau heb air oddiwrthych er Mai, er i ni drotian bob mail i chwilio am lythyr iddi hi. Mae Eluned (ei hunan) yn gorfod gwneud pob gwaith y ty, fel nad oes ganddi hamdden i lythyru ond a fydd raid iddi. Gwyddoch beth yw llaid y Wladfa yr adeg yma o'r flwyddyn, at hyny bryd mae y Llywodraeth a'i threfnyddion llythyrau fel pe wedi penderfynu ein poeni, a mae'r cynffonau Philistaidd fel y defaid Tartan sydd ag olwynion i gario eu cynffonau, yr oedd hi yn ddigon drwg am ohebu bob amser ond y mae'n waeth nag erioed yn awr.

Yr wyf yn crynu o gynddaredd at y pethau hyn, ond heb allu i draethu fy ngofidiau. (...) – Peidiwch, da chwi, a meddwl fy mod yn anghofio fod genyf ferch (heblaw El.) ac yn ei charu fel y mae ei mam yn ei charu. Byddaf yn gwylltio yn aml wrth eich mam, am nad yw hi yn gallu dygymod â fy helbulon, nag yn eu hamgyffred yr un fath a mi, tra Eluned o'r tu arall – heb gofio bob amser fy mod yn touchy iawn pan fydd hi yn "gwbod" yn well na neb.

Ond dyna! Nis gallaf sgriblo rhagor yn wir, ond hwyrach y gwna hyn y tro o ddangos i chwi yn well na dim arall mor anhawdd i chwi yna ddeall cyflwr pethau yma. O! na allwn beidio meddwl am y Wladfa, a minau yn ei [?]

Ta, ta, Myfanwy fach, fach ei mham ond peidiwch chwi a "chrynu" wyf yn eich meddwl.
Eich hen dad musgrell L/J

Gan na ddaeth Mr. Richards yma heddyw, y mae dy[195] dad yn addaw mynd ar llythur yma i Trelew yfory, os na wnaiff wlawio heno.

Hwyrach nad wyt wedi cael y Dravod sydd yn hysbysu am farwolaeth Hughes y Store, a poor Mrs. Hughes a babi mis oed ganddi ar y pryd, ac wedi colli ei thy yn dyffryn uchaf ar ty yn Rawson hefo'r lli, yn lle roedd y store ganddynt, y maent yn byw, ac yno y bu Hughes farw.

Y mae Eluned yn mynd i dyffryn Uchaf at wyl y glaniad, ac yn aros am wythnos o holidays, bydd yn amaethyn [?] iawn iddi gael tipin o spel; os bydd y tywydd yn caniatau.

Yr wyf wedi cael gwybod nad oes dim llythur i mi yn Trelew, yr wyf yn methu deall pam na buaset yn ysgrifenu yn gyson fel arfer.

Cofion goreu atat ti a Llwyd ar manion ac at Nain y Bala[196]. Dywed wrth y plant, fod Nain hiraeth garw am danynt.

Oddiwrth dy hen Mam

(68) Rhan o lythyr oddi wrth Eluned at Alafon[197] yn gofyn am lyfrau ar gyfer llyfrgell gyntaf y Wladfa ac yn rhoi rhywfaint o hanes effeithiau'r llifogydd.

(Adran Archifau a Llawysgrifau Prifysgol Cymru Bangor 10215)

Man lle bu – Plas Hedd
Rawson
Territorio Chubut
Buenos Aires
Rhag 30/1900

Alafon, Fy nghyfaill Cû,

Diau y byddwch yn synu gweled enw Eluned ar waelod hyn o lith, mae genyf ddau reswm dros ysgrifenu, ac 'rwyf am eu dweyd yn onest ar y dechreu, rhag i chwi yn hynawsedd eich calon roi clod i mi am yr hyn nad wyf deilwng. Yn gyntaf mae arnaf eisiau cael diolch i chwi o eigion fy nghalon am eich ysgrif ogoneddus yn y Geninen am Hydref, yr wyf wedi bod yn gwledda wrth fy modd ar y melus fwyd – a'r un pryd, yn gresynu ac yn gofidio nas gallwn inau ddweyd ambell neges wrth ieuenctyd y Wladfa mor swynol ag Alafon, ond nid wyf fi fardd na llenor, ac eto, caraf lyfrau da, a chariad angerddol, ac ond i mi gael digon o honynt a hamdden i'w darllen, gallwn wneud ar ychydig iawn o gwmni y *byw*, nid yw y rhai hyny yn bur bob amser, ac y mae rhai hoffwn gael agosaf, yn bell oddi wrthyf yn aml. Ond mae llyfrau yn y rhan bellenig hon o'r byd fel oasis yn yr anialwch – Ac yn awr dyma fi yn dod at yr ail reswm, pe buasech heb ysgrifenu i'r Geninen ni fuasai Eluned wedi eich poeni, ond yr oedd eich ysgrif yn digwydd taro ar y dant yr wyf fi yn ceisio canu arni y dyddiau hyn.

Yr ydym ni yn yr ardal fechan yma yn ceisio codi Capel bychan yn lle yr un ysgubwyd ymaith gan y lli, ac yn gydiol ar Capel, wedi maith ddadleu yr wyf wedi llwyddo cael ganddynt adeiladu Llyfrgell fechan i blant yr Ardal – y Llyfrgell *gyntaf* yn y Wladfa. Alafon hoff, peth difrifol yw ymgynydynu a lot o bobl mor dwp a physt, ac eto yn gwybod pobpeth, oni bae am yr holl blant bach sy'n codi i fynu ni phoenwn fy enaid cyfiawn gyda hwynt, maent yn fy hala i bechu yn aml mae arnaf ofn. Nid oes ond yr ysgolion Hispaeneg i'r plant yn awr, ac nid oes genym ninau ond ein hysgol Sul a'n Cwrdd Llenyddol i wrthweithio dylanwad mall y genedl bwdwr sy'n trigo o'n cwmpas. Buasai Llyfrgell dda yn gydiol a phob Capel; o lyfrau Cymraeg a Seisnig yn fendith anrhaethol ir Wladfa yn y cyfwng

Eluned Morgan
(Gwymon y Môr, 1909)

presenol – a gellid cael ysgolion nos yn ystod misoedd y gauaf i
ddysgu'r plant i werthfawrogi eu llyfrgell – ond y llyfrau o ba le y
cawn hwynt! Nid oes yr un shop lyfrau yn y Wladfa, a phe buasai –
mae'r Wladfa yn rhy dlawd yn awr, ar ol y diluw alaethus.
Meddyliais y gwnawn ysgrifenu at amryw o'm cyfeillion yn ngwlad
y Breintiau Mawr i ofyn am eu help – pe buasai pob cyfaill ond
danfon haner dwsin o lyfrau, gallasai wneud lles anrhaethol i aml i
galon ieuanc yn dyheu am wybodaeth, yn nghanol unigedd y
prairies mawr yma. Diau fod genych chwi'r llenorion, ddau gopi o
aml i lyfr, dyna un ffordd i helpu heb dolli llawer ar gyfrif y Bank, a
hwyrach y caech aml i gyfaill i gyd-helpu – dyna'r cyfaill tirion
"Pulston"[198] (o fendigaid goffa) anhawdd genyf feddwl am dano ef
yn gomedd helpu yr un achos da. A wnewch chwi helpu Alafon,
helpu pobl ieuainc y Wladfa i sylweddoli peth or melusder a'r
tangnefedd y soniwch am dano yn eich ysgrif swynol. (...) Yr wyf
wedi ysgrifenu at amryw gyfeillion eraill ar hyd a lled Cymru Wen,
gan ddisgwyl mewn gobaith, a gweddio yn ddistaw hefyd, mai nid

yn ofer y denfyn plant bach y Wladfa eu cri tros y don.

Wel – dyma ni wedi bod yn y dyfroedd dyfnion yn ngwir ystyr y gair – trychineb ofnadwy a'n goddiweddodd fy nghyfaill cû – Yr oedd gweled yr hen ddyffryn tawel, ffrwythlon, yn un llyn anferth o fryniau i fryniau ac or creigiau ir mor, yn olygfa nas anghofir fyth gan neb ai gwelodd, byddaf yn rhyfeddu yn aml sut y gallasom gadw corph ac enaid ynghyd yn y pebyll bregys ar y bryniau noethlwm ganol gauaf, ac edrych ar ein cartrefi clyd yn garneddi o adfeilion. Mae colli ei gartref urddasol ar ddiwedd y daith wedi bod yn ormod o ergyd i fy hen dad anwyl. Mae wedi tori ei galon yn llwyr a hiraeth mawr arno am gael *gorphwys* oddiwrth bob gofid. Yr ydym wedi llwyddo i adeiladu ychydig o ystafelloedd o weddillion yr hen gartref – ond mae'r mil myrdd creiriau teuluaidd sy'n gwneud cartref yn gysegredig, wedi mynd i gyd, byth i ddychwelyd mwy – *digartref* fydd fy rhiaint hoff hyd ddiwedd y daith bellach – gofidiaf yn ddwys yn aml nas gallwn roddi iddynt lawer mwy o gysuron – ond nid oes ond fy hunan i ofalu am bobpeth, ac ofnaf nad wyf wedi fy addasu i ymladd llawer o'r hen fyd yma, ond 'rwyn ceisio peidio grwgnach dim, gan wybod fod genyf fil o destynau diolch am Ei fawr drugaredd Ef.

Yn y rhan uchaf o'r Dyffryn mae argoelion cynhauaf go lew eleni – ond nid oes dim yn y dyffryn isaf yma, methwyd cael y Gamlas yn barod, ac felly ni fydd yma gynhauaf am un flwyddyn eto.

A sut mae byd Alafon yn mynd yn mlaen erbyn hyn, llawer o bethau hoffwn gael wybod, ond amser a balla iw sgriblo – oni fydd arnoch flys rhoi gwib iawn dros donau'r Iwerydd weithiau – gwnae les anrhaethol i chwi – ac Oh! Am gael clywed *Pregeth* yn y Wladfa unwaith eto, Alafon hoff. Paham y mae pobl Cymru yn gwario eu miloedd i ddanfon cenhadon i wledydd paganaidd y byd – i gyhoeddi y newyddion Da, ac yn gadael eu brodyr ai chwiorydd yn eithaf Patagonia i farw yn ysprydol – o newyn. A yw "Aberthu" wedi ei dori allan o gyffes ffydd Young Wales? Mae yna fai difrifol yn rhywle. Ond Duw helpo'r Wladfa os na cheir Pregethwyr grymus iddi'n *fuan*, a llond eu calon o gariad at eu gwaith au gwaredwr. Maddeuwch i mi fy nghyfaill annwyl am ddweyd geiriau celyd fel hyn, ond 'rwyf fi'n gweld breintiau Cymru mor fawr a ninau mor newynog. Gobeithio y gwnewch chwi ddanfon gair och hynt yn fuan. Mae llythyr cyfaill yn felus iawn yn y dyddiau helbulus hyn.

Cofion fyrdd atoch

Yn bur iawn

Eluned.

(69) Rhan o lythyr Eluned o Blas Hedd yn y Wladfa, 30 Awst 1901 at OM yng Ngholeg Lincoln, Rhydychen, ond fe'i hailgyfeiriwyd i Fryn'r Aber, y cartref yn Llanuwchllyn. Ymbilia arno am waith yng Nghymru yn dilyn llifogydd 1899 a 1901.

(LlGC AG5/2/23)

Fy nghyfaill cu

Y mae misoedd lawer wedi pasio er pan dderbyniais eich llythyr caredig a cherdyn Mrs Edwards, yr wyf wedi dotio at eich dull swynol a syml o ddanfon cofion nadolig, brysied y dydd y cwyd Cymru i'r un man a chwi, yn lle mwncio pethau'r Saeson byth a hefyd, nes gwneyd i'r bobl hyny ein dirmygu am ein gwaseiddiwch.

Am yr "honorium" – mil diolch, er fy mod yn teimlo'n dra anheilwng, ac yn enwedig gan i mi fethu danfon llith arall i chwi – credaf y bydd yn rhaid i mi ddod i Gymru cyn y gallaf ysgrifennu llinell werth ei darllen fyth to[199] – mae gofidiau a helbulon a gerwinder ofnadwy fy mywyd wedi mynd a'r heulwen o'm calon i gyd – cwyno'n dost y mae'm cyfeillion gu ym mhob man, nad oes air o hynt Eluned fyth yn eu cyrhaedd, heb feddwl fod dwylaw Eluned yn rhy anystwyth i gydio mewn pin ai chefn yn crymu'n flin ar ddiwedd dydd gan bwys y gwaith, dim ond ceisio gorphwys ac adennill nerth i ail ddechreu'r gwaith foreu trannoeth. Pan yn edrych yn ol a meddwl am y ddwy flynedd [?] a gefais yng Nghymru wen, mae bron yn anhygoel genyf gredu mai myfi oedd yr eneth ddedwydd honno. Os daw haul ar fy mywyd rhyw dro eto cyn diwedd y daith, credaf mai nid aniddorol fyddai ambell ddarn o hanes fy mywyd pe gallwn ei ysgrifenu mewn dull dyddorol, mae ymhob riwiau serth a phyllau diwaelod, heulwen lachar a thywyllwch dudew, ond i ba beth y poenydiaf chwi am dyheadau, dim ond nad oes genyf gyfaill o fewn y Wladfa y gallaf draethu fy meddyliau wrtho, felly does dim iw wneud ond eu traethu mewn ambell lythyr, neu ddistewi a cheulo ar fy sorod ac ir fan yma y mae hin dod yn brysur ac na allaf ymysgwyd oddiyma i rywle yn fuan iawn – penderfynais am fisoedd na phoenwn chwi am gofidiau, ond chwi yw fy unig noddfa, rhag syrthio ohonof i anobaith a difaterwch hollol. Chwi wnaeth i mi ysgrifennu fy llinell gyntaf ir cyhoedd – chwi ddeffrodd fy meddwl ac a roddodd i mi nod uwch a gwell im bywyd. (...)

Ar ol y llifeiriant ysgubol ddwy flynedd yn ol, gwnes bob ymdrech o fewn fy ngallu i gael cartref gweddol ddiddos i'm rhiaint

oedrannus, ond drwy lafur ac aberth y llwyddwyd i wneyd ychydig
drefn ar yr anhrefn, lluddwyd fi ym mhob modd gan fy hen dad
truan yr hwn sydd ai gyneddfau meddyliol wedi eu amharu yn
druenus ar ol amryw ergydion o'r parlys. (...) fy hen dad annwyl a
fu mor dyner ohonof erioed, mor dorcalonus meddwl mai efe
heddyw sydd yn gwneyd fy mywyd yn un hunllef barhaus. (...)

Wele'r Wladfa druan ynghanol y dyfroedd fel yr oedd ddwy
flynedd yn ol[200], ond [?] gilio oddi ar y dyffryn yn gynt eleni na'r tro
blaen, ac eithrio nad oes fawr dai wedi syrthio mae y colledion ar
Gamlesi a thiroedd lawn cymaint ag o'r blaen, bu raid i bawb ffoi
tua'r bryniau, am ryw ddau fis, mewn ty cymydog yr ydym ni fyth,
gan fod dwr mawr wedi bod yn ein cartref fel y mae yn llaith iawn a
gwaith glanhau y mwd allan o hono am wythnosau, a dyna fu fy
ngwaith bob dydd yn awr, mynd ar geffyl, trwy'r dwr a'r llaca a
cheisio ail drefnu tipyn ar y cartref bychan sydd gennym; ond rwy'n
teimlo fy nerth yn darfod o ddydd i ddydd am hyspryd yn eiddo i'r
dyfnderau: rwy'n mynd drwy'r gwaith o lanhau'r cartref am fod
mam mor awyddus am fynd yn ol, mae hi yn llawn planiau i ail
ddechreu o hyd, ond practical iawn fu mam, ni phoenwyd hi erioed
a meddyliau na dyheadau, fel rhyw ddafad ddu'r teulu yr edrych hi
ar Eluned, a metha ddeall beth sydd eisiau poeni tra y ca rhywun
ddigon o fwyd a dillad! Wel gwyn fyd fy hen fam anwyl gan mai yn Y
Wladfa y bydd rhaid iddi hi dreulio gweddill ei dyddiau, gall hi fod
yn berffaith ddedwydd lle y byddai Eluned druan farw o newyn a
hiraeth meddyliol. (...)

Onid oes yng Nghymru Wen rhyw waith bychan y gall Cymraes
ei wneud i enill ei thipyn bara chaws, bychan yw fy eisiau, a bodlon
iawn yw fy nghalon i weithio, ni hoffwn fentro gwneyd fawr yn
Saesneg, heb fwy o brofiad yn yr iaith, ond oes rhyw waith tebyg i'r
hyn fum yn wneud i Gwenogfryn, yr oeddwn wrth fy modd yn y
gwaith hwnnw, a byddwn berffaith foddlon gyda'r un tal, gallwn fyw
yn gysurus, ac O mae meddwl am y gwleddoedd meddyliol a gafwn,
a'r cwmni pur a choeth yn llanw fy nghalon a miwsig y nef.

Mae arnaf ofn mentro mor bell oddi cartref heb rhyw newydd
am waith – bydd yn galed ddigon arnaf i dalu'm cludiad yn barchus
heb son am fyw yng Nghymru heb ddim i'w wneud, dyna pam yr wyf
yn danfon yn awr – dylwn gychwyn oddi yma dechreu Mai fan
bellaf, canys ni hoffwn wynebu'r gauaf yma ar unwaith heb gael
tipyn o heulwen haf im tori i mewn canys y mae llawer om cryfder
wedi cilio er pan droediais fynyddoedd hen Walia Wen o'r blaen.[201]

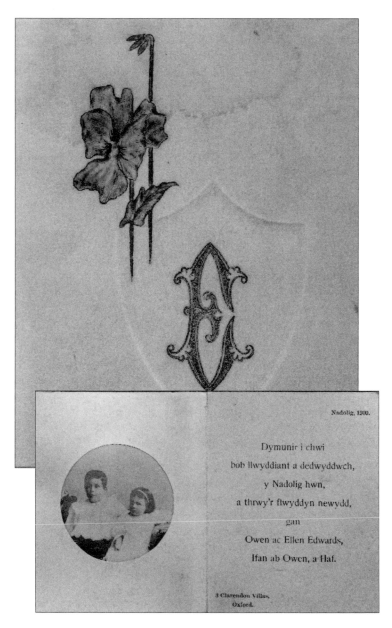

Nadolig, 1900.

Dymunir i chwi
bob llwyddiant a dedwyddwch,
y Nadolig hwn,
a thrwy'r flwyddyn newydd,
gan
Owen ac Ellen Edwards,
Ifan ab Owen, a Haf.

3 Clarendon Villas,
Oxford.

Cerdyn Nadolig Elin ac O. M. Edwards, 1900
(eiddo Mari Emlyn)

Am y tri mis nesaf byddaf byw mewn ofn a gobaith, bydd arnaf ofn agor eich llythyr pan ddaw. Ond un peth a deimlaf yn sicr, os yw o fewn eich gallu im cynorthwyo chwi wnewch. (...) Nid oes i mi yn awr ond diweddu gan adael pob peth yn llaw'r nef a'm cyfaill. Rwy'n gredwr mawr mewn gweddi er yn blentyn bach, nid oes eisiau dweyd beth fydd fy ngweddi daeraf yn ystod y misoedd nesaf yma. Cofiwch fi yn annwyl iawn at Mrs Edwards a'r manion bach hoffus.

Cofion duon fy nghalon drist atoch chwi fy nghyfaill,

Eluned

De Affrica

(70) Rhan o lythyr Ll ap Iwan yng Nghymru at OM yn Rhydychen yn trafod ymfudiad Cymreig i Dde Affrica.
(LlGC AG5/2/20)

Bod Iwan
Bala
Tachwedd 21 1900

Gyfaill hoff ...

Mewn perthynas i'r pwngc pwysig hwnw y buom yn cael ymgom yn ei gylch dro yn ol, sef y priodoldeb o reoleiddio y ffrwd o ymfudwyr Cymreig fydd yn debyg o fyned i Ddeheudir Africa a'u harwain i ryw un man i greu cnewyllyn o Wladfa Gymreig yn y rhan hono o'r byd (tu allan i wlad y Boeriaid wrth gwrs).[202] Hyderaf nad ydych wedi gadael iddo fyned dros gof. Ni fydd hyn o angenrheidrwydd yn milwrio yn erbyn y Wladfa Gymreig yn Patagonia. Mae llawer o Gymry yn myned, a rhagor yn sicr o fyned eto i S.Africa a bydd yn fudd cenedlaethol, crefyddol a chymdeithasol i'r rhai hyny i sefydlu gyda'u gilydd, fel ag y mae cendlgarwyr craff wedi rhagweled a phrophwydo, ac fel ag y mae ein profiad ni ar y Camwy wedi egluro yn bur amlwg wirionedd hyny.[203] Ein diffyg ni acw yw, nad ydyw y llywodraeth yn cydymdeimlo ac amcan hyrwyddwyr y mudiad gwladfaol, ac nad oes genym neb yn Senedd y wlad i weithio trosom. Mae'r llywodaethwyr a'u holl egni yn rhwystro ein cynydd ac am ladd yr yspryd Gymreig. Yn rhinwedd yni personol y sefydlwyr fel unigolion y mae y Wladfa *wedi* llwyddo, *yn* llwyddo ac *i* lwyddo – ymdrechion di-son-amdanynt y tyddynwyr diymhongar, eu diwydrwydd diarhebol i wneud i'r anialwch flodeuo fel gardd. Dyma wraidd ein llwyddiant ni acw, a'r hyn sydd yn ein gwneud yn dipyn o allu ydyw y ffaith ein bod yn gymdeithas o bobl wedi ein cylymu yn un gan ein hiaith ein hunain a chariad at gyffelyb ddefion. (...)

Byddai yn gam yn yr iawn gyfeiriad pe gellid darbwyllo yr Aelodau Seneddol dros Gymru o briodoldeb y syniad o gael sefydliad Cymreig tan y faner Brydeinig, a'u cael i roddi eu dylanwad yn y Senedd o blaid hyny. (...)[204] Hoffwn weled rhyw Gymro o ddylanwad a safle fel chychwi yn cymeryd y flaenoriaeth yn y mater.

Y mae fy nodyn wedi myned yn erthygl bron heb yn wybod i mi.

(...)
Derbyniwch fel teulu ein [?] gofion o Bod Iwan
Ydwyf

Yr eiddoch yn serchog
Llwyd ap Iwan

Teulu Benjamin Pugh Roberts a Lizzie Freeman[205]

(71) Rhan o lythyr Elin Pugh Roberts o Ddyffryn Camwy at ei brawd, Benjamin Pugh Roberts a'i wraig Lizzie yn Esquel. Nid oes dyddiad ar y llythyr, ond rwy'n tybio ei fod c.1901/1902. Edrydd Elin Pugh Roberts rywfaint o hanes y Dyffryn i'w pherthynasau yn yr Andes.

(Cefais adysgrifennu llythyrau'r teulu hwn gan Joyce Powell, Esquel, wyres Benjamin Roberts, tra oeddwn yn Esquel yn 2007.)

Bryn Amlwg, Medi 9fed

Annwyl Frawd a Chwaer

Derbyniais eich llythyr heddyw ac yr oeddwn yn falch ohono a chlywed eich bod i gid yn iach fel ac yr ydym ninnau y mae hi wedi bod yn bur lyb arnom ninnau y gauaf yma eto gorfod i ni bobl y canol yma symud i ochr y bryniau i gael lle sych dan draed yr oeddwn i wedi deyd na faswn i ddim yn symud hefyd ond chawswn ni ddim llonydd gan y cymdogion yma mi geuson riw ddwy room newydd oedd hefo Roger Vaughan i fyw mi fuon yno am fis ac wedyn yr oeddan ni yn gallu dod ir ty mewn wagen. Ac felly chi welwch na fu yma ddim cymaint o ddwr o lawer ar tro or blaen ond mae o wedi gwneyd havoc garw ar y fences eto wrth ei bod yn rhewi mor arw ar y pryd a hwnw yn mynd yn ei herbyn ac yn ei malu yn arw fuo yma fawr o redeg cychod y tro mi ath y dwr rhy isel yn fuan iawn yr yden ni yn gallu mynd i Trelew rwan hefor trap y fi a Mrs Lloyd oedd y rhai cynta i fynd ar draws farm Billy Austin[206] am y bryniau ac wedyn mae lleill yn mynd wedyn yn iawn mae goods yr henlad wedi dod rwan dach chin gweld ac wedyn mae ene dipin o fystachu i fynd i Trelew rhai ar ei ceffylau eraill ar ei traed trwy y mood a (...) [?] yr ydw i wedi prynu tipin o flannelete i chi y tro yma eto yr oedd y shawls mawr wedi mynd cyn i mi fynd yno mi prynais fancy shawl i chi am 685 mae hono ddigon o maint i fagu marone tywyll ydy hi i gid a navy blue ydy run innau mae ene hetiau wedi dod hefyd ond heb agor eto ni welais i erioed y fath helynt ag sydd yna pan ddaw tipin o goods yna mae nhw gen waethed y tro yma ag erioed yr ydw i a Mrs Lloyd am fynd ir dre fory os bydd hi yn ffit o dywydd rhaid i mi fynd a rhein iw postio yno yr un ffordd. (...) rwan yr ydw i wedi rhoi y meddwl o ddod ir Andes heibio yr oeddwn ni wedi meddwl tipin am ddod i fynu gan feddwl y base tipin o newid yn gneyd lles i mi yr ydw i yn meddwl llawer am dreio mynd i weld yr hen bobol[207] hefyd tawn ni ddim ond yn gallu gweld ffor i neyd hefor plant yma

tra baswn ni mi fyddaf yn hir iawn yn cael digon i fynd a nhw i gid os ydir lli yn mynd i ddod mor aml a hyn.

Wel mae Caradog wedi methu bachgen sydd yma er y 21st o June. Gweirydd[208] yw ei enw tair wythnos oedd o y diwrnod oedden ni yn symud o ffordd y lli (...) buaswn yn falch iawn tase bosib picio ene i gael chat fach a golwg ar yr hen blant bach[209] yr wyf fel tawn ni yn gweld yr hen don bach yn chwerthin o mlaen i rwan. Maer plant yma yn peri cofio attoch chi i gid ag at ewyrth Willie[210] hefyd ag yn deyd am i chi frysio i lawr mae Esti[211] yn siarad yn iawn rwan. Ydw i ddim wedi clywed dim or hen Wlad ar ol ich tad gyraedd ac mi fues innau yn bur hir yn atteb hwnw hefyd cofia Ben os bydd yna un ar ol o lun Nhad a Mama tyd a fo i lawr i Dafydd ein cefnder a tyd ag un o rheini gadd ei tynu yn y gwaith ches i yr un ohonynt wel mae arna i eisieu ysgrifenu pwt at Dafydd eto ac mae hi yn mynd yn hwyr a finne eisio codi yn fore. Terfynaf gan gofio attoch un ac oll. Ydwyf eich chwaer

Ellen Hopkins. Cofiwch ysgrifenu pan gewch gyfleusdra.

(72) Llythyr Robert Pugh Roberts (Bob y Gelli) o Gymru at ei frawd, Benjamin Pugh Roberts a'i wraig Lizzie Freeman de Roberts yn yr Andes, dyddiedig 1901. Efallai i fywyd fod yn galed yn y Wladfa ar ddechrau'r ganrif, ond dengys y llythyr hwn nad oedd bywyd yng Nghymru yn fêl i gyd ychwaith.

(Trwy garedigrwydd Joyce Powell, Esquel.)

Annwyl frawd a chwaer ar Plant i gyd oll. Maen debig eich bod wedi disgwil llawer am air oddi wrthym ach bod hefyd yn meddwl ein bod wedi eich anghofio ond yn hollol o chwith mae yma feddwl a son amdanoch bob dydd bron ond fel yr ydum ni an penau tan dwr ac yn nofio hefyd ond bron a methu cael dau pen y llinin ynghyd rhent ar trethi yn uchel ar prisiau yn isel fellu anhawdd iawn ydi cadw heb foddi yn yr amgylchiadau. Roedd yn dda iawn genym ddeall eich bod chwi yn gallu cael y ddau pen at ei gilidd ach bod yn weddol gysurus tua godrau yr Andes yna ac yr ydum ni yma yn dymuno i chwi fawr lwiddiant cofiwch ni at eich Brawd Dafydd[212] ar Brawd Bill[213] ar chwaer Nel[214] ar teulu oll. Gwael iawn ydi ein chwaer Jane anhebig iawn i fod yma yn hir anfonwch ambell air weithia fe fydd yn wir dda genym gael gair oddi wrthych.[215]

R.R

Mae'r llythyr yma yn cychwyn
Rhagfyr 28 1901

Ryduch yn deall mae yma mae y nhad rwan mae wedi bod yn bur wael ond yn cryfhau yn dda rwan. Cofiwch ni at Mr Freeman[216] ar teulu buaswn yn leicio pe cawswn haner diwrnod i ymgomio gyda fo maen debig na ddywch chwi ddim ffordd yma tan fyddwch chwi wedi hel rhiw lond hen hosan go lew or melun[217] mae y rhai sydd ffordd yma a digon o arian ganddynt maent yn gyfforddus iawn ond y rhai sydd yn gorfod gwneud arian maen galed iawn yma fellu casglwch chwi eich gora yna a dywch yma gallwch brynu tyddun ffordd yma am y tâl wedyn dyna chwi yn Gentel men at onece dywedwch wrth Dei os oes ganddo dipin gormod o dda y byd hwn iddo anfon tipin ir brawd Robin ir gelli achos tlawd a helbulus ddigon ydi yma nid oes genym ddim neillduol iw anfon atoch y tro yma pawb o honom yn weddol ond Jane. Cofiwch ni atynt oll bu just im anghofio i ti gael enwau y plant

No 1 John Roberts
   2 Hywel Pugh Roberts
   3 Robert Dafydd Roberts
   4 William Roberts
   5 Benjamin Roberts

Ein cofion serchocaf atoch oll
Robert Roberts
Gelli grafog
Rhydmaen
Dolgelley

Marwolaeth Lewis Jones[218]

(73) Rhan o lythyr Ellen Jones, gwraig Lewis Jones, o'r Wladfa yn hysbysu Griffith (ei chefnder) o farwolaeth LJ.

(Adysgrifennais o'r llythyr gwreiddiol gan Tegai Roberts ym Mhlas y Graig, y Gaiman yn 2007.)

**Plas Hedd
Trelew
Teritorrio Chubut
Buenos Ayres
Dec 4, 1904**

Anwyl Griffith

Y mae genyf y gorchwyl pruddaidd och hysbysyu am farwolaeth fy anwyl briod Llew bu farw ar 26 or mis diweddaf, cafodd farw fel oedd yn dymuno, sef peidio rhoi trafferth i neb i aros ar ei traed i'w wylio yr un noson, tuag un or gloch y boreu y dydd y bu farw, deffroais, a chlywn rhyw rattle yn ei frest, gwaeddais ar Eluned, yr hon oedd gartref ers tri mis, a meddyliodd mai wedi cael tipin o anwyd oedd trwy aros allan ar y faingc wrth ochr y ty yn rhy hwyr y noswaith cynt, a rhoddodd lond llwy de o Kerosene iddo, a rhwbiodd ei frest hefo yr un peth a wir cafodd lonydd dan bump, a chodais a gwisgais am danaf ac ymolchais, gan deimlo yn sicr na chawn hamdden wedyn, yr oeddwn yn credu fod y diwedd yn ymyl, wedi gorphen gwisgo fy hun gwisgais am Llew, a gwaeddais ar Eluned godi i fy helpu i fyned ag ef ir gegin iw gadair, a wir cerddodd fel arfer hefo ni'n dwy yn ei helpu, es i mofyn ffrind i mewn, ac anfonodd hwnw am y Dr a phan ddaeth y Dr iw olwg, dywedodd nad oedd dim i wneud ond bu ar ei draed dan ddau or gloch y prydnawn, yr amser hono bu raid ei gario iw wely, ac arhosais inau wrth ei ben i'w ffanio (...) a dyma fo yn dyweud O fy hen wraig anwyl i, a bu farw ½ awr wedi chwech y pydnawn heb roddi yr un ochenaid na struggle, dim yn gofyn am ei godi ai symud fel bydd llawer pan yn marw, yr wyf yn diolch llawer ei fod wedi cael mynd mor dawel, mae llawer yn ei chael yn galed iawn wrth farw, ond yr oedd ef fel pe bai yn cysgu, ac anadlu yn mynd yn wanach wanach a daeth y diwedd, yr oedd yn union fel pe bai yn cysgu yn ei arch dim hoel cystudd, yr oedd yn iach ar hyd yr amser ond ei fod yn fisgrell iawn, yr oedd yn bwyta yn iawn dan y diwrnod diweddaf. Sioncodd lot wedi i Eluned ddod adref, byddai yn myned ag ef allan yn y cerbyd bob dydd, yr

oedd hyny yn ei adfywio yn arw.

Daeth lli eleni eto, a bu raid ir tenant oedd genyf yn P Hedd ffoi, a mae byth heb allu mynd yn ol, er diwedd June diweddaf.[219] Yr wyf wedi diolch llawer mae yn Trelew yr oeddwn, wn i ddim beth fasa yn dod o honwyf a Llew druan mor helpless. (...)

Cofiwch roddi Mrs Lewis Jones Plas Hedd ar eich llythur nesaf, mae mwy nag un Mrs Jones yn Trelew, cofiwch

Ydwyf mewn trallod

Eich cyfnither

Ellen

Ellen Griffith Jones, gwraig Lewis Jones
(trwy ganiatâd Llyfrgell Genedlaethol Cymru)

Nodiadau

163 Yn fuan wedi cyfnod y llythyr hwn, dechreuodd Eluned ysgrifennu ysgrifau i'w cyhoeddi gan OM yn *Cymru*.

164 Elin Davies, Y Prys, gynt. Mae'n debyg y byddai Eluned ac Elin wedi cyfarfod gyntaf yn ystod cyfnod Eluned yn ysgol Dr Williams, Dolgellau. Er i Elin gyfeirio ati mewn llythyr at OM yn 1887 fel 'geneth dalentog iawn' (*Llythyrau Syr O. M. Edwards ac Elin Edwards, 1887-1920*, t. 40), llugoer a dweud y lleiaf oedd perthynas y ddwy â'i gilydd yn ddiweddarach, fel y gwelir o lythyr Elin Edwards (58).

165 Owen Morgan Edwards (1858-1920).

166 Mae'r adysgrif wedi ei ddyddio 21 Hydref 1896. Ysgrifennodd OM lythyr at ei wraig Elin yr un diwrnod o Rydychen (dyddiedig 21 Hydref 1896) yn awgrymu iddi 'wahodd Eluned Morgan' ati hi (*Llythyrau Syr O. M. Edwards ac Elin Edwards 1887-1920*, t. 275). Roedd Eluned ar ei hail ymweliad â Chymru ar y pryd. Ni wnaeth Elin ymateb yn ffafriol o gwbl i gais ei gŵr fel y gwelir yn llythyr 58.

167 Mae'n debyg mai'r Parch. Michael D. Jones yw hwn. Byddai Eluned yn aros ym Mod Iwan ambell dro pan fyddai ar ymweliad â gogledd Cymru. Daeth OM dan ddylanwad MDJ ac roedd ganddo barch mawr tuag ato. Dywedodd amdano:

> Cefais yn ei gwmni beth na chefais yn yr un ysgol nag yn yr un coleg y bûm ynddynt erioed, – serch goleuedig at hanes ac iaith Cymru, a chred ddiysgog yn y gallu grymus sydd wedi cael yr enw 'Cenedlaethol' wedi hyny ... (*Oes a Gwaith M. D. Jones Bala*, t. 97)

168 Ceir erthygl ar 'Y Wladfa Gymreig' gan Eluned yn rhifyn Ionawr 1897 o *Cymru*. Dywed wrth agor ei herthygl: 'erfyniaf arnoch beidio bod yn orfeirniadol wrth ddarllen hyn o lith, canys nid wyf ond baban yn cropian ym myd yr ysgrifennu ... '

169 Ymatebodd Eluned i'w gais mewn llythyr gan ddweud: 'ond beth pe tynwn ferched Cymru yn fy mhen?' Ymddangosodd ysgrif gan Eluned yn *Heddyw* ym 1897.

170 Ym 1896 rhoddwyd tiroedd Tiriogaeth y Camwy ar werth.

171 *Hanes y Wladva Gymreig Tiriogaeth Chubut, yn y Weriniaeth Arianin, De Amerig* a gyhoeddwyd gan Gwmni'r Wasg Genedlaethol Gymreig yng Nghaernarfon ym 1898.

172 Y golygydd ar y pryd oedd y Parch. Abraham Matthews a bu'n olygydd ar y papur tan ei farwolaeth ym 1899.

173 Roedd Ifan ab Owen yn 2 oed ar y pryd. Bu farw Owen ab Owen, cyntaf-anedig OM ac Elin ym mis Mawrth 1897.

174 Mae Eluned yn ei hatgofion am OM (gw. *Gyfaill Hoff*, t. 238) yn dyfynnu o'r llythyr hwn, gan ddweud ei fod yn ysgrifennu o Rydychen, ond os mai llythyr a ysgrifennwyd ar ddydd Nadolig ydyw, mae'n annhebygol ei fod yn Rhydychen ar y diwrnod hwnnw, waeth pa mor galed y byddai'n gweithio, os nad aeth Elin a'r plant ato i dreulio'r Nadolig yn Rhydychen y flwyddyn honno: 'Y mae Ifan yn gyru ar ei bump oed ac yn dechreu dysgu Saesneg, nis gall Haf eto air ond Cymraeg. Yr wyf finau heddyw yn ddwy a deugain oed ac yn gresynu mor ychydig wyf wedi fedru wneud er imi weithio'n galed.' Yn ôl yr adysgrif a gafwyd ym Mhlas y Graig, y Gaiman, llythyr a ysgrifennwyd o'r cartref – Bryn'r Aber yn Llanuwchllyn oedd hwn.

175 Roedd OM yn isel ei ysbryd rhwng 1900 a 1901. Bu colli ei fab Owen ab Owen 3 blynedd ynghynt yn ergyd fawr iddo.

176 Thomas Benbow Phillips, 'Phillips Brazil' (1829-1915). Ganed yn Nhregaron ac aeth i Fanceinion ym 1848. Ym 1850 aeth i sefydlu gwladfa yn Rio Grande do Sul, Brasil a'i galw'n Nova Cambria. Methodd y sefydliad erbyn diwedd 1854.

177 Ar y diwrnod hwn ym 1810 y sefydlodd Buenos Aires y llywodraeth annibynnol gyntaf oddi wrth Sbaen.

178 James Nicols. Cyfeirir ato yn *Cymry Patagonia* (t. 142): 'un o blant y Wladfa – ei gorff esgyrnog wedi ei galedu gan stormydd y paith, a'i wedd arw yn dywyll gan ei heulwen.

Gwreichionai ei lygaid wrth sôn am ei henfro, a brithid bwrlwm ei barabl â geiriau Sbaenig.'

179 Digwyddodd hyn ar nos Sul y 5ed o Dachwedd, 1899.

180 Disgrifia RBW O'Donnell yn *Y Wladfa* (t. 254): 'Gŵr trahaus o swyddog milwrol ... cyhoeddodd ei fod yn bwriadu dileu pob nodwedd Gymreig o ysgolion a bywyd y Wladfa, a gwrthododd yntau newid dyddiad y drilio.'

181 Ym 1948 anfonodd Ellen Williams, gwraig Owen Williams, yr hanes yn fanylach wedi ei ysgrifennu gan ei gŵr mewn llyfryn (Bangor 10223). Ceir yr hanes hwn gan RBW yn llawn yn ei gyfrol *Y Wladfa* (tt. 257-259).

182 Yr Athro Thomas Rhys, brawd-yng-nghyfraith Mihangel ap Iwan.

183 Myfanwy Llwyd, priod Thomas Rhys a chwaer Mihangel.

184 Bu farw Maironwen, chwaer Mihangel, ar y 4ydd o Fehefin, 1898.

185 Hanai Lewis Evans (1848-1908) o ardal Ffestiniog. Cafodd fywyd caled gan iddo golli ei wraig a'u pedwar plentyn.

186 Roedd D. Ll. George yn 27 oed ac ar ddechrau ei yrfa wleidyddol.

187 Bu D. Ll. George ar daith ymchwiliol i Ganada ym 1899 ar wahoddiad y llywodraeth a oedd yn annog ymfudiad o Brydain.

188 Ffurfiwyd The Welsh Patagonian Gold Field Syndicate gyda chymorth D. Ll. George. Roedd 10,000 o gyfranddaliadau yn ôl punt yr un. Prynodd D. Ll. George 100 cyfranddaliad. Tom Ellis, Cynlas, a arwyddodd fel tyst i D. Ll. George. Bu D. Ll. George ar ymweliad â Buenos Aires ym 1896 i geisio achub rhywfaint ar y Cwmni Aur. Ni fu ym Mhatagonia.

189 Dywed brawd Llwyd, M ap Iwan, mewn llythyr at ei rieni, y Parch. a Mrs MDJ, dyddiedig 30 Gorffennaf 1895 (Archifdy Prifysgol Bangor, 11377): 'Y mae yn eithaf i chwi wrandaw ar stori Roberts y mae yn un digon dyddorol ynghyd yr aur etc. Ond peidiwch a rhoi dim arian yn y concern ... ' Aeth menter yr aur yn ffliwt.

190 H. Tobit Evans (1844-1908), ysgolfeistr, newyddiadurwr ac awdur. Roedd ganddo wasg yn ei gartref a chyhoeddodd ei newyddiadur wythnosol *Y Brython Cymreig* o 1892-1902.

191 Gadawodd Eluned Lerpwl ar y 24ain o Fawrth, 1898.

192 Llethwyd ysbryd afieithus LJ gan y 'Lli Mawr'.

193 Bu Eluned yn gweithio yn yr Amgueddfa Brydeinig yn copïo llawysgrifau i J. Gwenogfryn Evans (arolygydd llawysgrifau) rhwng 1896 a 1897.

194 Mae'n debyg i Myfanwy a'r plant ymuno â Llwyd ap Iwan ar ymweliad â Chymru yn ystod y cyfnod hwn. Roedd Ll ap Iwan wedi mynd i geisio cymorth llywodraeth Prydain parthed cyfraith y drilio ar y Sul.

195 Defnyddiai LJ 'chi' wrth ysgrifennu at ei ferch tra defnyddiai Ellen Jones 'ti'.

196 Mrs Michael D. Jones

197 Owen Griffith Owen (1847-1916), gweinidog a bardd, yn wreiddiol o Bant-glas, Eifionydd.

198 Mae'n debyg mai cyfeirio a wna Eluned yma at John Puleston Jones (1862-1925), y gweinidog a'r llenor dall a ffurfiodd y Braille Cymraeg. Roedd yn un o'r saith a sefydlodd Gymdeithas Dafydd ap Gwilym yn Rhydychen ym 1886. Roedd yn gyfoeswr ac yn gyfaill i OM.

199 Yng Nghymru y cwblhaodd Eluned ei chyfrolau i gyd.

200 Daeth llifogydd eto ym 1901 a bu Eluned a'i mam yn aros gyda chymdogion o fis Gorffennaf tan fis Hydref. Mae'n bosib bod Lewis Jones ym Mhrydain gan i Eluned ddweud mewn llythyr at William George (*Gyfaill Hoff*, t.71), 6 Mehefin, 1901: 'Mae fy nhad yn dod trosodd i Lundain i gael barn derfynol y Meddyg ar ei iechyd...'

201 Hwyliodd eto i Gymru ym mis Mehefin 1902. Ni fu ei harhosiad yn gwbl hapus. Nid oedd Elin Edwards a hithau'n gyfeillion mynwesol. Derbyniodd Eluned lythyr gan OM ar ei glaniad yn Lerpwl ac mae'n ateb y llythyr hwnnw: ' ... gwn y bydd Mrs Edwards yn distaw ddiolch na ddaethum ar ei gwarthau ... ond ni anghoviav vyth

mo'ch meddylgarwch yn trevnu drosov rhag i mi deimlo'n unig ar vy nglaniad, ac yn wir, yr oeddwn yn teimlo'n anrhaethol unig nes derbyn eich llythyr ... ' (LlGC AG5/2/27) Fodd bynnag, cafodd aros yn eu cartref yn Llanuwchllyn am gyfnod ym misoedd Gorffennaf ac Awst 1902 gan aros yno eto ym mis Awst 1903. Dychwelodd i'r Wladfa ym 1904 oherwydd gwaeledd ei thad.

202 Pan adferwyd heddwch ar ôl rhyfel y Boeriaid (1899-1902), bu ymgais gan Lywodraeth Prydain i sefydlu deiliaid Prydain yno.

203 Dewiswyd tri dirprwywr i fynd i archwilio'r tir a gynigiwyd yn Ne Affrica. Y tri a aeth ym mis Tachwedd 1902 oedd Ll ap Iwan, David S. Jones Rhymni a Robert J. Roberts: 'Ond erbyn iddynt ddychwelyd i'r Wladfa yng Ngorffennaf y flwyddyn ganlynol daethai trefn a gobaith newydd i'r sefydliad, ac ni fynnai neb adael oddi yno. Yn hytrach nag ymfudo i wlad arall, dewiswyd arloesi rhannau eraill o'r Ariannin.' (Y Wladfa, t. 264-65)

204 Etholwyd OM yn Aelod Seneddol Rhyddfrydol dros Feirionnydd yn y cyfnod hwn, yn dilyn marwolaeth ddisymwth T. Ellis ym 1899.

205 Benjamin Pugh Roberts, brawd yr awdur a ddaeth gyda'i deulu o Cambrian House, Llanuwchllyn i'r Wladfa ym 1881 a Lizzie Freeman, ei wraig, a ddaeth o Pennsylvania i'r Wladfa gyda'i theulu ym 1875 gyda mintai'r *Lucerne*.

206 William George, mab i Thomas Tegai Austin.

207 Ei rhieni hi a Benjamin yng Nghymru, sef John Roberts a Mary Pugh Roberts.

208 Priododd awdur y llythyr, Elin Pugh (Roberts) ddwywaith – yn gyntaf gyda Griffith G. Hughes (a fu farw ym 1898) ac yna gydag Ivan Hopkins. Cafodd bedwar o blant gyda'i gŵr cyntaf: Alice Hughes, Alun Hughes, Mary Hughes ac Esti Hughes; ac yna bump plentyn arall gyda'i hail ŵr: Gweirydd Hopkins, Margaret Hopkins, Meilir Hopkins, Ida Hopkins a Mary Ann Hopkins.

209 Cafodd Benjamin Roberts a Lizzie Freeman 14 o blant – 7 o ferched a 7 o fechgyn: Mary Ann, Sarah (a briododd â William Rowlands, gw. llythyrau'r Rhyfel), Jane, William, Evan, Elvira, Lottie (gw. ei llythyrau hi yn ail gyfrol *Llythyrau'r Wladfa*), Margaret, Adna, George, Eurig, Dewi a Lloyd.

210 William Pugh Roberts, brawd arall yr awdur.

211 Esti Hughes, a briododd â David Williams. Bu farw Esti Hughes de Williams yn Nhrevelin ym 1969 yn 69 mlwydd oed. Tybir bod Ellen yn disgwyl Esti pan fu farw ei gŵr cyntaf.

212 Dafydd Pugh Roberts.

213 William Pugh Roberts.

214 Elin Pugh Roberts.

215 Jane Pugh Roberts.

216 Mae'n debyg mai cyfeirio y mae'r awdur at William Freeman, tad Lizzie. Daeth i'r Wladfa gyda'i wraig Mary Ann Freeman a'u tair merch fach (Sarah, Lizzie a Lottie) o Bennsylvania yn yr UDA ym 1875 gyda mintai'r *Lucerne*. Cawsant ddwsin o blant i gyd.

217 Twymyn yr aur yn yr Andes.

218 Bu LJ farw ar y 24ain o Dachwedd 1904 yn 69 mlwydd oed. Claddwyd ei weddillion ym mynwent Moriah, ger Trelew.

219 Dyma'r pedwerydd gorlif ers 1899.

PENNOD 5

Camu ymlaen i'r ugeinfed ganrif
(Llythyrau 1905-1920)

Chwythai tân Diwygiad Evan Roberts drwy Gymru benbaladr yn ystod
y cyfnod hwn. Daeth y Diwygiad ar draws llwybr Eluned hefyd pan oedd
yng Nghymru ym 1904. Daeth i adnabod Evan Roberts y Diwygiwr, a
dwysaodd ei ffydd. Pan ddychwelodd Eluned i'r Wladfa at ei thad a oedd
'y tu hwnt i obaith adferiad' (llythyr at T. Gwynn Jones, gw. *Gyfaill Hoff*,
t. 99) ddiwedd Mehefin 1904, aeth â pheth o dân y Diwygiad yng
Nghymru yn ôl efo hi. Cyn cychwyn am y Wladfa ysgrifennodd Eluned
at OM ar yr 22ain o Fehefin, 1904:

> ... Mae Caerdydd wedi ei meddiannu gyda'r Methodistiaid yr
> wythnos yma, 'does ond 'gethwrs iw gweld yn mhob man, ond
> rhyfedd debyced i bersoniaid ydynt – buasai'n iechyd i galon dyn
> weld ambell Fichael Jones yn ei frethyn cartref ...[220]

Efallai i Eluned hyrwyddo'r Diwygiad yn y Wladfa, ond fe chwaraeodd
llythyrau eu rhan hefyd. Dywed W. Meloch Hughes yn *Ar Lannau'r
Gamwy ym Mhatagonia*:

> Y sôn cyntaf glywais am ddiwygiad Evan Roberts yng Nghymru
> oedd, pan ar ymweliad â Chwm Hyfryd yn Ionawr y flwyddyn
> hon (1905). Deuthai'r hanes am dano yno drwy lythyrau
> dderbynasid o Gymru, ac yn naturiol dyheai'r brodyr yno am
> ymweliad cyffelyb. Ar fy nychweliad yn ôl i ddyffryn y Gamwy,
> cefais y lle'n gynnwrf trwyddo gan ysbrydiaeth y diwygiad. Y
> modd y cyrhaeddodd hwn i'r Wladfa, fel i'r Cwm, oedd drwy
> lythyrau a'r wasg newyddurol, yn mynegu brwdaniaeth y
> teimladau crefyddol yng Nghymru. Yn hanes diwygiadau
> blaenorol, dynion Duw garient y fflam o le i le. Ond yn hwn, y
> Wasg â'i llythyrennau oerion, a'i phapur bregus, fu'r cyfrwng i
> gludo'r ysbrydiaeth dros dir a môr. Anodd sylweddoli pa fodd y
> gallasai papur ac ychydig lythyrennau arno fod yn gyfrwng
> digonol i gario ysbrydiaeth mor frwd cyn belled. Ond felly y bu.

Ym mis Awst 1905, a hithau 'nôl yng Nghymru unwaith yn rhagor,
ysgrifenna Eluned at Daniel Rees (LlGC AG5/2/46): 'Newyddion da

sy'n dod o'r Wladfa o hyd; y Diwygiad yn dal yn ei wres ai rym ... '

Cyhoeddodd Eluned bedair cyfrol rhwng 1904 a 1915 ac mae dylanwad arddull y llythyr yn gryf ar ei gwaith. Cyhoeddwyd ei hysgrifau cyntaf gan O. M. Edwards yn *Cymru*. Rhai o'r ysgrifau hynny yw sail ei chyfrol gyntaf, *Dringo'r Andes* a gyhoeddwyd ar ddydd Gŵyl Dewi 1904. Mae'n ddiddorol nodi mai yng Nghymru y cwblhaodd Eluned ei phedair cyfrol. Efallai nad oedd yr awen yn cydio'r un fath yn nistawrwydd y paith, neu fod gormod o waith yn galw ac eneidiau i'w hachub. Mae ei chyfrol *Gwymon y Môr* (a gyhoeddwyd fis Chwefror 1909) yn deillio o lythyrau a ysgrifennodd Eluned at ffrind yn cofnodi ei hargraffiadau hi o fordaith. (Diddorol yw nodi mai ffrwyth llythyrau a ysgrifennodd OM at wahanol bobl yw un o'i gyfrolau cynharaf yntau, sef *O'r Bala i Geneva* a gyhoeddwyd yn 1896.) Nid oes ronyn o amheuaeth y bu OM yn ysbrydoliaeth ac yn ddylanwad mawr ar Eluned. Gofynnodd Eluned i OM (llythyrau 77 a 78) am i'w chyfrol *Gwymon y Môr* fod yr un maint â chyfrolau ei gyfres ef, 'Cyfres y Fil'. Mae hi hefyd yn defnyddio'r un arlunydd ag a ddefnyddiai OM yn fynych yn ei gyhoeddiadau, sef Kelt Edwards. Nid yw'n syndod felly bod stamp gweithiau OM i'w weld ar waith Eluned.

Ym 1909 cyrhaeddodd y rheilffordd o Drelew i'r Gaiman. Ond digwyddiad mwyaf ysgytwol y cyfnod hwn, mae'n debyg, oedd llofruddiaeth Llwyd ap Iwan ym 1909, ac fe geir cofnod byw gan lygad-dyst yn ystordy'r CMC (Cwmni Masnachol y Camwy) yn Nant y Pysgod (gw. llythyr 81). Ll ap Iwan oedd yng ngofal cangen yr CMC yn yr Andes. Achosodd ei lofruddiaeth gyffro mawr yn y Wladfa a brawychwyd y Gwladfawyr gan y digwyddiad hwn. Mae'n debyg i Llwyd ap Iwan herio ei ymosodwr ond 'yr oedd dan anfantais oherwydd ychydig ddyddiau cyn hynny llosgodd ei ddwylo'n dost pan ffrwydrodd lamp olew yn yr ystordy a bygwth rhoi'r lle ar dan' (*Y Wladfa*, t. 246). Yn ddiweddar, ym Mhlas y Graig, y Gaiman, canfuwyd llythyr sy'n sôn am y ddamwain gan Alen, merch Llwyd ap Iwan, at ei chwaer Mair a ysgrifennwyd cyn llofruddiaeth eu tad. Mae'n debyg y gallai'r llosgiadau hyn fod wedi effeithio ar ei allu i amddiffyn ei hun yn ystod y ffrwgwd yn yr ystorfa.

Ym 1911 y daeth yr ymfudiad mawr olaf o Gymru i'r Wladfa. Hwyliodd 120 o Gymry ar y llong *Orita* a glanio ym Mhorth Madryn ym mis Tachwedd 1911. Bu'r sefydlwyr newydd yn gaffaeliad i'r bywyd diwylliannol yn y Wladfa gan i'r fintai gynnwys rhai beirdd a llenorion. Ceir llythyr (84) gan Mihangel Gruffydd ap Iwan (mab hynaf Ll ap Iwan) at ei nain (Mrs MDJ) oddi ar fwrdd y llong, a diddorol yw cael cipolwg ar fywyd ar long wrth groesi'r Iwerydd yn y cyfnod hwnnw. Ymfudodd yr ysgolhaig Arthur Hughes (tad Irma Hughes de Jones, bardd a golygydd *Y Drafod*) ar fwrdd yr *Orita* a cheir dau lythyr gan ei ddarpar fam-yng-nghyfraith wrth gloi'r bennod hon.

Dau frawd a ymfudodd o Lanuwchllyn i'r Wladfa ar yr *Orita* oedd Thomas Edward Rowlands a Williams Price Rowlands. Cyngor y tad o Lanuwchllyn i'w ddau fab mewn llythyr (89), wythnos wedi iddynt adael Cymru am Batagonia ym 1911 oedd:

> ... Cofiwch fod yn blant da a gofalu am fyned i'r Eglwys ar y Sul a chadw ysgol Sul yna ac ysgol ganu, gallwch trwy hyny wneud llawer o les i'ch cydwladwyr a byddwch yn sicr o gynyddu eu serch tu ag attoch ...

Mae disgynyddion i deulu William Price Rowlands (a'i wraig Sarah Roberts, merch Benjamin Pugh Roberts, yntau yn frodor o Lanuwchllyn) yn dal i fyw yn y Wladfa heddiw ac yn cyfrannu'n helaeth i'r bywyd cerddorol yno.

Er mai ar yr *Orita* yr aeth yr ymfudiad mawr olaf o Gymry i'r Wladfa, ceir yr argraff bod dipyn o fynd a dod rhwng y ddau le yn ystod y blynyddoedd cyn y Rhyfel Mawr (gw. llythyrau teulu'r Lewis, 85-88): 'Yr wythnos yma cychwyna dau lanc ifanc oddi yma tua eu cartref yna yr ydym yn dal y cyfleustra i ddanfon anrhegion i chwi ... '

Ym 1912 aeth Eluned a'i nith Mair draw i Gymru ac aros yno tan 1918. Ni fu Eluned yn ôl i Gymru wedi hyn. Daeth y Rhyfel Byd Cyntaf a'i gysgod dros bawb ac nid oedd llawer a fynnai deithio yn ystod y cyfnod cythryblus hwnnw, heb sôn am ymfudo. Mae'n amlwg i'r ffaith i'w harwr, OM, siarad o blaid rhyfel fod yn loes calon i Eluned. Dywed mewn llythyr at D. R. Daniel, dyddiedig y 10fed o Ebrill, 1916 (*Gyfaill Hoff*, t. 207): 'Nid oes arnaf gywilydd arddel fy mod wedi colli dagrau chwerw wrth ben ysgrif fy eilun yng Nghymru ... '

Profiad rhyfedd, wrth dwrio drwy focs esgidiau yn llawn hen lythyrau sydd ym meddiant Tegai a Luned Vychan Roberts de González yn eu cartref ym Mhlas y Graig, y Gaiman, oedd dod ar draws llythyr gan T. Gwynn Jones at Eluned, ac yntau yn ei dweud hi'n sobor am OM. Gwrthwynebai T. Gwynn Jones ryfel ar sail ddyngarol, ac eto nid oedd yn wrthwynebydd cydwybodol. Fe'i gwrthodwyd i fynd i ymrestru ar sail iechyd gwan (gw. cofiant David Jenkins, *Thomas Gwynn Jones* (tt. 261-262). Rwyf wedi dewis cyhoeddi'r llythyr hwnnw (96) yn ei gyfanrwydd. Yn yr un bocs esgidiau daeth y tair ohonom ar draws llythyr gwreiddiol gan OM at Eluned ym 1916. Roedd gweld ei lawysgrifen fach dwt wyth mil o filltiroedd o Gymru yn brofiad gwefreiddiol. Byddai Eluned yn ysgrifennu at OM yn fynych yn gofyn – ac weithiau'n ymbil – am waith addas i'w chynnal tra byddai yng Nghymru. Ysgrifennai at wŷr eraill hefyd i ofyn yr un peth (gw. llythyrau 66 a 68). Ceir yr argraff mai ateb oedd y llythyr hwn gan OM yn y gobaith o gael ymwared â'i cheisiadau ymbilgar. Nid oes gennyf dystiolaeth, dim ond ymateb greddfol. Llythyr eithaf oeraidd ydyw yn cynnig gwaith iddi fel athrawes Sbaeneg yng Nghaerdydd. Yn wahanol i arddull flodeuog Eluned, roedd OM yn ei chyfarch yn ffurfiol: 'Annwyl Miss Eluned Morgan' ac yn llofnodi'r llythyr gyda'i enw llawn, 'Owen M. Edwards'. O fewn dwy flynedd fe oerodd y berthynas rhwng Eluned ac OM yn sgil ei gefnogaeth lafar ef dros y rhyfel. Cafodd Eluned ei dadrithio ganddo ac fe gafodd OM lonydd. Dyma'r ohebiaeth olaf rhyngddynt i mi ei darllen.

Effeithiodd y rhyfel ar economi'r Wladfa. Rhwng 1914 a 1918 gwelid dirywiad sylweddol yn yr CMC. Ceir blas o rai o sgileffeithiau'r rhyfel ar y Gwladfawyr yn llythyr David Gerallt Jones (94), dyddiedig 1915:

> ... Y mae yn debyg fod yr Ymerawdwr William wedi mynd a'r ink i gyd o'r cymydogaethau yna neu efallai y papyr, o'r hyn leuaf ychydig iawn sydd yn gallu cyrhaedd yma. Y mae y Rhyfel ofnadwy hon wedi peri colledion ar fywydau ac arian a pharlysu masnach mewn llawer Canghen sicr yr arweinia i dlodi mawr ar ol hyn ...

Doedd llyfrau a phapurau newydd a chylchgronau ddim yn cyrraedd y Wladfa fel cynt, fel y crybwylla Laura Williams de Ulsen yn ei llythyr (99) ym 1918:

> Yr ydym yn cael ychydig o hanes pethau gan ein bod yn derbyn y ddwy drysorfa ar Lladmerydd, y Gymraes Goleuad, Brython yr oedd fy nhad yn derbyn y Traethodydd hefyd yr ydym am gael y Genedl yn ei le eleni yr ydym yn ei derbyn ers blynyddoedd trwy cooperative, ond mae llawer yn colli o achos y rhyfel ...

Doedd y ffaith i'r CMC wrthod gwerthu alcohol ddim o fantais economaidd i'r Gwladfawyr, yn enwedig gan fod ystordai cyfagos yn eu gwerthu. Daeth y Cwmni i ben yn ystod y tridegau a llawer o'i gyfranddalwyr yn colli eu cynilion a hynny'n bennaf, mae'n debyg, oherwydd camweinyddu. Ceir llythyrau'n cyfeirio at broblemau cynyddol yr CMC yn y bennod olaf.

Rhyfeddod i mi oedd deall i'r ffliw angheuol a laddodd gynifer yn Ewrop yn dilyn y Rhyfel Mawr gyrraedd y Wladfa. Dywed Hanna Mary yn ei llythyr (100) ym 1918: ' ... Mae yma gannoedd yn Trelew [?] yn dioddef gyda r Influenza, yr haint wedi dod yma gyda rhyw long meddir ers rhyw bymthegnos yn ôl ... '

Gellir dadlau mai cyfnod y Rhyfel Mawr oedd dechrau dirywiad gwirioneddol y Gymraeg yn y Wladfa. Ar ôl cyfnod y Rhyfel Mawr, symudodd llawer o ferched o'r Wladfa i Buenos Aires i weithio yn yr Ysbyty Prydeinig yno. Bu eu cyfraniad i'r ysbyty ac i fywyd Cymreig y brifddinas yn sylweddol, ond ar draul bywyd Cymraeg y Wladfa. Hefyd yn ystod y rhyfel, gwelwyd tipyn o Saesneg yn ymddangos yng ngholofnau'r *Drafod* a chynnydd mewn trafod materion tramor. Sbaeneiddiwyd y trefi gan ymfudwyr o amryw genhedloedd. Yn fuan wedi'r rhyfel disodlwyd y Saesneg gan y Sbaeneg, er mai'r Gymraeg oedd prif gyfrwng y papur yn dal i fod. Eglura RBW yn *Rhyddiaith Patagonia* (t. 24) i bapur arall gael ei sefydlu ar y 1af o Awst, 1914, sef *Y Gwiliedydd*, ond iddo ddarfod yn fuan wedyn oherwydd prinder papur. Ym 1917 bu farw golygydd papur cyntaf y Wladfa, *Y Brut*, sef Berwyn. Ceir llythyr (91) diddorol ganddo ym 1914 yn nodi'r ffaith fod criw gwreiddiol y *Mimosa* yn edwino a'r sylweddoliad fod bywyd yn tynnu at y terfyn:

> Prin y gallwn ddisgwyl cyfle ymgom yn y byd hwn canys ydwyf oedrannus heibio 76 ac yr hynaf o wyr y fintai gyntaf yn cael y teitl Patriarch ers blyneddau ... Ychydig or fintai gyntaf sydd ar dir y byw. Gwyddoch fod rhai yn fabanod ar y Mimosa. Ac ydym oll yn awyddus iawn am nawdd Duw i weled y flwyddyn nesaf (1915) Jiwbili hanner canrif y Wladfa. Mae yr epil yn niferog. Taid wyf fi gyda dwsin o wyrion yn fyw ...

Bu cyfraniad Berwyn yn sylweddol i sawl maes, ond yn arbennig felly i fyd addysg. Llythyr at Mrs MDJ yw hwn ganddo. Fe'n hatgoffir fod dyledion y diweddar MDJ yn parhau i bwyso ar y teulu, a hynny mor ddiweddar â 1917, wrth ddarllen llythyr ei fab Mihangel ap Iwan (97) at ei frawd-yng-nghyfraith. Trafod gwerthu'r cartref, Bod Iwan, yn y Bala a wneir yn bennaf yn y llythyr hwn. Ar ôl ymddiheuro am fethu â phrynu Bod Iwan ei hun, try'r awdur ei sylw at ei fam:

> ... Helynt iddi hi fu Bod Iwan o hyd, ond ei harian hi oedd wedi ei suddo ynddo, ac er yr holl helbul gafodd gydag ef, yno hefyd y

bu fyw y rhan fwyaf ffrwythlon a phrysuraf oi bywyd ...

Fe'n cyflwynwyd yn y bennod flaenorol i deulu diddorol Benjamin Pugh Roberts a theulu'r Freeman. Rhoddaf le yn y bennod hon i dri theulu a ymgartrefodd yn yr Andes, sef teulu Benjamin Roberts a ddaeth o Lanuwchllyn, teulu William Freeman a ddaeth o Pennsylvania, a theulu William Rowlands o Lanuwchllyn. Ceir dau lythyr gan Elvira Roberts (merch Benjamin Roberts a Lizzie Freeman) yn y bennod olaf. Mae cysylltiad clòs rhwng y tri theulu gan i ferch William Freeman, Lizzie Freeman, briodi Benjamin Roberts ac i'w merch nhw, Sarah, briodi William Rowlands. Bu cyfraniad y teuluoedd hyn i fywyd Cymraeg Cwm Hyfryd yn sylweddol ac mae rhai o'u disgynyddion yn byw yno o hyd.

Mary Ann Freeman (Thomas gynt) sy'n ysgrifennu'r ddau lythyr (79-80) a welir yn y bennod hon at ei merch Lizzie a'i mab-yng-nghyfraith Benjamin Pugh Roberts. Bûm am beth amser yn methu gwneud pen na chynffon o'r llythyrau hyn gan y tybiwn mai'r awdur oedd William Freeman. Doedd y llythyr ddim yn gwneud fawr o synnwyr gan y soniai'r awdur am 'Tada'. Roeddwn bron yn sicr nad oedd tad William Freeman wedi ymfudo gydag ef a'i wraig a'u tri phlentyn o Pennsylvania i'r Wladfa. Diolch i Joyce Powell o Esquel (wyres i Benjamin Roberts a Lizzie Freeman) am daflu goleuni ar y mater, drwy egluro mai Mary Ann oedd yn ysgrifennu ar ran ei gŵr. Mae'n ddigon posib i lawer o ferched y Wladfa wneud hyn, er mai enw'r gŵr sydd gyntaf ar waelod y llythyr. Mae'n amlwg i Mary Ann gael bywyd caled yn magu deuddeg o blant o dan amgylchiadau anodd. Hon oedd y ddynes a esgorodd ar blentyn deg pwys wrth groesi'r paith, gan alw'r newydd-anedig yn Mary Paithgan. Nid yw'n syndod iddi ddod yn fydwraig y bu mawr alw am ei gwasanaeth. Disgrifir Mary Ann Freeman gan James H. Rowlands yn Y Drafod, rhifyn dydd Gwener, 26 Gorffennaf 1946 (rhif 2,342): 'Hawdd canfod bod Mrs Freeman yn ddynes ddiwylliedig, a bod ei gofal yn fawr am ei phlant lluosog.'

Symudodd y teulu 'nôl i Ddyffryn Camwy yn ddiweddarach. Mae hiraeth y fam yn Nyffryn Camwy am ei merch Lizzie a'i theulu hithau yn yr Andes yn llethol (cafodd Lizzie Freeman a Benjamin Roberts 14 o blant): 'try & write oftener for it does me good to get letters from yous all ... this is a dear place to live in ... ' (80)

Bu tri o blant Mary Ann Freeman farw yn ystod y flwyddyn cyn ysgrifennu'r llythyr uchod. Fel ag mewn sawl llythyr arall ceir tinc o erioni, a hwnnw'n eironi trasig yn aml. Roedd afon Camwy yn parhau'n gur pen i'r Gwladfawyr, ac yn amlwg ar feddwl Mary Ann ddydd a nos:

> ... For at times I felt most broken hearted would rather die than
> live: least thing makes me nervous: last night I dreampt that the
> river was flowing over and that we had a bridge to cross over &
> when the boys were going over Tutu & Connie fell in then the
> boys jumped in after them: then I woke up to day I see them in
> the river can't get rid of it ... (80)

Flwyddyn wedi ysgrifennu'r llythyr hwn, boddodd Mary Ann yn afon
Camwy. Nid yw'n glir sut y bu iddi foddi. Yn ôl ei hwyres (Joyce),
soniodd ei Mam (Maggie) wrthi fod Mary Ann wedi mynd â photiau
blodau at yr afon er mwyn rhoi dŵr iddynt. Roedd hi newydd golli tri o'i
phlant o'r teiffoid.

Er gwaetha'r rhyfel a phroblemau'r ffosydd, ar yr wyneb bu'r cyfnod
hwn yn un o'r rhai mwyaf goludog yn hanes y Wladfa. O ddarllen rhai
o'u llythyrau fodd bynnag fe welwn i'r Wladfa gostio'n ddrud i sawl teulu
profedigaethus.

Y Diwygiad

(74) Rhan o lythyr Eluned Morgan yn fuan wedi iddi gyrraedd Cymru at y Parchedig Gwylfa Roberts,[221] Llanelli yn cyfeirio at rym y Diwygiad yn y Wladfa.
(Adran Archifau a Llawysgrifau Prifysgol Cymru Bangor 21840)

51 Hamilton Street
Cardiff
Awst 12/1905[222]

Anwyl "Gwylfa",

Wele fi yr ochor yma ir Iwerydd unwaith eto, mae rhai om cyfeillion yn awgrymu mae'r peth calla i mi fyddai prynu 'Baloon', fel y gallwn hedeg o un cyfandir ir llall yn fwy hwylus! Ond unwaith y caf gyrhaedd Dyffryn y Camwy eto; y tebygrwydd yw na'm gwelir yn Nghymru am lawer blwyddyn faith.[223] Mae bywyd Cymru yn mynd yn fwy ffurfiol a pheirianol bob blwyddyn, ar wanc am arian a chlod yn difa goreu'r Genedl.

Wedi blwyddyn o ddistawrwydd y peithdir a phum wythnos o dawelwch y môr; mae rhuthr bywyd y dinasoedd ar trefydd mawrion yn codi rhyw arswyd ryfedd ynof, ac yn rhoi i mi welediad gliriach nag erioed ar wagedd bywyd yn yr ugeinfed ganrif.

Diau eich bod wedi clywed am y Diwygiad nerthol, ysgubodd dros ein dyffryn bychan pellenig fel tan ysol, a chwyldroi pob peth a phawb, a chreu Dyffryn newydd a phobl newydd. Ni fu erioed mor galed arnaf i adael yr Hen Wladfa, ac onibae fy mod yn meddwl drwy'r papurau fod Cymru yn yr un cyflwr gogoneddus, ni fuaswn fyth wedi gallu cefnu. Ond hyn yn hyn, siomiant *chwerw* yw'm hymweliad a Chymru; ond rwy'n dal i obeithio yr ail gyneuir y tan pan ddaw hirnos gauaf. (...)

Gobeithio fod Mrs Roberts yn iach a siriol, rhyfedd fod ffawd mor gyndyn, na chaem weled ein gilydd unwaith

Gan ddymuno i chwi bob daioni

Ydwyf yn bur iawn,

Eluned

Marwolaeth W. R. Jones (Gwaenydd)

(75) Rhan o lythyr Griffith Griffiths (Gutyn Ebrill)[224] o'r Wladfa at y Dr Roberts (Isallt)[225] yng Nghymru yn adrodd hanes y ddamwain angheuol ac yn talu teyrnged i Gwaenydd.[226]

(Casgliad Carneddog LlGC G/424/1 ac Archifdy Prifysgol Bangor 10217)

Llwyn Ebrill,
Gaiman,Chubut,
Via Buenos Aires
Nos Wener, Awst 10fed, 1906.

Dr. R. Roberts (Isallt)
B – Festiniog.
Fy anwyl Hen gyfaill, llawer canwaith y bum yn meddwl am ysgrifennu gair atoch – o'r "Llwyn" pell, wr llawen, pur.

Ond heno, fe ddaeth yr adeg, ac "y mae fy ymadrodd heddyw'n chwerw", – i fynegi i chwi am ddiwedd alaethus a sydyn ein hen gyfaill gwir ddoniol a galluog William R.Jones (Gwaenydd). Ië – hên gyn-arweinydd "Seindorf y Blaenau" nid yw mwy! Tua thri o'r gloch y prynhawn wythnos i heddyw, cymerodd ei wn llwythog yn ei law i fynd i saethu petris ag oedd yn ymyl ei dŷ, ac wrth fynd trwy'r *fence* o byst a gwifrau, fe ymddengys i'w droed "faglu" yn y *wire* nes iddo ef W.J. gwympo ar ei hyd – yn mlaen, ac aeth yr ergyd allan ac i'w ochr dde – rhwng ei *hip* a'i asenau. Yr oedd un o'i wyrion bychain gydag ef ar y pryd, a gwaeddai allan yn dorcalonus "Peidiwch a marw Taid bach"!

Daeth Mrs Jones, a'r gwas, etc, ac yno yr eiliad hwnw, gan ei symud, – a'r oll a ddywedodd wrthi hi oedd – "Damwain fuo hi, 'Rhên gariad; fy nhroed i faglodd yn y *wire*." Dyna frawddeg ddifrifol olaf yr hyawdl a'r ffraeth-bert Gwaenydd. Cariwyd ef i'r tŷ lle y tynodd yr anadl olaf yn mhen rhyw haner awr wedi'r ddamwain erchyll. (...)

Y mae yn rhyfedd genych chwi oddiyna, goelio na fu yr un *meddyg*, na *chrwner*, ar gyfyl y lle! Yr oedd y Dr. agosaf rhyw 40 milltir o bellter o'r *Camlyn* – hoff gartref "rhydd-ddaliadol" ein cyfaill.

Bu fy mab, H.G., Ynad y rhanbarth, yn y lle cyn cychwyn y corff i'w gladdu ddydd Sul diweddaf y 5ed o Awst, 1906.

Yr oedd torf aruthrol o bobl, yn feibion a merched, mewn

cerbydau, ac ar feirch, yn hebrwng gweddillion ein cyfaill 65 oed, i'w "argel wely" i fynwent y Gaiman – tref y rhanbarth uchaf o'r "Sefydliad ar y Camwy". Y Parson Davies a weinyddai'r seremoni angladdol, a rhoddwyd y "gweddillion" i orwedd "mewn gwir ddiogel obaith o adgyfodiad gwell i fuchedd dragwyddol." Caled iawn oedd hi ar Mrs Jones ei anwyl "Liza" chwedl yntau. Gwaeddodd i lawr i'r bedd – "Cysgwch yn dawel William bach; dof innau yna toc"! (...)

Gweithiodd ein cyfaill yn galed iawn ar droion i enill bywoliaeth dda, ac i dori'r "Gamlas" a "Ffosydd" er cael dŵr i'w dyddyn. A chyrhaeddasai "dop y rhiw" yn lled wych, er iddo gael ei boeni yn dost gan yr Asthma a churiad y galon, meddent, dros amser hir. Er y cwbl, edrychai yn dda a siriol gan amlaf, gan wasanaethu fel aelod o wahanol "Fyrddau'r" Sefydliad – sef y Cynghor Trefol a'r Masnachol a'r Cwmniol, dros lawer o flynyddau ar hyd a lled y dyffryn. Nid oedd yma ddim un a allai byth ddod i fyny a'i arabedd, a'i ddawn glir ddeallus ef. Dyma i chwi un esiampl o'i *wits* parod-ddawn, craffus ef. Yr oedd ganddo bwnc o gyfraith rhyngddo a rhyw *Indian* unwaith ynghylch anifeiliaid, a fy mab Hugh Gruffydd oedd yr *Ynad* i setlo rhyngddynt.[227] Wedi i Gwaenydd egluro'r pwnc – (un or rhai cliriaf fu yn ei lys meddai H.G.) fe gwestiynai'r Ynad yr *Indian* yn bur galed, yn y *Spanish* wrth gwrs, a Gwaenydd yn edrych yn graff ar yr alltud – gwaeddodd allan yn Gymraeg "Canlyn arno fo *Huw* – mae o'n dechre llyncu ei boeryn yn barod."

Gallesid yn hawdd, pe amser, a gofod yn caniatau, lenwi "*Clorian*" y Blaenau yna a'i ffraethebion. Gwyddoch chwi yn dda am ei allu cerddorol a llechyddol a llawer "ol" arall. Gwyddom ninnau yma am ei allu cydbwys fel cynganeddwr pert ar y 24ain. Bu yn fuddugol yma laweroedd o weithiau gydag Englynion a Thoddeidiau byw. (...)

Rhaid gadael ar hyn heno, gan ei bod at amser "y waedd a'r haner nos" a'r teimlad, hyd yn hyn, megis wedi ei syfrdanu. (...) Yr wyf fi yn bur iach o hyd, ond yn "stiffio" – o fewn blwydd a haner i'r pedwar ugain. Fy hên bartneres sy'n cwyno cryn dipyn oddiwrth "Riwmatics".

Cofion anwyl, anwyl, atoch oll yn Mhlaswaenydd, a fy hen gyfeillion o'r Moelwyn i'r Migneint ac o Felin Tyddyn Du, i'r Crimea & a fy hen gyfeillion &
Fyth

Gutyn Ebrill

Eluned Morgan y llenor

(76) Adysgrif o lythyr gan OM at Eluned yn y Wladfa, 6 Rhagfyr 1907.[228]

Mae Eluned yn dyfynnu o lythyr a gafodd gan OM yn ystod y cyfnod hwn yn ei theyrnged iddo (*Gyfaill Hoff*, t. 239). Gellir tybio mai rhan o'r un llythyr â'r isod ydyw:

> Y mae cymaint o waith i'w wneud fel yr wyf yn gorfod bod ar fynd o hyd ac ar ddamwain hollol y caf ddod adre er hynny, yr wyf yn cael fy ngwobr bob dydd, teimlo fod yr yspryd Cymreig yn cryfhau dan fy nwylo.

> (Copïwyd o adysgrif yng nghartref Tegai Roberts a Luned Vychan Roberts de González yn 2007.)

Os medraf fod o ryw wasanaeth yn enwedig gyda chyhoeddi eich gwaith, gwnaf bob peth o fewn fy ngallu. Y mae Gwladfa Gymreig – yn nesaf at godi'r *hen* Gymru – y peth agosaf at fy nghalon i ...

(77) Llythyr gan Eluned yng Nghymru ynghylch ei chyfrol *Gwymon y Môr* at OM.

(LlGC AG5/2/47)

51 Hamilton street
Cardiff
Rhag 19/08[229]

Gyfaill Hoff,

Yn amgaedig chwi gewch "design" Kelt Edwards[230] i glawr fy nhipyn llyfr sydd eisioes yn y wasg ag a ddaw allan rhywdro yn Ionawr.[231]

Nid wyf yn gwybod dim am gyfrinion y blockio, na phwy yw'r rhai goreu at y gwaith. A fyddech chwi fwyned a danfon y "design" ym mlaen i'ch pobol chwi fel y gwnaethoch gyda darluniau "Dringo'r Andes"[232] gan ofyn iddynt yrru'r ddau flock a'r cyfrif i'r Brodyr Owen, Abergavenny.

Mae'r clawr i fod o *lian* lliw hufen thon a gwymon ar yn ail mewn glas a brouge green, yn ol y design – ac felly bydd raid cael dau flock mae'n debyg, un i bob lliw.

Gobeithiaf y try allan yn weddol gain. Ofnaf mai y tu allan y bydd yr harddwch i gyd, gan nad wyf yn cael fawr hwyl.

Daeth Ifor Williams[233] yma o Goleg Bangor ar helfa lawysgrifau, a dywed fod y gogledd yn ei mantell wen – ni welwyd rhew nac eira yng Nghaerdydd eto, ac er i Dachwedd fod yn hyfryd, mae Rhagfyr yn dial.

Mae disgwyl mawr am "Gymru" Ionawr a phawb yn gobeithio y bydd araith y Dadorchuddiwr [?] yno'n *llawn.*

Gobeithio y cewch oll fel teulu Nadolig dedwydd yn y Neuadd Wen.[234]

Cofion annwyl atoch oll
Fyth yn bur

Eluned.

(78) Llythyr gan Eluned at OM.
  (LlGC AG5/2/48)

51 hamilton Street
Cardiff
Rhag 23/08

Gyfaill Hoff,
Eich carden newydd ddod i law, diolch calon am eich caredigrwydd.
Gyda'm blerwch arferol anghofiais brif bwynt fy llythyr, sef nodi
maint y llyfr. Bydd eisiau lleihau'r garden [?] gan mae'r un faint a
"Chyfres y fil" yw'r llyfr i fod. Oni ddylsai Kelt fod wedi gwneud y
blockiau ir maint? Yr oedd efe'n gwybod maint y llyfr o'r dechreu –
ond dyna, tebyg fod popeth yn iawn ond fy mod i'n dwp.
Llawenydd deall eich bod yn hoffi "design" y clawr, nid oes genyf
fawr ffydd yn y tu fewn.
Cofion cynnes
Fyth yn bur

Eluned

Mary Ann Thomas de Freeman

(79) Rhan o lythyr Mary Ann Freeman a William Freeman o Ddyffryn Camwy at eu merch a'u mab-yng-nghyfraith yn yr Andes, sef Lizzie Freeman a Benjamin Pugh Roberts. Roedd gan Mary a William ddwsin o blant: Sarah Ann (1870-1892); Lizzie (1875-1962); Lottie (1875-?); Maggie (1878-1981); Joseph (1880-1940); Thomas (1883-?); John (1885-1946); George (1889-?); William (1890-?); Mary (1891-1909); Edward (1893-1907); a Connie (1897-1990).

Ar y darlleniad cyntaf ceir yr argraff mai William Freeman sy'n ysgrifennu'r llythyr, ond o astudio'r llythyr yn fanylach, gwelir mai ei wraig, Mary Ann yw'r awdur. Yn ôl un o'i disgynyddion, dywedir i Mary Ann Freeman ddysgu Cymraeg ar ôl sefydlu yn y Wladfa ond nad oedd hi'n ddigon rhugl ei Chymraeg i wahaniaethu rhwng *chi* a *ti* wrth siarad â gwahanol bobl. Er i'w gŵr, William Freeman, ymfudo o'r Unol Daleithiau i'r Wladfa, mae'n debyg y byddai ef wedi medru'r Gymraeg gan i'w deulu ymfudo o Gymru i Scranton, Pennsylavania cyn ymfudo i'r Wladfa.

(Trwy garedigrwydd Joyce Powell, Esquel.)

Oct 8 1908

Dear Ben & Lizzie
I will try and answer your letter first chance so glad to hear from yous. I would like to hear more from yous where is the children all: (...) Tada[235] is not well tonight his back is very bad can't move, I have been rubbing it so he is in bed same as I used to get: he is working to hard been at the ditch makeing a through to carry more watter. Joe[236] has been with the horse shovel last 3 days doing more on the banks, so now they are readey to try again hope it will work now. Willie[237] & Tutu[238] are in Gaiman singing school learning for the Eisteddfod. Ellen[239] has not come up with the hat yet. Joe intends to go to drova gabbage, I have been in bed for most of 4 days but thanks I am better: (...)

It is blowing so hard I am afraid to hear the roof going off. (...) Today is Sunday: have been in bed ever since the night I wrote to you before but am much better: only I do not want to get up to soon for fear of going back. Joe has taken Emylin[240] Tutu and Connie[241] to chapel in the trap. Mr Jones Bryn Gwyn is preaching this morning Margaret has gone over to her mother place since Friday. (...)[242] Well dear Ben & Lizzie try get the children to raise a few

plants of mytens also aney other trees in a box or tin so as they will take root. I will reamber them for it. With lots of love from Nain Taid: to yous all: Dear Lizzie I would like to have a chat with you once more. Also Ben. (...) There is a lot of passengers come yesterday but we have not heard who they are, the watter is passing the house to day ditch full. To morrow they are going to sew, Aben [?] Griffith is using it now. So it will be some thing to get watter after so much cost & work John & Joe has worked hard, also Tada. Tell John ditch is full now with the new cavern. Reamber me to all who inquire of us with love to yous all. Kiss the children for us. Ever your loving father mother

William Mary Freeman Kises xxxxxxxxxxxxxx

P.S. the railroad has reached the Gaiman Pentra Syden. We see the train pass every day. But I wish that I could put my self same plasseas I was a year to day in Esquel.[243]

(80) Rhan o lythyr arall oddi wrth Mary Ann Freeman o Ddyffryn Camwy at ei merch Lizzie Freeman, gwraig Benjamin Roberts yn yr Andes.

(Trwy garedigrwydd Joyce Powell, Esquel.)

June 6 1909
Sandy Castel[244]

Dear Lizzie & all the children[245]: Tada[246] has arrived down once more: we were longing to see him for we were lonesome: now we will mis Joe for his place will be empty but his duty is up with his family & we are thankfull for his company & help. For at times I felt most broken hearted would rather die than live: least thing makes me nervous: last night I dreampt that the river was flowing over and that we had a bridge to cross over & when the boys were going over Tutu & Connie fell in then the boys jumped in after them: then I woke up to day I see them in the river can't get rid of it[247]: Tada feels much better after being up. He has promised me to go up in spring we are ever-thankfull to you for the buttur and chese. But Dear Lizzie I know it has cost you a lot of trouble. I am sending you a few things now: but can't get what I want for the store is empty but I will reamber you when I get the chance. We are expecting Ben every day. I have not been in chapel for 5 or 6 Sundays don't feel like going. Before Tada reached Willie had been very sick but was better when Tada reached I had been for 3 nights watching him. The clothes I was putting on his head out of vinger was drying as fast as I put them on. But we did not send for a doctor and thanks he is all right again. (...) Alen ap Iwan[248] has the measles (frech coch) last week we had been down in drova Gabage thrashing Tutu & I took food down: you will get all news from Joe: for we have not much time to write. For a short time we are six men here for Thom Chambers has been here for the last 2 weeks waiting for Joe: he has a very bad cough, been sick before he came here. (...) Well Dear Lizzie I am counting the time till I can come up to see yous: I may be like Tada feel better after ... try & write oftener for it does me good to get letters from yous all. (...) Kiss all the children for me. This with lots of love from us all, ever your loveing Mother & Father. Tutu Connie John[249] & Will.
William & Mary A.Freeman.

Dear Lizzie forgive me for not sending more this time cant get things when things were to be had I had no money before tada came down: this is a dear place to live in.

Llofruddiaeth Llwyd ap Iwan

(81) Rhan o lythyr Robert R. Roberts at ei rieni, Mr David Roberts a
Mrs Ann Roberts, Capel Garmon, Cymru. Roedd Robert R. Roberts yn
gweithio yn ystorfa Nant y Pysgod, cangen o Gwmni Masnachol y
Camwy a agorwyd yn 1906. Disgrifia yma lofruddiaeth Llwyd ap Iwan.
Gweler *Cymru* (OM), Ebrill 1913, t. 222 am fwy o'r hanes.

(Derbyniais gopïau o'r llythyr hwn gan Arthur Jones, Llanuwchllyn
a chan Owen Tydur Jones, Trelew. Ceir copi o'r llythyr yn y Llyfrgell
Genedlaethol yn Aberystwyth hefyd.)

Blwyddyn Newydd dda i chwi oll.

Arroyo Pescado neu (Nant y Pysgod)[250]
Colonia 16 de Octobre
Via Neuquen B. Aires
South America
Dydd Mercher. 5ed Ionawr 1910.

Anwyl Rhieni
Nid oes ond rhyw bythefnos er pan oeddwn yn ygrifenu attoch
or blaen heb ddim newyddion da na drwg ynddo. (...) Wel nhad a
mam mae genyf hanes difrifol i ddeud wrthych yn y llythyr hwn yn
glyn a marwolaeth difrifol fy meistr yn y lle hwn sef y Br Llwyd ap
Iwan mab hynaf y diweddar Michael D Jones or Bala yr hyn a
gymerodd le wythnos i heno am tua haner awr wedi chwe or
gloch.[251] Cafodd y truan y saethu gan leidr/llofrudd penffordd. I
ddechreu yr hanes. Yr wyf fi ar Br D.O.Williams sydd yn y
Cooperative yma efo fi yn dystion or amgylchiada.

Felly dechreuaf ar fy stori fel hyn, ond gadewch i mi ddeud yn
gyntaf am i chwi yna beidio dychryn. Yr wyf fi yn alright. Mae yr
hanes yma wedi ei anfon yn barod ir Rhedegydd a mwy na tebyg y
bydd trwy oll papyrau yr hen wlad cyn ychydig amser.[252]

Cymerodd pethau le yn union fel hyn. Sef ar y nos Fercher 29 o
mis diweddaf a sef wythnos i heno. Nid oedd y diwnod yma yn
ddiwnod hyfryd o gwbl, yr oedd y Gwynt yn chwythu yn erbyn y
drws y store trwy y dydd fell yr oedd yn rhaid ei gau; ac ni ddaeth
ond ychydig o gwsmeriaid i fewn yn ystod y dydd. Wel nawr yr oedd
yn tynnu am amser cau sef chwe or gloch, a dyna fy meistr Llwyd ap
Iwan yn dywedyd wel Boys waeth i chwi gau ddim ddaw yma neb
yma etto heno, ond pan oeddwn i ar gychwyn i gau y cefn y store ar

ffenestri cyrhaeddodd hen Indian y store un digon di olwg a slow ofnadwy a dechreuodd D.O. Williams ei servio, ac eis innau yn mlaen efo dechreu cau y store i fod yn barod erbyn bydda hwn yn myned allan ac aeth y Br Llwyd ap Iwan ir Ty ac nid oedd yn ei ddisgwyl yn ol o gwbl. Ar ol i mi gau pob man ond y room y counter eis i yn fy ol i sefyll wrth y Counter yn barod i fynd allan. Yr oedd yr hen Indian yma yn dal i brynnu ac yr oedd ganddo papyr werth 50 dollors eisieu ei newid, ac nid oedd ond ychydig o bres mân yn y stor ar safe, felly darum berswadio fo wario gymaint allo arno fo. Erbyn hyn daeth dyn i fewn yr hwn oeddwn yn ei hadnabod sef y Br Francisco Arbe, servias i hwn a gyda bodo yn deud wrthyf yn Spanish dynar cwbl machgen i: Cyrhaeddodd dyn arall[253] y store, a dechreuodd siarad ef Francisco yn Spanish yn gylch Cyfrwy a deallaswn ar i siarad o mae Sais oedd o ac mi eis atto fo i ofyn beth oedd arno eisieu, ond yn cyntaf dywedodd Francisco Arbe wrthyf nos dawch yn Spanish ag allan a fo. Felly cefais innau le yn awr ddechreu servio y Sais yma fel dyn arall, ac yr oedd D.O. Williams yn dal i servio yr hen Indian yma o hyd. A dyma fi ar Sais yn dechreu arni scwrsio dipyn bach a finnau yn meddwl dim drwg o hwn mwy na rywun arall. Ac yn union fel hyn dechreuodd brynu, a dyma finnau yn deud wrthych yr hanes yn union fel a peth ddywedodd ef. Dyma fo yn gofyn i mi fel hyn i ddechreu Have you any saddles here. Yes meddwn ni ac yr un pryd yn gofyn iddo what price Sir. The best medd yntau, I want it to be of good quality, a dyma fi yn mynd i agor lle yr oeddym yn cadw y cyfrwyau, ag yn dod yn ol efo un iddo, a dyma yntau yn dechreu ei examio, ac yn gofyn beth oedd ei bris o, ag atebais innau ef mae 92 dollars, without stirrups nor belly band, o medd yntau Its rather dear, will you show mi another one, yes meddwn innau. I think I have one more of this quality a fwrdd a fi i nol o, alright medd a fo I think Ill take them. Well Have you any stirrups. Yes meddwn innau ac estynais i fwndal iddo gael i examio nhw, what price for these medda fo 6.30 meddwn innau, alright Ill take two pairs of these. Dyma fo yn gofyn etto i fi a oedd genym suits yma, no meddwn innau we are out of them at present, Wel let me see some of those corderoy trousers, a dyma fi yn ystyn rhai iddo. Very nice indeed, its a pity our camp men would not have some of this stuff medd fo. A dyma fo yn gofyn i fi yr wan yn lle yr oedd Mr Ap Iwan. Mae o yn ty meddwn innau, will he come back again tonight. No I don't think so meddwn innau for its closing time, gyda hyn dyma ei bartner i mewn, a dyma'r ddau yn dechreu siarad efo'i gilydd.²⁵⁴ What shall we do, we cant take these away before we see Mr Ap Iwan. Ac wrth gwrs mi ddarun nhw ofyn i ni etto am Mr Ap Iwan a ffwrdd a fi i nol o ir ty, ac yr oedd yn mynd i gael ei swper, a dyma fi yn deud wrth Mr Ap Iwan fod yna ddau wr bonheddig eisieu ei weld. Pwy ydyn nhw medda fo, wn i ddim ond dau Sais ydyn nhw. Felly aethom ill dau ir store trwy drws y Front ir Store, yr oedd Mr Ap Iwan ychydig eiliadau i fewn o fy mlaen i, gyda fy mod i yr ochr arall i counter dyma y dyn cyntaf oedd yn siarad a fi yn gofyn i Mr Ap Iwan Have you a message for me, what's the name medda Mr Ap Iwan. Jones medd yntau ar un pryd yn bagio at y drws yn tynu revolver arall ag gwaeddi *"Hands up. Deliver the keys or you will be a dead man"*

Ac erbyn hyn yr oedd y diweddaf or ddau Sais yma wedi neidio dros y counter at a fi D.O. Williams, yn *pointio revolver* ag yn gwaeddi yr un peth *"Hands up"* ac wrth gwrs ufuddad oedd y peth goreu. Ac wrth gwrs erbyn hyn yr oedd ym oll tri wedi dychryn a medda Mr Ap Iwan wrth y Sais oedd ar ei gyfer. You can have the keys and every cent there is in the place as long as you save my life, But let me tell you first, there is but very little money here at present. Never mind medd y Sais we have heard plenty of those stories and Rubbish, March off with that man at once & deliver every cent. A dyma Mr Ap Iwan yn mynd efo sawl neidiodd dros y counter, ar sawl ddeudodd wrtho fo am fynd yn aros efo ni. A dyma fo yn deud wrthym in cysuro ni. *Dont frighten Boys your life is safe as long as you do as you ar told.*

Yr oeddwn i yn clywed Mr ap Iwan yn agor y safe, ag yn rhoi yr arian ir lleidr, ar lleidr yn gofyn iddo *Is that all* Yes medda Mr ap Iwan, a dyma fi'n clywed swn fel swn ymladd, a dyma ergyd allan a Mr ap Iwan yn rhoi yr ochenaid olaf, ond cafodd dair o ergydion ei gollwng allan, ar ol i Mr ap Iwan druan rhoi yr ochenaid. Wrth gwrs oedd hyn yn blaen i ni fod Mr ap Iwan yn farw. Wel dyma y llofrudd yn ol ir room atom ni ac yn gofyn i ni ddilivro yr arian oddan ni yn wybod am danynt, ac wrth gwrs toeth dim i wneud ond ufuddau neu oedd ein bywydau yn mynd hefyd. Yr oedd yn fy drawr 30 dollar yn perthyn i ddyn oddi allan, a meddwn innau wrtho y lleidr, here you are take this it does not belong to the company but you can do as you like with them a gadawodd nhw ar ol heb ei cyffwrdd ag yn gwneud i finnau farchio yn ol at fy partner. Ar ol cael y pres i gyd darfu un o honynt hwy ddechreu tynu pethau i lawr or store lot o ddilladau, Boots uchel, trousers, silk handkerchiefs, Top Coats,

Shawls a lot o pethau eraill, a dechreuodd packio nhw ar i ceffylau, dim on un cofiwch, yr oedd yr un arall yn watchio ni ill dau o hyd, ar ol iddynt orphen pethau cawsom fynd allan, a ffwrdd a nhw nerth traed ei ceffylau. Ac wrth gwrs yr oedd yn rhaid tori y newydd ofnadwy i Mrs ap Iwan druan.[255] Ac wir nhad a mam mae hi ar plant wedi dod trwyddi yn dda ofnadwy. Mae yn wir mae dynes gall iawn iw Mrs ap Iwan yn mhob ffordd ac mae hi yn dangos hyna yn yr amgylchiad or fath yma. Mae y Store ar gau yn awr yn disgwyl gair oddiwrth y Cyfarwyddwyr i wybod beth iw wneud efor achos. Y mae yn y gryw o ddynion o bob man a cyfeiriad wedi myned ar ol y llofrudd ar lleidr. A mae y llofrudd ar lleidr wedi tori telegraph wire dwy waeth neu dair. Ond gobeithio ddeudau i y cant ei diwedd yr un modd a gwneson nhw efo Mr ap Iwan druan.[256]
Ie Dyna chi hanes difrifol ynte Nhad, mae marw ar wely o afiechyd yn dipyn i rhywun ond dyma farw ofnadwy ynte. Yn dangos fod yn anghenrheidiol i ddyn fod yn barod i farw. Wel mae bur debyg y bydd yr hanes ofnadwy yma yn y Rhedegydd a thrwy oll papyrau Saesneg. Mae pawb yn deud am Mr ap Iwan, nac oes yr un dyn mor ddysgedig a fo yn y werinyddiaeth yma. Ac mae yr hen Indiaid yma yn teimlo yn ofnadwy drosdo fo. Bob un gwrdda i, mae pob unon nhw yn deud Druan o Mr ap Iwan yn ei iaith ei hunain. Nid wyf yn gwybod beth ydych yn feddwl o beth fel hyn, ond gobeithio ynte nhad, caiff pobl fel hyn ei difa.

Wel i fynny yn y Nant y Pysgod yma mae David Johnny Owen, ond mae John Owen yn mynd i Chubut efor waggen tua dydd llun nesaf a mae Dafydd yn mynd i aros yma efor defaid. Mae'r Boys yma yn dod yn mlaen yn iawn yma, wrth gwrs mae yma gefn da ganddynt iw helpu. Yr wyf finnau yn disgwyl cael gair o hyd oddiwrth John ei fod wedi briodi. Wel cofiwch fi at Tommy ar teulu a dangoswch hwn iddo.

Wel yr wyf yn gobeithio fod mam a chwithau oll yn iach a cofiwch fi at bawb yn Capel Garmon heb ei henwi.

Ydwyf eich Mab
Robert

P.S.
William Owen Evans brawd Johnny Evans newydd ddod a Telegram yma or brif Office Chubut (CMC H Office) yn deud fod rhaid i mi fyned i lawr i Chubut i rhoi yr hanes ofnadwy yma iddynt yna. Felly byddaf yn cychwyn fory neu drenydd

Bob

Bedd Llwyd ap Iwan ym mynwent Esquel.
(trwy ganiatâd Llafar Gwlad)

(82) Llythyr Mihangel ap Iwan at ei fam (gweddw Michael D. Jones) yn dilyn llofruddiaeth Llwyd ap Iwan.
(Adran Archifau a Llawysgrifau Prifysgol Cymru Bangor 11399)

Ferro Caril de Buenos Aires al Pacifico
Consultorio Medico
Junin
Ebrill 4 1910

Yr wyf yn amgau beth hoffswn gael ei gerfio ar y gareg fedd. Un ar bob gwyneb.

Fy Mam hoff.
Daethum yn ol o'r Wladfa dros wythnos yn ol yr oeddwn wedi bod i ffwrdd o Junin ddeufis bron cyn fy nychweliad. Aethum am teulu hyd Porth Madryn, yno gadewais hwy ac yn mhen tridiau yr oedd yno rhywfath o gerbyd yn myned ir Andes aethum gyda hwnw, ar y ffordd i fyny daeth John a Rhydderch y Bedol[257] o hyd i ni, gadewais y cerbyd a marchogais gyda hwy hyd Nant y Pysgod. 13 diwrnod y bum cyn cyrhaedd y Nant. Bum yno bythefnos yn trefnu pethau, hel buddianau Llwyd at eu gilydd, a'u gosod i wylwyr ar haner y cynydd am dair blynedd.

Y mae gan Myfanwy rhyw 2000 o ddefaid a 500 o wartheg. Wrth gwrs bydd yn rhaid iddi ddibyny ar y gwyliwyr am ei heiddo ac yn aml nid ydyw hyny yn foddhaol iawn yma. Y mae haner y defaid ar gwartheg i gyd, ar eu llech ar y Mynydd Llwyd, tra y mae haner arall y defaid ar dir y Llywodraeth a rhan o'r tir wrth Nant y Pysgod. Deuais a Myfanwy ar teulu i lawr oddigerth Mihangel yr hwn adawyd ar ol yn yr Andes i hel y gwartheg ar defaid ir Mynydd Llwyd a dod ar gwlan i lawr ir farchnad. Buom un diwrnod ar ddeg ar y ffordd i lawr ond deusom i lawr yn ddihap ac mewn ychydig o amser fel y mae pethau yno ar hyn o bryd, yn enwedig gan mai tri ceffyl yn unig oedd genym. Yr oedd Davydd Jones Rhymni[258] eisoes wedi rhoi gorchymyn i gychwyn bildio (adeiladu) ty ar Bodiwan sef y fferm yn ymyl y Bryn Crwn[259] lle yr oedd Llwyd yn aros cyn myned ir Andes, y fferm hon oedd y fferm brynodd fy nhad gan James Harris, a fferm dda iawn ydyw hefyd yn awr; i gyd o dan alfalfa. Y mae Davydd Jones, Rhymni wedi bod yn dda iawn a byddai yn dro caredig arnoch anfon gair ato ef a Mrs Jones i ddiolch am eu caredigrwydd. Yr oedd fy nhad wedi rhoi yn weithred y fferm, tri enw sef ei enw ef Llwyd a minau, a bod y fferm i fod rhwng Llwyd a minau. Llwyd oedd wedi cael ei gwasanaeth hyd yn hyn a chredav mai gwell oedd trosglwyddo fy haner i i blant Llwyd a gadewais Power of attorney ir perwyl yma. Yn lle hyn y mae Myfanwy gweddw Llwyd yn barod i adael i Myfanwy gwraig Rhys Bangor unrhyw diroedd oeddech chwi yn bwriadu adael i Llwyd, ac yr wyf finau o'm tu inau yn barod i adael i bob tiroedd och eiddo i fyned i deulu Myfanwy Rhys.

Os digwyddaf fyw ar eich ol gallech adael i mi collection fy nhad or penau saethau, store implements etc sydd yn Bodiwan. Yr wyf fi yn gwneud collection or fath ac ni wna neb eu gwerthfawrogi gymaint a fi.[260] Feallai mai gwell i chwi ysgrifenu at Myfanwy gweddw Llwyd ar y mater er cael ei chydsyniad hi ar bapur. Cynygiodd ef i mi tra yn y Wladfa ond meddyliais y pryd hyny y buasai fy ngair i yn ddigon, gwell feallai fyddai ei chydsyniad hi yn ysgrifenedig.

Gwelais fedd Llwyd druan yn yr Andes, yn Esquel y mae wedi ei gladdu. Nid oes yna fynwent yn Nant y Pysgod, ac y mae Esquel rhyw 30 milldir o Nant y Pysgod. Cafodd ei ladd bron mewn eiliad gan yr Ianci, dwy fwled yn unig oedd wedi ei daro, ond y ddwy drwy ei galon. Nid oedd Llwyd wedi meddwl fod ganddo ragor nag un revolver, ac wrth gwrs yn cydio ai holl egni yn hwnw, tra ir cowboy Wilson [?] dyny un arall oi logell a thanio ddwywaith i fynwes Llwyd. Erbyn hyn y mae yn dda genyf fy mod wedi delio bob amser gyda Llwyd fel brawd ac nid fel cwsmer; ac yr wyf yn barod i wneud yr hyn sydd resymol iw deulu. Y mae genyf eisiau i chwi anfon careg fedd i mi yn syth i Porth Madryn debyg i un fy nhad ond nid cymaint gadewch i mi wybod y pris, ar clud bris (freight i P.Madryn)

Eich mab hoff
Mihangel.
Cofion gorau at bawb.

Ysgol y Camwy, Ysgol Ganolraddol y Gaiman
(trwy ganiatâd Llyfrgell Genedlaethol Cymru)

Yr Ysgol Ganolraddol

(83) Llythyr gan hyrwyddwyr yr Ysgol Ganolraddol yn y Gaiman at David Lloyd George, yn diolch iddo am ei rodd o ddesg i'r ysgol. Dyddiedig 14 Hydref 1910.

(LlGC 23659E)

I'r Gwir Anrhydeddus
D.Lloyd George, A.S.[261]
Canghellor y Trysorlys,
Prydain Fawr.

Anrhydeddus Syr:

Ar ran hyrwyddwyr "Ysgol Ganolraddol Y Wladfa"[262], y mae genym yr anrhydedd o dalu ein diolchgarwch gwresocaf i chwi am eich rhodd werthfawr o "ddesc"[263] at wasanaeth Athraw ein hysgol.[264]

Y mae y dodrefnyn hwn ynddo'i hun yn cael ei brisio'n uchel yn ein golwg, ond yn fwy felly oherwydd y ffaith mai *rhodd* ydyw gan

Gymro anrhydeddus a chenedlgarol, ac un sydd wedi dringo i binacl uchaf enwogrwydd a chyfrifoldeb yn yr Ymherodraeth Brydeinig, ond eto yn un sydd heb anghofio ei gydgenedl mewn cyrion pellenig o'r ddaiar, megis y Wladfa Gymreig ym Mhatagonia.

Ein gweddi yw ar i chwi gael dyddiau lawer ar y ddaiar i lesoli dynoliaeth yn gyffredinol, ac i ddyrchafu enw "Hen Wlad ein tadau" yn neillduol, gan ei dwyn i sylw y byd fel gwlad yn gallu magu glewion cymhwys i lanw y swyddi pwysicaf yn y Wladwriaeth, ac ar yr un pryd yn parhau i arddel eu haniad Cymreig a choleddu'r hen *iaith*; ac yn barod ac yn awyddus i wasanaethu eu cyd-genedl drwy agor iddynt a dwyn iw cyrhaedd fanteision dysg a gwybodaeth, a thrwy hyny eu gosod ar y ffordd i fod yn llwyddianus, gwasanaethgar, a dedwydd.

Y mae y diolchgarwch hwn yn cael ei anfon o'n Heisteddfod flynyddol a gynhelir heddyw – y 14eg o Hydref, 1910 – yn y Gaiman, Dyffryn y Camwy.

Ydym, anrhydeddus Syr eich ufudd wasanaethwyr

Hugh Griffith
Eluned Morgan
D.B.Williams
Daniel R. Evans
Phillip John Rees

Yr Orita

(84) Llythyr oddi wrth Mihangel Gruffydd ap Iwan[265] at ei nain, Mrs
MDJ, oddi ar fwrdd yr *Orita*.
(Adran Archifau a Llawysgrifau Prifysgol Cymru Bangor 11440)

PACIFIC LINE
R.M.S. "Orita"
Monte Video
Tachwedd 25/11.

Fy Anwyl Nain,
     Nadolig llawen a Blwyddyn Newydd Dda i chwi oll!
Cyrhaeddwn Monte Video bore fory, a disgwyliaf weled Dr
Mihangel yno.[266] Y mae'r tywydd yn dechre oeri ar ol y gwres
anarferol gawsom y dyddiau diweddaf. Y gair diweddaf anfonais yna
oedd o Pernambuco. Gwedi hyny glaniasom yn Bahia. Pineapples
yn dri am swllt yno, ac yn flasus dros ben. Prynais gwerth chwech o
fananas a chefais 35 ohonynt. Mae'r ffrwythau yn newid dymunol ar
y bwyd dderbyniwn ar fwrdd y llong. Cig a thatws i frecwast, cinio,
a the. Nid yw'r salted meat yn werth i'w brofi – ond mae'r cig rhost
– bob yn ail ddiwrnod yn bur dda, pan wedi ei goginio yn iawn. Nid
ydym fel Cymry yn y 2nd Class yn cael y chwareu teg a haeddwn.
Bu'r Cwmni yn ddigon cyfrwys i roi ar y pass pan yn rhoi diet list –
mai 'Sample' ydoedd –. Nid oeddynt yn rhwymo eu hunain i
gyrhaedd y safle hono bob dydd. Ac nid ydynt yn amcanu gwneud.
Rhaid i ddyn deithio 3rd Class cyn y gall farnu yr anghyfleustra sy'n
perthyn i'r Dosbarth hwnw. Yn un peth mae'r arogl ddychrynllyd
sydd yma yn y tywydd poeth yn ddigon i ladd cawr. Nid ydym yn
cael newid dillad gwely o un pen y daith i'r llall. A pha ddyn o reswm
all fyw ar gig – dri phryd y dydd pan bo'r thermometr yn cyrhaedd
98°! Bahia dydd Sul Tachwedd 19. Rio de Janeiro Dydd Mawrth
Tach. 21. Cyrhaedd am 5 p.m. Nifer fawr o'r dagos – y tramorwyr yn
glanio yma. Cymerodd yr Orita' tua 900 tunell o lo i mewn yma, a
dwfr i'w yfed. Y bore canlynol, Mercher, daeth 'launch' at y llong i
nol teithwyr i weled Rio. Cawsom gychwyn o'r llong am 8.30 a.m.
Dychwelyd 4 p.m. a chost y trip nol a blaen ydoedd 2/-. Ond nid
oedd nwyddau Rio rhated a hynyna – Costiodd packet pwys o
fiscuits 1/3, tin o gocoa, hanerpwys 1/3 (milreis) a tin o peaches
1/3. Yr oedd rhai adeiladau gwych iawn yno, Theatre Nationale.
Grecian Pillars o farmor y tu allan iddi. Buom drwy y Gallerie

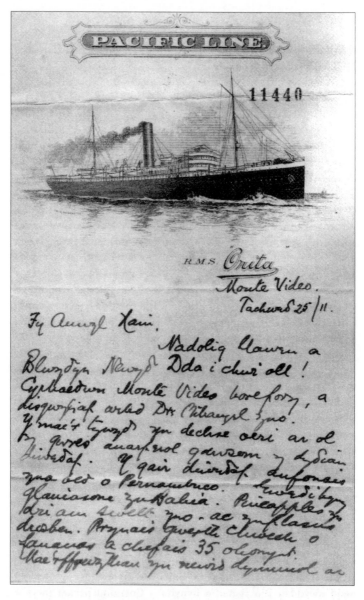

Llawysgrifen Mihangel Gruffydd ap Iwan
(trwy ganiatâd Adran Archifau a Llawysgrifau Prifysgol Cymru Bangor)

Nationale – ac yr oedd rhai paintings ysblenydd yno. Yn Rio y cefais y feed ore er gadael Lerpwl. Cinio – Fried Sole & potato, roast beef & potato, fried eggs & ham, salad, iced pineapple & juice, rice pudding & custard stewed fruit, wine – yr oll 2/6. Mae blas y cinio yna yn fy ngheg hyd yn awr. O mi roedd yn dda. 'Yn cweit neis' chwedl Mr Rees Capel Mawr.[267] Yr oeddym wedi cael pryd bychan o goffee, a bara menyn wrth gyrhaedd y ddinas a'r cinio tua dau o'r gloch. Ac yr oedd coffee Rio yn anfarwol. Mae'n debyg mai coffee San Paulo Brazil ydyw'r gore ar wyneb daear. Ac mae'n hawdd genyf gredu hyny yn awr, wedi cael profi ohono. Y mae Rio yn ddinas up.to.date. Roedd canoedd o fotor cars yno, a dyna olygfa oedd gweled un llinyn mawr ohonynt yn dod ar y brif heol tuag unarddeg yn y bore, hwylia'r masnachwyr i gyd adref bryd hyny, a gorffwysant hyd dri o'r gloch y prydnhawn. Mae'n boeth yn wir yn rhy boeth i feddwl gweithio, am y ddwy awr ganol dydd yn y rhannau hyn o'r wlad.

Tachwedd 23 Iau. Santos. Myned i fyny afon o dan ofal Pilot, am tua chwe milltir yr 'Orita' yn myned alongside yr harbwr – a chawsom lanio heb dalu yma. Yr unig borthladd arall ar y daith y cawsom wneud hyn ydoedd La Pallice (La Rochelle) Ffraingc. Santos eto yn le drud – afalau 6d yr un, oranges 2 am 4 ½ , grapes 1/- y pwys. Yr oedd y bananas yn rhad 10 am 3d. Cerryg oedd y palmantydd a'r heolydd, ac yr oedd dyn yn blino yn fuan wrth gerdded drwy y dref. Bu'r dref hon yn afiach iawn am flynyddau – ond mae cwmni o Brydeinwyr ynghyda rhai Americanwyr wedi rhoi gwedd newydd ar y lle – harbwr ysblenydd yma. Rio de Janeiro sydd a'r harbwr ail ore i Sydney Australia – a Queenstown yr Iwerddon yn drydydd. Dyna'r gwir ar awdurdod hen forwyr. Hwylio o Santos 3.45 p.m. dydd Iau – ac nid oes borthladd yn awr hyd Monte Video. Mae'n brydnhawn Sadwrn arnaf yn ysgrifenu'r nodyn hwn – ac yn ol yr amser y cymer i deithio'n ol i Gymru, bydd iddo gyrhaedd yna ar ben y Nadolig. Disgwyliwn ninau gyrhaedd Borth Madryn dydd Mawrth (yn hwyr) neu ddydd Mercher nesaf (Tach 29) fan bellaf.[268] Gobeithiaf eich bod wedi meddwl ysgrifenu i Faes yr Haf, Bryngwyn, Gaiman, Chubut erbyn hyn – fel y bydd i ddyn gael llythyr ymhen rhyw dair wythnos neu fis wedi cyrhaedd y Wladfa.[269] Fy nymuniadau gore i chwi i gyd

Eich ffyddlon
Mihangel.

Y teulu Lewis

(85) Llythyr 'Meri' Lewis at ei theulu yng Nghymru. Deuai Mary (Bowen gynt) ac Evan Lewis yn wreiddiol o ardal Treherbert yn y Rhondda. Priodasant ym Mhontypridd ym 1875 a'r un flwyddyn fe hwylion nhw i Batagonia ar fwrdd y llong *Archimides*. Cawsant naw o blant.

(Cefais fenthyca'r llythyrau gan Gareth Miles.)

> **Meri Lewis**
> **Bryn Coed**
> **Bryn Gwyn**
> **Gaiman**
> **Chubut Via Buenos Aires**
> **Republica Archentina**
> **Mai 3 1911**

Anwyl Frawd a chwaer
Wele fi yn cymerid y pleser i anfon gair bach atoch gan fawr obeithio eich cael chwi oll yn iach fel ag y mae yn ein gadael ni yma: Yr ydwif yma bron ar ben fy hunan y plant yn fy ngadael o un i un y mae pedwar or bechgyn wedi priodi a dau o honunt yn sengl ar ddwy ferch ac fe gleddais yr ail ferch sef Martha pedair blynedd ir pedwaredd o Awst nesaf or ffever sgarletina yn un deg with oed a mawr oedd fy ngofid am trallod am galar ar ei hol oll fel teulu:

Y mae lluniau Evan Lewis genif yr oeddwn wedi meddwl am anfon rhai o honint efo Meistres James ond trwy fod yr amser mor bring nis gallaf ei hanfon hwy y nawr ond fe wnaf ei hanfon efo y post: yr ydwif yn disgwyl llythur oddi wrthuch ach lluniau hefyd efo Meistres James ach adres yr un modd y mae y Ledi hyn yn gyfeilles fawr a ni yma ac yr ydwif yn anfon y llythur hwn efo hi ac os y gall hi eich ffindio chwi cewch ein hanes ni efo hi. Wel terfynaf yn awr gan fawr obeithio y cyrhaeddant chwi yna yn ddiogel wel terfynaf gan hala ein cofion cynesaf atoch fel teulu oddi wrth eich anwyl chwaer Meri Lewis

Well anwyl teily nid ydwyf wedi clywyd am neb wedi dod yma or wladfa mi carem hela rhiw presant i chwi pe buasie nhw yn mynd maes oddi yma.

(86) Llythyr arall gan Mary Lewis.
(Trwy garedigrwydd Gareth Miles.)

Bryn Gwyn
Mehefin [?]

Anwyl Frawd Chwaer a'r teulu oll.
Derbyniais eich llythyr dydd o'r blaen, drwg genyf ddeall trwyddo
eich bod wedi cael y fath gystudd. Gobeithio y cewch i gyd wella yn
iawn ar ol hyn, yr ydym ni yma yn weddol i gyd. Drwg iawn oedd
genyf glywed am gladdu David a Edward a ydynt wedi gadael
amddifad ar eu hol ni chlywsom erioed fod Edward wedi priodi.

Mae Mair[270] wedi priodi ac mae ganddi ddau o blant, mab a
merch. Maent i gyd wedi priodi nawr. Yr wyf fy hun ond mae merch
Abigail[271] genyf nawr. Yr oeddech yn gofyn i Mrs Jones fu yna o
Batagonia os oeddwn wedi cael rhyw bethau yrsoch i mi hefo
Hannah Davies merch Rhys Glyn Melyn, ni chefais gymaint a phun
bach, dywedodd nag oedd wedi eich gweled ers mis cyn cychwyn yn
ol, ac na chafodd hi ddim byd gyda chwi i ddod yma.

Cefais gyda Mrs Rhys James pump ties a thri broche, ond ni
chefais y Jug. Gyrsom ni tua saith mlynedd ar ugain yn ol, un
quachango[272] ac un croen glas a gwyn i Edward Lewis a yr un fath i
Edward Dunstone ond ni chefais byth wybod a gawsont hwy ai
peidio. Gyrais lun Evan Lewis a dwi aden Condor, pedwar croen
llwynog i chwi a darn o waith yr indiaid i Tom mab Liza eich chwaer
gyda Amos Howells. Yr oedd llun Evan yn ei ddillad bob dydd,
rhoddwch wybod a gawsoch nhw. Byddwch gystal a gyru gwybod
beth oeddech wedi ddanfon i mi hefo Mrs Davies. Nid oes genyf
ddim byd neullduol i ddweud wrthych. Gobeithio y cewch iechyd
da o hyn allan. Yr ydwyf fi yn weddol ar hyn o bryd. Diolchaf yn
gynes i chwi am yr hyn ddanfonasoch i mi gyda Mrs Jones.
Yr eiddoch yn gywir gydar cofion goreu atoch oll.
Mary Lewis
Gyrwch air yn ol yn fuan gael i mi gael gwybod sydd bydd Josiah
Williams yn gwella.

(87) Llythyr gan Llewelyn Lewis (ganed 1882), mab Evan a Mary Lewis, at ei fodryb.

(Trwy garedigrwydd Gareth Miles.)

Mai 6/1912
Bryn Coed
Bryn Gwyn
Gaiman Chubut
South America

Anwyl Fodryb

Cymeraf y pleser i ysgrifenu ychydig linellau atoch gan fawr obeithio eich bod yn iach fel ag yr ydym ni yn bresenol. Yr wyf wedi dod i ddealldwriaeth yn ddiweddar fod genyf amryw berthynasau yna i ddechrau cefais ychydig och hanes gyda Mrs James, ag yn rhagor derbyniasom anrhegion oddi wrthych ag yr wyf yn ddiolchgar iawn i chwi ach merch Meri am danynt. Yr wythnos yma cychwyna dau lanc ifanc oddi yma tua eu cartref yna yr ydym yn dal y cyfleustra i ddanfon anrhegion i chwi a fy nghithder Mary Guy sef yr hyn oeddech yn dymuno ei gael oedd llun fy nhad i chwi. Hefyd mae fy llun i ddwy waith un waith ar gefn ceffyl ar llall ar droed a dau llun arall sef Evan[273] mewn gwisg gyffredin a John[274] mewn gwisg filwrol. Hefyd mae Abigail fy chwaer hynaf yn gyru Croen y Guanaco sef (Chicango) iw chyfnither Mary Guy ag mae Mam yn gyru Plu yr Estrys i chwi byddant iw cael gan y ddau frawd yn Fferndale os cant iechyd a mordaith lwyddianus i gyraedd yna.

Mae Abigail wedi priodi Rag dweddaf ag mae yn byw rhyw ddeng milldir oddi yma. Mae fy mrodyr eraill yma sef Benjamin[275] a Evan a Llew y fi sydd adref efo mam a Mair, hefyd John yma ar y fferm; mae Phylip[276] y mrawd iengaf rhyw 12 milltir oddi yma yn byw efo teulu ei wraig. Mae Tom[277] yn Canada tua ynys Fancouver nid ydym wedi clywed dim oddi wrtho ers tro.

Modryb dowch i mi gael hanes fy nghefnderwyr a fy nghithderwydd i gyd; carwn yn fawr gael llythyron oddi wrthynt mi atebai i nhw i gyd a chael eu lluniau. Cofiwch fod rhai och bechgyn yn dechreu ysgrifenu yma yn fuan cant wybod hanes y lle yma bron oi ddechreu hyd yn awr. Yr oeddech yn son wrth Mrs James y carech yn fawr ddod yma am dro. Mae yma ddigon o le yma i Gymru rhen wlad a da ydyw genym ei gweled yn cyraedd yma ond does genym ni ddim perthynasau wedi dyfod yma. Beth pe buasau un och bechgyn chwi yn dod allan yma mae yma ddigon o waith i ddau neu dri yr ydwyf fi yn siwr na wnaent edifarhau eu bod wedi dod yma oblegid nid ydyw mor gaeth efo ffermio yma ag ydyw yna.

Dymunwn gael rhyw gymaint o hanes y Ewyrth David ai wraig os ydych yn gwybod rhywbeth oi hanes dywedwch wrtho am ysgrifenu atom a y ddwy fodryb arall yr wyf wedi cael hanes Mrs William Jones yn Pontardulaus ag wyf wedi colli yr adres.

Caiff Mrs Mary Guy lythyr oddi wrthyf yn fuan.

Terfynaf yn awr ar hyn yn fyr a bler gydar cofion goreu atoch i gyd fel teulu

Llewelyn Lewis

O Y Lle i chwi gael yr anrhegion ydyw

Amos Howells

38 Fredrick Street

Fferndale

South Wales

(88) Llythyr gan Llewelyn Lewis at ei gyfnither.
(Trwy garedigrwydd Gareth Miles.)

Bryn Coed
Bryn Gwyn
Gaiman
Chubut
Nov 4/1912

At fy ngfnither Mary Guy

Derbyniasom eich llythyr a da oedd genym ei gael a chael gwybod eich bod wedi derbyn yr hyn yrasom i chwi gyda Mr Howells. Yr ydym yn mwynhau iechyd rhagorol yma er nad yw y dyffryn ddim mor iach ag cyn y Gorlifiadau tua deg mlynedd yn ol y mae y Teiffoid Ffever wedi bod mewn amryw fanau yma ag yn llechu mewn amryw dai o un flwyddyn ir llall mae yn gwneyd tywydd eithriadol o sych yma y tair blynedd ddiweddaf. Anifeiliaid yn meirw ar hyd y Paith (Camp) lle anial o ran poblogaeth ag anifeiliaid gwylltion yno ag anifeiliaid dofion yn cymysgu ond maent yn gorfod dofi eleni i ddod lawr or mynyddoedd bychain ir dwfr neu farw mae dwr go dda yn yr Afon Camwy (Avon Chubut) hyd yn hyn yr ydym yn gorfod dyfyrhau pobpeth yma cyn y tyf yma ni cheir un cynyrch heb ddyfyrhau.

Derbyniais llun un och brodyr mae yn debyg reit i chwi, ach llun chwithau ach priod, ach plant bach, beth yw ei henwau. Dyma fy llun i chwi does yma ddim cyfleusterau i dynu yn dda yma, ond rhaid i mi eu gymeryd fel ag y daw, mae fy chwaer iengaf Mair yn gyru eu llun ich mam, golwg braidd yn cael gormod o fwyd sydd arni, y llun mawr ich mam, ar un bach i chwi, hefyd yr wyf yn gyru tair post card un i fy nghefnder yrodd eu lun i mi, 3 llun i fy modryb sev No2 ag un i fy nghither No 1 eich chwaer iengaf er ei bod yn briod dywedwch wrthi am beidio bod yn llai hyf, na danfon llythyr au lluniau i mi. Os yw yn hawddach ganddynt ysgrifenu yn Saesneg nar Gymraeg gwnaiff llythyr yn Saesneg y tro yn iawn i mi, caiff lythyr nol yn yr iaith Hispaeneg genyf inai. Mi allaf ddarllen ychydig yn Saesneg a deall ychydig o hono ond nis gallaf ei ysgrifenu. Terfynaf y tro hwn gan yru ein cofion atoch i gyd fel teulu.

Hyn yn fyr a bler
Llew Lewis

Y teulu Rowlands, Llanuwchllyn

(89) Rhan o lythyr John Rowlands[278] a Catherine Rowlands[279], Llanuwchllyn at eu meibion, Thomas Edward Rowlands a William Price Rowlands[280] a oedd newydd ymfudo i'r Wladfa.

(Cefais gopïau o'r llythyrau hyn gan Betty a Ned Rowlands, Llanuwchllyn. Mae Ned Rowlands yn ŵyr i John a Catherine Rowlands ac yn nai i Tom a William Rowlands. Mae'r ddau deulu yng Nghymru a'r Wladfa yn cadw cysylltiad agos.)

14/9/11
Gwesty'r Eryrod
Llanuwchllyn, Bala
North Wales

Fy anwyl blant

Yr ydym wedi derbyn eich llythyrau a'ch *cards* o Vigo ac o Lisbon a da oedd genym glywed eich bod yn iach a chefnog ac yn cael mordaith gysurlawn. (...) Cefais lythyr heddyw oddi wrth y Parch John Williams, – vicar Llanowddyn, wedi iddo weled eich hanes yn y Llan yn myned i'r Wladfa. Gyrodd hefyd lythyrau i mi oedd wedi eu derbyn o'r Wladfa o Llyfr yn cynnwys ei hanes er ei sefydliad a darluniau ynddo o Ysgol y Llywodraeth yn Chubut, Pont dros yr Afon Chubut yr hon gafodd ei hysgubo ymaith ar y lli mawr, Darn o Trelew, Portmadryn ynghyd a darn o'r mor a *Pier* yn myned yn bell iddo, yr hwn sydd 42 milldir i'r Gogledd o Trelew. Twr o Genhadwyr yn sefyll yn ymyl rhyw dŷ yn Chubut, merlen wen a geneth fach ar ei chefn, dau fochyn a bwch gafr yn bwyta o'r un cafn. (...) Afon Percy sydd yn rhedeg trwy Chubut, a helig yn tyfu ar hyd ei glanau fel y maent yn ei gwneyd yn anhawdd ei physgota. Eglwys St David Chubut, yr hon sydd a'i gwaliau o fwd a'i thô o *sink*, tair fenestr yn ei hochr a fforth bychan ar ganol ei thalcen ar person mai yn debyg yn sefyll yn ei ymyl. (...) Wel dyma fi wedi rhoddi ychydig o hanes eich gwlad newydd i chwi. Cewch ychydig bach yn awr o hanes hen wlad eich genedigaeth. Gan mai wythnos i ddydd Mercher diweddaf yr ymadawsoch y mae pob peth yma yn debyg fel eu gwelsoch. Ac eithrio ein bod wedi cario chwe llwydd y siandry o fangls i'r ysgubor, pedwar llwyth trol o *Sweeds* i'r ysgubor a saith lwyth trol i'r tu ol i'r helm wair ac wedi ei toi rhag ystormydd y gauaf. Yr ydym wedi codi y tatws, *cwts* 14 llath ar ddeg ac wedi cau

Teulu'r Rowlands, Llanuwchllyn
(*trwy ganiatâd Betty a Ned Rowlands, Llanuwchllyn*)

1. WILLIAM PRICE ROWLANDS   3. THOMAS EDWARD ROWLANDS   3. MARGARET JANE ROWLANDS
2. JOHN FRANCIS ROWLANDS   5. PLUW RICHARD ROWLANDS   5. CATHERINE ROWLANDS
3. JOHN ROWLANDS   8. MARY FRANCIS ROWLANDS   9. ROBERT ERNEST ROWLANDS
            10. KATE OLWEN ROWLANDS   11. TEGID OWEN ROWLANDS

o'i amgylch gyd a weiar bigog. (...)

Y mae Willie wedi gadael aml i beth ar ei ol yma, gwelais ddau o'i arfau carfio yn y *brew house*. Ond dichon na fydd yna lawer o waith carfio: Cofiwch fod yn blant da a gofalu am fyned i'r Eglwys ar y Sul a chadw ysgol Sul yna ac ysgol ganu, gallwch trwy hyny wneud llawer o les i'ch cydwladwyr a byddwch yn sicr o gynyddu eu serch tu ag attoch. Byddwch yn ofalus i edrych pa waith a daliff oreu i chwi buaswn yn eich cynghori i beidio rhwymo eich hunain yn sefydlog yn un man ar hyn o bryd, os na allwch ddibynu ar gynghorion rhai o'ch perthynasau. (...)

Pawb yma yn iach. Magie[281] yn Llundain a Tegid[282] yn Lerpwl. Hyn o linellau am y tro cyntaf oddi wrth eich hen dâd.

(90) Rhan o lythyr arall John Rowlands a Catherine Rowlands at eu meibion, dair blynedd wedi iddynt ymfudo.

(Trwy garedigrwydd Betty a Ned Rowlands, Llanuwchllyn.)

The Eagles, Llanuwchllyn, Bala. Mai 28ain 1914

Fy anwyl blant

Daeth eich llythyrau i'm llaw heddyw, sef pwt byr oddi wrth Will a llythyr faith oddi wrth Twm. Gan na dderbyniasom yr un gair oddi wrthych er pan yr oedd Mr a Mrs Ellis yma agos i flwyddyn yn ol, yr oeddym wedi credu na chlywem byth air yn rhagor, a chan ein bod wedi anfon y box er mis Hydref, yr oeddem yn ofni fod hwnw wedi ei golli. (...) Yr wyf wedi cymeryd y Bull Mawr Bala gan Mrs Price Rhiwlas yn dŷ rhydd i werthu unrhyw ddiod a ddewisiaf. Y mae wedi bod yn gaedig er es dros ddwyflynedd a phobl a phlant wedi malu ei ffenestri a dragio llawer o bethau ty fewn. Yr wyf fi yn ei *repario* ac yn ei gael y flwyddyn gyntaf am ddim, ond fe fydd y costau yn llawer mwy na'r rhent blwyddyn, Er hyny yr wyf yn disgwyl y deuaf allan yn y pen draw, gan fod genyf *lease* arno am wyth mlynedd am y rhent o 24 punt. Yr oedd yr reparo i gyd a'r Ind Coope ac yr oedd ef yn talu 100 punt o rent amdano. (...) Y 27ain or mis nesaf y bydd y *Licence* yn cael ei throsglwyddo i mi yn y Bull. Y pwnc mawr i mi yn awr fydd cael digon o arian iw repario ai ddodrefnu yn briodol gan ei fod yn lle mor fawr. Y mae yn fwy o lawer nag un man yn y Bala ond y White Lion. Y mae Maggie dy chwaer wedi cael y dycae, wrth fod yn rhy hir yn nyrsio rhai a dycae arnynt yn yr Infirmary, ac yn Ventnor, Isle of

Wight y mae hi yn awr yn ceisio mendio.[283] Cawsom llythyr echdoe oddi wrthi yn dweud ei bod yn well, ac yr oedd yn myned i ofyn am gael bod yno fis eto, gan ei bod yn credu y bydd yn lled dda erbyn hyny. (...) Wel yr wyf yn gadael hyn i'r gwaelod i dy fam ysgrifenu a dweud y newyddion sydd ganddi hithau. Hyn o linellau oddi wrth eich dad. J.R.

Fy anwyl blant. Nis gallaf ddesgrifio fy llawenydd heddiw boreu pan dderbyniais eich llythyrau, ac fel yr ydych yn gweld fod Maggie wedi bod ar ein meddwl an gofal rydwyf wedi bod yn anfon gair ati ac wyau fresh 2 neu 3 gwaith yn yr wythnos tra y buodd ar y siels list yn Llundain a hynny am 5 mis o amser. Mae hi yn Ventnor ers mis yn ol ac yn cychwyn gwella yn nice iawn. Rhoddaf ei chyfeiriad i chwi os cewch hwn yn ei amser ac ysgrifenu yn ol yn fuan fe allai y bydd yno. Maent yn rhoi 5 neu chwe mis iddi. Rwyf wedi poeni llawer gyda hi mae o yn bity a hithau wedi dyfod mor ddefnyddiol. Hwyrach mae yna gyda chwi y bydd cyn hir. Os na bydd y Doctoriaid yn foddlawn iddi ddyfod yna byddwn yn ei hanfon i South of France wnaiff y germs ddim buw yno. Pan gawn ni lythyr eich bod wedi derbyn y box cewch ychwaneg o hanes. Rydym yn brysur ar hyn o bryd os gwyddoch am riwin yn dyfod i mi anfon box gyda nhw dyna y goreu.

Eich anwyl fam

xxxx

xxxx

xxxx

Teulu ifanc R. J. Berwyn a'i wraig Elisabeth, c.1880au. Yn y llun gwelir eu plant, Alwen, Einion, Ithel, Owain ac Urien, ynghyd â dau o blant Elisabeth o'i phriodas gyntaf – 'plant Dimol', sef Arthur Llywelyn a Gwladus.
(trwy ganiatâd Adran Archifau a Llawysgrifau Prifysgol Cymru Bangor)

Berwyn y patriarch

(91) Llythyr R. J. Berwyn (1836-1917) o'r Wladfa at Mrs MDJ yng Nghymru, yn diolch iddi am ei chroeso i'w ferched pan oeddent ar ymweliad â Chymru. Dyry rywfaint o hanes y Wladfa iddi yn ei lythyr.

Ganed tri ar ddeg o blant i Berwyn a'i wraig Elizabeth Pritchard. Roedd enw cyntaf pob un yn dechrau â'r llafariaid yn ôl eu trefn, ac yna wedi cael saith o blant, dechreuwyd defnyddio cytseiniaid yr wyddor: Alwen, Einion, Ithel, Owain, Urien, Wyn, Ynver, Bronwen, Ceinwen, Dilys, Fest, Gwenonwy, Helen. Roedd gan Elizabeth ddau o blant o'i phriodas gyntaf â Twmi Dimol (Thomas Pennant Evans a gollwyd ar y *Denby* ym 1868), sef Arthur Llewelyn a Gwladys. Berwyn oedd cofrestrydd y briodas honno. Ailbriododd Elizabeth â Berwyn ddydd Nadolig 1868.

(Adran Archifau a Llawysgrifau Prifysgol Cymru Bangor 11452)

Bodarthur. Trelew
Chubut Argentina
Ionawr 14 1914

Mrs Jones o Fodiwan Bala.
Patriarches anwyl a hoffus
Llawenydd mawr i mi oedd adroddiad fy merched am eich croesaw

iddynt ach cofion am danaf fi. Bûm i yn 1908[284] yn anffodus pan yn Mangor, canys yr oedd Prof.Rhys[285] a Llew Tegid[286] yn absenol, a methais gael cyfeiriad neb adwaenwn ond Parch. S Rowlands o Arfon aethum ir Bala a chefais loches gan Mrs Rhys[287] yn Bodiwan i ymhoeni o nychdod gwlaw a niwl bro Eryri. Hyfryd genyf gael achlysur yn awr i anfon gair bach o gydnabyddiaeth. Prin y gallwn ddisgwyl cyfle ymgom yn y byd hwn canys ydwyf oedranus heibio 76 ac yr hynaf o wyr y fintai gyntaf yn cael y teitl Patriarch ers blyneddau. Y mae un wraig henach sef gweddw Wm Jones or Bala – hi yn 80.[288] Ychydig or fintai gyntaf sydd ar dir y byw. Gwyddoch fod rhai yn fabanod ar y Mimosa. Ac ydym oll yn awyddus iawn am nawdd Duw i weled y flwyddyn nesaf (1915) Jiwbili haner canrif y Wladfa. Mae yr epil yn niferog. Taid wyf fi gyda dwsin o wyrion yn fyw. Mae gweddw A Matthews yn or hen nain pum cenedlaeth.[289] Eraill yn bedair cenedlaeth. Mae yma lawer golygfa y buasai yn llondid ich llygaid ach ysbryd i gael trem arnynt. Ydym yn cael aml flinder drwy y cydbreswylwyr. Ond y mae pobl ddiwylliedig yn eu plith yn cydnabod ac edmygu y diwylliant amaethyddol a masnachol a buchedd waraidd Gristionogol y Cymry. Mae swyddogion uwchraddol or brifddinas ddeuant yma ar neges yn dotio at ein saboth an capelau [?] Nid yw dymor toreithiog eleni eithr yn awr y mae yn gynhauaf a menni llwythog yn prysur gludo cynnyrch y meusydd i orsafau a ffordd haiarn. Araf a bechan yw ffrwd y dyfudwyr Cymreig hyd yn hyn ac y mae yr amaethwyr yn gorfod cyflogi estroniaid ar rheini yn weithwyr sal anneallus. Pan ddaw yma lanc ai fryd am le caiff waith yn ddioed. Ein hanffawd beunydd yw llanciau wedi arfer llymeitian. Ar hyn o bryd ymdrechir gwrthweithio y diotai. Lladinwyr yw lliaws y rhai werthant ddiodydd.

Mae pregethwyr yn brin. Daeth yma ddau neu dri yn credu diwynyddiaeth newydd. Nid yw hyny gymeradwy. Y mae un wedi peri anghydfod drosodd yn Moria – hen eglwys A Matthews un or cynulleidfaoedd lluosocaf yn y Wladfa – atelir ef am flwyddyn or eglwys yn bleidiau anghytun. Deheuwyr ieuainc yw yr athrawiaethwyr newydd. Bendith fawr pe deuai yma weinidog profedig yn cyhoeddi efengyl hen ffasiwn.

Esgusodwch fy llith grwydrol. Daw i chwi Drafod neu ddwy gyda hwn. Derbyniwch hyn gyda fy nghofion goreu a diolch cywir am groesawi fy mhlant.

Ydwyf yn barchus a serchog
R.J.Berwyn

Cymylau'r Rhyfel Mawr

(92) Rhan o lythyr y cerddor nodedig Thomas Dalar Evans, Bod Eglur[290] at E. J. Williams, Mostyn, wedi ei ysgrifennu mewn pensil.
(LlGC19719 D. Llythyrau at E. J. Williams.)

Ebrill 2. 1914

Annwyl Mr Williams,

Anfonais atoch gyda llythyrgod ddiwedd Mawrth archeb am y **Caniedydd Newydd.** Wedi hyny bum yn Esquel, a chefais nad oeddynt yno wedi rhoddi gyhoeddusrwydd digonol i'r mater. Gan i mi gael amryw geisiadau amdano ac yr wyf yma yn dymuno ychwanegi at yr archeb gynta 15 solffa oll yn rhwymiad 9. Hyderaf y bydd hwn mewn pryd i'w gyfrif gyda'r llall. Bydd hwn yn gadael Esquel tua'r 9fed cyfisol. Anhofiais yn fy llythyr yn Mawrth atoch, son dim am yr organau. Cyrhaeddasant yma yn Chwefror. Ond ddim yn hollol ddianaf, nis gwn ai gwaith yr *Huns* oedd arnynt – a'i beidio. Y mae allwedd B♭ yr 8awd isaf am ganu o hyd yn fy un i a 2 o allweddi yn un J.W. ddim am ganu o gwbl. Ond diameu y gall llaw gyfarwydd eu hadfer. Gwasanaethu yn y capel y mae fy un i tan y bydd y ty newydd yn barod a JHParri yn ei chwareu. (...)

Ymwelodd y Br J Howell Jones[291] a mi y dydd o'r blaen am y tro cyntaf. Gwelais ef yn Esquel yr oedd ar ganol ysgrifenu atoch chwi. Diameu y cewch ei farn parthed y lle. Pum niwrnod y bu yma. Ar fusnes yr oedd parthed eiddo y diweddar Wm Freeman.

Rhaid i mi frysio am y capel. Y plant wedi mynd er ddoe a dyna fel yr wyf wedi methu taro ar ysgrifbin gan bod pethau *shang di fang* yn y tyllau ydym yn llechu yn awr ac y mae yn anhawdd gael o hyd i'r hyn fydd eisiau yn aml.[292]

Cofion gynhesaf atoch oll
Dalar.

(93) Rhan o lythyr Edward Jones Williams[293] o Gymru at Thomas Dalar Evans yn yr Andes. Gwelir yn y llythyr hwn i'r rhyfel effeithio ar anfon nwyddau i'r Wladfa.

(Cefais gopi o'r llythyr hwn drwy law wyres Thomas Dalar Evans, Iola Evans, Trelew pan oeddwn yn y Wladfa yn 2007.)

Pendyffryn[294]

Rhyl Fach 9/14

Fy Anwyl Dalar
Clywais gan y Br J.S.Williams am eich colled fawr drwy losgiad eich ty a'i gynwys, derbyniwch fy anwyl gyfaill, fy nghydymdeimlad ar teulu yn eich colled. Ni chlywais sut y digwyddodd y tân, a hyderaf na chafodd un ohonoch yr anaf lleiaf. (...)

O berthynas i'r Offerynau Cerdd gwnaf yn ol eich cais pan ddaw pethau i well trefn gyda danfon nwyddau tu allan i Madryn. Mae'r Rhyfel erchyll bresenol wedi dyrysyu llongau yn fawr, a hefyd nid oes modd hyd eto cael arian oddiyna drwy'r Banc na thrwy gynyrchion gan fod yr oll yn sefyll yn Trelew. Mae eich order genyf wrth law erbyn daw cyfle.

Yr ydych yn cael tipyn o hanes y rhyfel yn ddiau yn y Cwm drwy'r pellebr[295] a'r newydduron. Cyflalfan ofnadwy ydyw, prin nad oeddech chwi yn gallu clywed rhuad y magnelau yn yr ymdrechfau fu ar gyfer Coronel ar eich cyfer (...) pryd yn anffodus y collodd Prydain ddwy o'u llongau.[296] Mae Rhyl yn bencadlys gogledd Cymru ac o 1,500 i 2,000 o ddynion ieuanc yn ymbaratoi i'r frwydr, a llawer yn rhagor i'w disgwyl. Mae bygwth y bydd gorfodaeth fel sydd yna i ymuno ar fyddin os na cheir digon o wirfoddolwyr! Mae Germani yn gref a chreulawn a chymer amser maith i'w threchu. Ar lan yr afon fawr yn yr Andes yw gyda'r lle diogelaf, gobeithiaf eich bod i gyd yn cael llonyddwch ar hyn o bryd. Mae'n anhawdd gweled llaw Duw yn y rhyfel sydd yn difrodi y gwledydd, ond clywais y Parch Ben Davies[297] yn ceisio esbonio hyn mewn pregeth ar y geiriau hyn ... o eiddo'r Iesu "Pan glywoch am ryfeloedd. A son am ryfeloedd, na chyffroer chwi, canys rhaid yw bod rhyfeloedd, ond ni ddaeth diwedd eto." Nid wyf yn sicr fy mod wedi difynu yn hollol gywir, ond dyna'r wers mai annuwiodeb dynion sydd yn galw am ryfeloedd, ond daw diwedd arnynt; da ac nid drwg, cariad ac nid câs sydd i gael y fuddugoliaeth yn y diwedd. (...)

Mae gair oddiwrthych fel dyfroedd oerion i enau sychedig

danfonwch ateb yr hamdden gyntaf gaffoch, a bydd yn bleser genyf wneud eich negeseuon.[298]

Yr eiddoch yn gywir iawn.

E.J.Williams

Edward Jones Williams
(trwy ganiatâd Llyfrgell Genedlaethol Cymru)

(94) Rhan o lythyr David Gerallt Jones[299] o'r Wladfa at David Lloyd, cyfrwywr yn Aberteifi yn tynnu sylw at y modd y bu i'r rhyfel effeithio ar y Wladfa.

(LlGC 18980 E)

Glandŵr, Gaiman
Awst 1af 1915

Mr Lloyd
Anwyl Gyfaill

Wele fi heno yn cymeryd y cyfleusdra rhwng cromfachau, wrth wylio yr hen wraig Mamynghyfraith, pa un sydd yn bur wael, i geisio ysgriblo gair atoch.[300] Y mae yn debyg fod yr Ymerawdwr William wedi mynd a'r ink i gyd o'r cymydogaethau yna neu efallai y papyr, o'r hyn leuaf ychydig iawn sydd yn gallu cyrhaedd yma. Y mae y Rhyfel ofnadwy hon wedi peri colledion ar fywydau ac arian a pharlysu masnach mewn llawer Canghen sicr yr arweinia i dlodi mawr ar ol hyn. Bum yn Mhrif swyddfa C.M.C. ers 3 wythnos yn ol yn trefnu gyda'r arolygydd i dalu 30£ i chwi o L'pool gan fod llong y Cwmni wedi cyrhaedd a gwenith. Yr ydwyf yn disgwyl y byddwch wedi eu derbyn cyn y daw hwn i law. Buaswn wedi anfon peth i chwi yn gynt ond yr oedd y Bank yn gwrthod ac yn parhau felly heb i mi fod yn gyfrifol ond nid ddim gwahaniaeth bellach gan y bydd Mr E.J W yn eu hanfon i chwi o L'pool. (...)[301]

Y mae pawb yma wedi mynd yn orofalus, defnyddiau bwyd wedi codi a llawer yn wir dylawd. (...) Yr ydwyf yn deall fod masnach yn myned yn dda yna yn mhob canghen. Y mae yn debyg y bydd y Military saddles yn drwch ar hyd y lle yma ar ol y Rhyfel yma fel y buont ar ol y Transvaal. Wel gyfaill rhaid tewi. Anfonwch air nid wyf yn cofio pa bryd y cawsom air oddi wrthych. Y mae yr hen wraig yma wedi cael ei tharo yn sâl wedi cael anwyd ar hen beiriant mewn tipyn o oed ar y ffordd yn galed am yr 83 amser da onide a hyny i gyd yma yr ydym am fod. Cofion cynhes atoch eich dau gobeithio eich bod mewn iechyd. Yr ydym yn bur dda yma trwy drugaredd.

Oddiwrth eich ffyddlon gyfaill
D G Jones

(95) Llythyr oddi wrth OM o Lanuwchllyn at Eluned yng Nghaerdydd.[302] Dyma'r unig lythyr gwreiddiol, yn ei lawysgrifen ei hun, i mi ei ganfod hyd yma ganddo ef ati hi. Mor bell yn ôl a 1901, ysgrifennodd Eluned at William George (*Gyfaill Hoff* t.73) yn gofyn iddo 'gael gair gyda Owen Edwards' parthed cael gwaith drwy gyfrwng y Sbaeneg yng Nghaerdydd.

(Adysgrifennais o'r gwreiddiol sydd ym meddiant Tegai Roberts a Luned Vychan Roberts de González, Plas y Graig, y Gaiman yn 2007.)

Miss Eluned Morgan, Noddfa, Penybryn Road. Cardiff
Ion 8. 1914

Anwyl Miss Eluned Morgan,
Yr wyf yn gofyn i Fwrdd Addysg gynnyg job fechan i chwi, – dim ond ymweld â dau ddosbarth nos. Dysgu Spaeneg y maent, gan Mr. Ellis, yng Nghaerdydd. Yr unig beth gofynnol fyddai
(1) dweyd rhyw ychydig ar ddull yr athro a'r dosbarth:
(2) dweyd hynny fynasoch ar y dull goreu i ddysgu Spaeneg.
Telir am eich trafferth, rhyw ddwy gini y noson mi gredaf. Y mae'r gwaith yn berffaith hawdd.
Gyda chofion goreu
Owen. M.Edwards.
O.N Cewch wybod gan Abel J Jones, Inspector of Schools, 41 Ladysmith Road, Caerdydd, pa nosweithiau y mae'r ddau ddosbarth yn cyfarfod.

(96) Llythyr T. Gwynn Jones[303] yn rhoi cyngor i Eluned ar ei hysgrifennu ac yn dangos ei deimladau tuag at y rhyfel a'i gefnogwyr, yn arbennig OM. Soniodd T. Gwynn Jones mewn llythyr at Tegla (24 Mai 1919): 'y mae arnaf ddirfawr flys mynd i Ddeheudir America a pheidio byth a dychwelyd. Dysgais ddarllen Ysbaeneg y tymor hwn rhag ofn, fel y gallwyf daro ar le i ennill tamaid mewn gwlad newydd, heb ynddi na Saeson na Chymry'n llyfu sodlau Saeson ... ' (Thomas Gwynn Jones, t. 264). Ni fu T. Gwynn Jones yn y Wladfa er ymbil taer gan Eluned.

(Adysgrifennwyd o'r gwreiddiol sydd ym meddiant Tegai Roberts a Luned Vychan Roberts de González, Plas y Graig, y Gaiman yn 2007.)

Eirlys
Y Buarth
Aberystwyth
18 Ebrill 1916

Annwyl Miss Morgan,
Diolch am eich llythyr a'r llyfryn. Da iawn gennyf iddo'ch diddanu ar y daith. Cysur yw cyfarfod pobl syml a da, fel y rhai a welsoch. Gresyn bod neb ohonynt byth yn mynd i'r dinasoedd budron, anfad. Da oedd clywed fod un Cristion yn weinidog yng Ngheredigion. Ni ddarllenais i mo druth O.M.E, ond gwn yn eithaf pa beth a ddywedai, a gwn na chaiff ronyn o ddylanwad ar neb gwir feddylgar.[304] Gwn am rai sydd eisioes wedi gweled trwyddo. Os caiff fyw ugain mlynedd, bydd yn edifar ganddo yntau.[305] Os bydd yn onest, bydd ganddo ystori arall am "Ddeffro Cydwybod" yr adeg honno. Y mae'n ddrwg iawn gennyf golli ffydd ynddo. Ond 'does mo'r help. Pe cynygiesid pymtheg cant yn y flwyddyn a theitl i minnau, a fuasai fy nghydwybod yn ufuddhau? Buasai'r demtasiwn yn gref. Ond dyn tlawd wyf, heb wybod o ble y daw cyflog y flwyddyn nesaf. Hynny, feallai, yw fy unig rinwedd, canys ystyfnigrwydd, yn ddiau, yw na phlygais i un dyn byw erioed. Sôn am Olive Schreimer.[306] Darllenais "Trooper Peter Halkett" un noswaith yn fy ngwely, mewn hen blasdy yn Sir Aberteifi. Gwyn fyd na chaem ystraeon tebyg yn Gymraeg. Pam nad ysgrifennech bethau felly? Ceid cyhoeddwyr iddynt yn y man. Gwendid Gwyneth Vaughan oedd iaith ry flodeuog, ar y cyfan.[307] Syml odiaeth yw Olive Schreimer, onid e? Os caf eich cynghori, ceisiaf gennych ysgrifennu ystori, heb fod yn faith, am bersonau a adwaenoch, heb ddim dychymig ynddi, ond gweithred a meddwl, heb ynddi air na bo'i angen i ddywedyd y meddwl. Medrech wneud hynny. Bum yn

gobeithio gallu gwneud nofelau fy hun, gynt, ond euthum i astudio ieithoedd a beirniadu llenyddiaeth, ac ni fedraf fi ond ysgrifennu ystraeon byrion bellach. Ac nid ymddengys bob odid neb yn deall ergyd y rhai hynny! Y mae arnaf flys rhoi cynyg ar Saesneg, canys yr wyf bellach yn cytuno â mwy o Saeson nag o Gymry. Buom yn beio'r Saeson am eu culni, ac wele, yr ydym yn gulach na neb ohonynt!

Am ysgrifennu i'r "Deyrnas", pam na adroddwch hanes cysylltiad Cymry Patagonia â'r brodorion? Pa well pwnc? Ffeithiau moelion, dim arall. Nid oes eisiau "geiriau" – y mae digonedd o beth felly bob amser, ac nid yw byth yn dylanwadu ar neb. 'Does gennych chwi, fel finnau, anrhaethol fwy o eiriau nag y mae arnom eu heisiau. Aeth geiriau yn *fetish* yng Nghymru. Da chwi, danghoswch i ni, yn syml syml, pa fodd y cyfeillachodd Cymry heddychol â hen Indiaid ymladdgar, ac ochr yn ochr a hynny, pa fodd yr ymddygai'r Ysbaeniaid atynt. Felly, heb sôn gair am y peth budr, danghoswch oferedd y fost ymladdgar am weithredoedd nerthol Prydeiniaid parod i ladd a lladrata, y stwff uffernol a ddysgir i blant yn yr ysgolion ac a draethir o bulpudau heddyw gan ddynionach oedd ddwy flynedd yn ôl yn gwrthwynebu milwriaeth.

Rhaid dibennu. Denfyn Eluned[308] ei llun i chwi, gyda diolch am yr eiddoch. Cofion cywir iawn oddiwrth bawb.

Yr eiddoch etc

T.Gwyn Jones

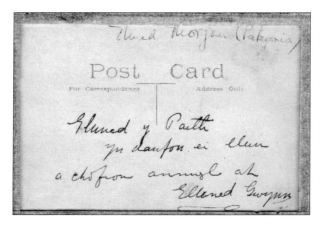

Llofnod Eluned a'i rhodd i Eluned Gwynn, merch T. Gwynn Jones
(eiddo Mari Emlyn)

(97) Rhan o lythyr Mihangel ap Iwan o'r Ariannin at ei frawd-yng-nghyfraith, yr Athro Thomas Rhys, yn trafod gwerthiant Bod Iwan, y Bala.

(Adran Archifau a Llawysgrifau Prifysgol Cymru Bangor 11402)

Ferro Carril de Buenos Aires al Pacifico
Consultorio Médico
Junin 27 Chwef de 1917

Rhys Hoff.

Derbyniais eich llythyr beth amser yn ol, a drwg oedd genyf ddeall fod yr hen gartref eisioes wedi ei dori i fyny. Yno y ganwyd yr oll or plant oddigerth Myfanwy, ac yno y magwyd yr oll. Buaswn wedi gwneud ymdrech yn flaenorol i brynu Bod Iwan ond nid oedd modd. (...) Gadewch i mi wybod pa fodd y mae Mam yn awr ac eilwaith feallai nad ydyw yn teimlo yr ergyd yn ormodol. Helynt iddi hi fu Bod Iwan o hyd, ond ei harian hi oedd wedi ei suddo ynddo, ac er yr holl helbul gafodd gydag ef, yno hefyd y bu fyw y rhan fwyaf ffrwythlon a phrysuraf oi bywyd. Cofiwch fi ati, a gobeithio ei bod yn hwylio am weld gwanwyn a haf eto, ac fod amser gwell o'n blaen ni oll.

3 Mawrth

Er ysgrifenu yr uchod bum yn Buenos Aires ac yno cynhaliwyd Gwyl Dewi gan ychydig o ffyddloniaid. (...)

 Y mae y Rhyfel Fawr yn effeithio y byd cyfan, penau teuluoedd yn fwy na neb arall, ar ol y rhyfel yn unig pan draethir manylion hanes, y deallir yr hyn ddioddefwyd gan bobl cyffinion y brwydro. Cofion goreu atoch ac at y teulu. Cofiwch fi yn fawr at Mam a dywedwch wrthi am gadw'r yspryd yn uchel. Anfonaf ati cyn hir.

Yr eiddoch
M ap Iwan.

(98) Rhan o lythyr anorffenedig gan un o frodyr/chwiorydd Thomas a William Rowlands (gw. llythyrau'r teulu Rowlands, rhif 89 a 90) yn hysbysu Thomas a William am farwolaeth eu brawd, John Francis Rowlands yn Ffrainc. Mae'n anodd gwybod oddi wrth bwy yn union y daeth y llythyr hwn. Mae'n debyg mai un o blant John a Catherine Rowlands sy'n ysgrifennu: Pugh Richard Rowlands, Minerva Francis Rowlands neu Kate Olwen Rowlands.

(Trwy garedigrwydd Beti a Ned Rowlands, Llanuwchllyn.)

Gwesty'r Eryrod
Llanuwchllyn
December 24 th 1917

Fy anwyl frodyr

Y mae genyf newydd trist iawn iw ddatgan i chwi y tro yma sef bod ein hanwyl frawd Johnie wedi marw oi glwyfau yn Ffrainc yn y Clearance Station ar y 27fed o November dwytha.[309] Cawsom lythyr or War Office wythnos i ddydd Mawrth diweddaf ac nid ydym wedi cael na chlywed dim byd arall. Byddwn yn disgwyl cael ychydig oi bethau a chlywed hanes oi gladdedigaeth. Rwyf yn credu mai yn Cambrai y clwyfwyd ef pan yr oedd yr ymosodiad mawr yn myned yn mlaen. Cynhaliwyd gwasanaeth coffa iddo yn yr Eglwys yma dydd Sul wythnos i ddoe sef ar y 16ain o Ragfyr. Roedd llond yr Eglwys yn llawn er fod gwasanaethau yn cael ei cynal yn y Capeli (dau or gloch oedd y Gwasanaeth) ac yr oedd yn bwrw eira yn ofnadwy ac yn llywchio er hyny daeth cynulliad mawr. Pregethodd JM Hughes yn dda ofnadwy roedd pawb wedi synu mor deimladwy yr oedd. Mae Tada a Mam yn dal yn ryfeddol o dda a Maggie druan. Roedd Maggie a Johnie yn gymaint o ffrindiau mae yn syndod sut y mae yn dal cystal. Wel nid oes yn awr ond gobeithio na ddioddefodd yn hir mae y rhyfel yma yn ofnadwy gobeithio y daw terfyniad buan iddo; Jan 17th 1918

Rhaid i chwi faddeu imi, mae rhywbeth yn dyfod o hyd i fy rhwystro rhag darfod sgwenu y lythyr atoch nid ydym eto wedi cael dim or War Office am ein hanwyl Johnie, ond mae llawer nad ydynt yn clywed am fisoedd. (...)

(99) Llythyr hiraethus Laura Williams de Ulsen[310] o'r Wladfa at ei modryb Mrs Ellen Griffith[311] yng Nghymru. Ceir hanes effaith y rhyfel ar y Wladfa yn y llythyr hwn.

(Cefais gopïau o lythyrau'r teulu gan Geraint Pierce Williams, gor ŵyr i Mrs Ellen Griffith.)

Chwefror 20 1918
Erw Fair
Trelew, Chubut
Via B.Aires.

Anwyl Fodryb Mrs E.Griffith

Gair bach i ddeud ein bod yn weddol iach ar hyn o bryd bu fy mam yn bur wael yr haf diweddaf tua blwyddyn yn ol. Mae mewn iechyd gwell yr haf yma, cawsom auaf braf iawn, y fath wahaniaeth ar gauaf diweddaf i fy anwyl dad. Yr ydym yn diolch yn fawr i Kate[312] am ei llythur caredig ai chydymdeimlad a ni. Yr oeddwn yn methu yn lan a mynd ati i ysgrifenu hiraeth yn fy llethu. Mae Hannah Mary[313] wedi priodi er dydd Iau 10ed o Ionawr 1918 gyda Mr Arthur Hughes[314] mab i Gwyneth Vaughan[315] mae yn y Wladfa ers 7 mlynedd. Mae Shon yma efo ni hyd yn hyn bydd ef yn rhyw led awgrymu ei fod am gael cartref ei hun, yr oeddym yn ofni y buasai rhaid iddo fynd ir gwasanaeth milwrol ar y mor am ddwy flynedd chwefror diweddaf 1917. Daeth ei enw allan ac amryw ereill rhai i fynd i Buenos Aires am flwyddyn i ddysgu drillio milwyr ar y tir maent yn gorfod mynd 21 oed rhai wedi ei geni yn y wlad yma ond nid yw pob un 21 yn mynd tynu lots y maent ond ni chafodd Shon fynd am rhyw rhesymau ac amryw ereill rhai ddim yn iach ereill yn rhy dal neu lydan, neu rhy drwm. Mae yr ychydig wenith sydd genym yn y das heb ei ddyrnu ychydig iawn o ffrwythau eleni hefyd, lindys yn bwyta popeth. Mae wedi bod yn brinder te yma bydd y te nesaf ddaw yma yn $4 [?] y packet pwys tua 7 swllt ei bris cyn y rhyfel ($1 dollar 20 cent) mae popeth wedi codi mae wedi bod yn hynod o ddilongau yn streic fawr yn Buenos Aires. Moduron yn mynd oddiyma dros y camp i B.A. mae wedi bod yn streic yn Trelew hefyd yn mysg y gweithwyr digwyddodd i ni fynd i Trelew y storsus (siopau) yng nghau y tren ddim yn rhedeg ddim cig na bara yn cael ei gwerthu y streicwyr yn ei rhwystro, yr oedd y cerbydau llaeth yn mynd a plisman yn y trap gydar llaethwr eisieu $5 dollar y dydd ac [?] o waith oedd arnynt ac mi cawson nhw.

Yr ydym yn cael ychydig o hanes pethau gan ein bod yn derbyn

y ddwy drysorfa ar Lladmerydd, y Gymraes Goleuad, Brython yr oedd fy nhad yn derbyn y Traethodydd hefyd yr ydym am gael y Genedl yn ei le eleni yr ydym yn ei derbyn ers blynyddoedd trwy cooperative, ond mae llawer yn colli o achos y rhyfel. Cofiwch ni at John Wms Glan Gors[316] ar teulu a diolch am ei lythur ai gydymdeimlad a ni caiff lythur oddiwrthym eto, llythur i Kate ddylsa hwn fod gan ein bod wedi bod mor hir heb ysgrifenu. Doeddwn ddim yn siwr iawn a oeddynt yn yr un lle, yr oedd Kate yn deud ofn y buasai galw ar ei brodyr i fynd ir rhyfel ai tybed y bu rhaid iddynt fynd os y bu gobeithio yn fawr y dont adref yn fyw ac yn iach.[317] Cofiwch ni atynt. O na ddaw y rhyfel ofnadwy i ben, gallech feddwl ein bod wedi eich anghofio ond nid felly y mae, byddwn yn siarad llawer iawn am danoch a Hannah Mary hefyd mae hi fel pe tai yn nabod y lle ar teulu yn iawn gymaint o siarad sydd, yr ydym wedi framio y darlun o honoch fel teulu bydd yn cael ei dynu i lawr yn aml i edrych arno o mor falch y byddai fy anwyl dad o gael llythur oddi yna.[318] Byddaf yn meddwl yn aml tybed fydd yr hen gyfeillion yn nabod ei gilidd yn y nefoedd byddwn yn siarad rhywbeth fel yna efo nhad weithiau pan nag ydynt meddai, wyt ti yn meddwl ei bod yn ddylach yn y nefoedd nag yma, ond beth bynag am hynu y maent yn berffaith ddedwydd yno. Gobeithio y maddeuwch i ni deulu anwyl am fod mor hir heb ysgrifenu, modryb anwyl bydd fy mam yn siarad llawer am danoch yr ydych wedi cael llawer o brofedigaethau mae rhywun yn meddwl cyn iddynt ddod na buasai modd dal, ond mae rhyw nerth rhyfedd yn dal, onid oes, gobeithio y pasiwch heibio fy llythur bler

Laura N Ulsen

(100) Llythyr Hannah Mary Ulsen de Hughes o'r Wladfa at ei hen fodryb, Ellen Griffith yng Nghymru yn trafod effeithiau'r rhyfel ar y Wladfa ac yn ei hysbysu o briodas yr awdures ag Arthur Hughes, ynghyd â genedigaeth eu merch, Irma.

(Trwy garedigrwydd Geraint Pierce Williams.)

Erw Fair,
Trelew, Chubut,
Via B.Aires S.America
Tachwedd 11, 1918

Mrs G.E.Griffith ar teulu
Anwyl berthynasau

Mae amser maith ers pan gawsom newyddion oddi yna, o bosibl eich bod wedi anfon llythur ond ei fod wedi myned i goll o achos yr anrhefn ynglyn ar rhyfel yna. Nis gwn a dderbyniasoch lythur oddiwrth mam, a Thrafodau oeddym wedi anfon i chwi ar cynwys hanes fy mhriodas gydag Arthur Hughes. Erbyn hyn mae genym eneth bach ei henw yw Irma, mae hi yn dod yn mlaen yn dda hyd yn hyn. Gobeithio eich bod i gyd yn iach ag fod y bechgyn wedi eu cadw yn ddianaf. Yr ydym yn cydlawenhau a chwi trwy ddeall fod y rhyfel ofnadwy yna ar derfynu.[319] Yr ydym ni yma yn bur dda ein hiechyd ar hyn o bryd. Mae yma ganoedd yn Trelew [?] yn dioddef gyda r Influenza, yr haint wedi dod yma gyda rhyw long meddir ers rhyw bymthegnos yn ol. Yr ydym oll yn cofio attoch yn y modd mwyaf cynnes ag yn dymuno i chwi oll Nadolig llawen a blwyddyn newydd dda. Mae Nain yn holi am, ag yn dymuno cael ei chofio yn arw at John Williams Glan-y-Gors ar teulu. Buasai yn dda genym gael gair oddiwrth Kate a Jane mae eu llythyrau yn dderbyniol iawn bob amser. Yr ydym yn meddwl, ag yn son am danoch yn aml cofiwch.

Ydwyf yn gywir
H.M.Ulson de Hughes

O.Y. Mae Edward Lloyd Pant hir gynt, wedi marw yr 18 o fis Awst diweddaf, yn 69 mlwydd oed, ai gladdu y dydd canlynol. Yr oedd ei fab Alun ai wraig ai blant yn byw gydag ef. Ychydig ddyddiau y bu yn sal.

H.M.H

Nodiadau

220 Mynnai MDJ wisgo dillad o frethyn Cymreig er mwyn hybu diwydiannau Cymreig.

221 Y Parch. Gwylfa Roberts (1871-1935), bardd a gweinidog gyda'r Annibynwyr.

222 Erbyn haf 1905 roedd Eluned yn gweithio yn Llyfrgell Caerdydd unwaith eto.

223 Dychwelodd Eluned i'r Wladfa ym mis Ebrill 1906 ond roedd yn ôl yng Nghymru eto ym mis Mai 1908.

224 Gutyn Ebrill (1828-1909). Ganed yn Gwanas, Cross Foxes, Dolgellau. Archdderwydd cyntaf y Wladfa (gw. llythyr ei fab, rhif 29).

225 Isallt, bardd a meddyg o Ffestiniog.

226 Gw. llythyr 32 gan Gwaenydd.

227 Bu Hugh Griffith yn Ynad Heddwch y Gaiman am yn agos i 20 mlynedd.

228 Penodwyd OM yn Brif Arolygydd Addysg yng Nghymru yn y flwyddyn hon.

229 Bu Eluned yng Nghymru o 1908-1910.

230 Kelt Edwards (1875-1934), arlunydd a aned ym Mlaenau Ffestiniog. Roedd OM yn un o'i brif noddwyr.

231 *Gwymon y Môr* oedd y llyfryn hwn a roddai hanes mordaith o Lundain i Batagonia. Cyhoeddwyd ddechrau mis Chwefror 1909 gan y Brodyr Owen, y Fenni.

232 *Dringo'r Andes*, ei chyfrol gyntaf. Cyhoeddwyd ar ddydd Gŵyl Dewi 1904 ac fe'i hailargraffwyd ym 1907 ac ym 1917.

233 Ifor Williams (1881-1965), ysgolhaig a Phennaeth Adran y Gymraeg, Coleg Prifysgol Cymru, Bangor ym 1929.

234 Hwn fyddai'r Nadolig cyntaf iddynt fel teulu yn eu cartref newydd, Neuadd Wen yn Llanuwchllyn.

235 Mae'r awdur yn cyfeirio at ei gŵr, William Freeman fel 'Tada'. Disgrifiodd M ap Iwan ef yn *Y Celt*, 7 Tachwedd 1890: '… Freeman, Cymro Americanaidd talgryf, eithaf sort o ddyn i fyned trwy dipyn o galedi … '

236 Mae'n debyg mai ei mab Jospeh yw 'Jo'. Roedd oddeutu 28 oed pan ysgrifennwyd y llythyr hwn.

237 William, ei mab. Roedd oddeutu 18 oed pan ysgrifennwyd y llythyr hwn.

238 Roedd Twtw (1892-?) yn wyres i'r awdur, merch i Sarah Ann Freeman (plentyn hynaf teulu'r Freeman). Bu farw'r fam ym 1892 a rhoddwyd Twtw yng ngofal ei nain, Mary Ann Freeman, a'r chwaer arall, Jane yng ngofal teulu ei thad, John Pugh. Roedd Twtw tua 16eg mlwydd oed pan ysgrifennwyd y llythyr hwn.

239 Mae'n bosib mai Ellen Hopkins, chwaer-yng-nghyfraith Lizzie Freeman de Roberts yw hon.

240 Mae'n debyg mai mab hynaf Joseph oedd Emlyn.

241 Constance Freeman, merch ieuengaf teulu'r Freeman. Roedd tua 10 oed pan ysgrifennwyd y llythyr hwn.

242 Mae'n debyg mai'r Parch. R. R. Jones oedd hwn. Ardal amaethyddol y tu allan i'r Gaiman yw Bryn Gwyn.

243 Teulu William a Mary Ann Freeman oedd un o'r teuluoedd cyntaf i ymsefydlu yn yr Andes. Aeth William yno gyntaf ym 1888 ac eto gyda'i deulu ym 1891. Yn ystod y daith honno, ar ganol y paith, fe esgorodd Mary Ann ar ferch ddeg pwys a'i henwi'n Mary Paithgan. Daethant yn ôl i Ddyffryn Camwy rai blynyddoedd yn ddiweddarach. Flwyddyn cyn ysgrifennu'r llythyr hwn bu Mary Paithgan farw o salwch heintus ynghyd â dau frawd iddi.

244 Sandy Castle, yn ardal Treorci, Dyffryn Camwy.

245 Ganed 14 o blant i Ben a Lizzie.

246 William Freeman.

247 Flwyddyn wedi ysgrifennu'r llythyr hwn, boddodd Mary Ann Freeman yn afon Camwy.

248 Alen ap Iwan, merch Llwyd ap Iwan a Myfanwy Ruffudd.

249 John Freeman a briododd Elizabeth Ann Edwards ym 1913. Yn yr un flwyddyn symudodd y ddau i'r Andes a magu 11 o blant yn eu cartref, Bella Vista.

250 Tua 100 cilomedr (70 milltir) o Esquel yng ngogledd-orllewin talaith Chubut.

251 Llwyd ap Iwan, arolygydd yr ystorfa a Robert (awdur y llythyr) wedi ei benodi'n glerc i weithio iddo.

252 Y Rhedegydd, papur newydd wythnosol y Radicalaidd Cymraeg (1887-1951). Unwyd y papur â'r Cymro ym 1951.

253 Mae'n debyg mai William Wilson o Ogledd America oedd hwn. Bu'n byw am gyfnod gyda chriw o wylliaid mewn fferm yn Cholila ger Cwm Hyfryd yn yr Andes.

254 Mae'n debyg mai Bob Evans o Ogledd America oedd hwn, partner Wilson ac aelod o'r un giang.

255 Myfanwy Ruffudd ap Iwan.

256 Saethwyd y ddau lofrudd gan yr heddlu ddiwedd 1911.

257 Gw. llythyrau Eluned Morgan at John y Bedol (41-48). Roedd Rhydderch yn frawd hŷn i John.

258 David S. Jones, Rhymni (1850-1935). Gw. llythyrau 'Twyn Carno' (101-104).

259 Adeiladwyd tŷ, Bod Iwan, yn ardal Bryn Crwn i Myfanwy Ruffudd, gweddw Ll ap Iwan a'i phlant.

260 Atebodd Mrs Anne Jones y llythyr hwn ar y 4ydd o Fai, 1910 gan ddweud: 'Cewch y Blaen Saethau pan y fynoch Mihangel bach ... Byddai yn dda iawn genym i chwi gael yr holl collection eich tad Mihangel bach yr ydych wedi ymddwyn yn fwy Cristnogol na neb attaf fi ... '

261 Roedd D. Lloyd George yn Ganghellor y Trysorlys pan ysgrifennwyd y llythyr hwn.

262 Sefydlwyd yr ysgol hon ym 1906.

263 Mae'r ddesg yn yr Ysgol Ganolraddol (a elwir yn 'Colegio Camwy' neu 'Goleg Camwy') hyd heddiw.

264 Athro cyntaf yr Ysgol Ganolraddol oedd D. Rhys Jones.

265 Mihangel Gruffydd ap Iwan – mab hynaf Ll ap Iwan a Myfanwy Ruffudd Jones.

266 Dr Mihangel ap Iwan, ei ewythr.

267 Y Parch. David Rees, Capel Mawr, Porthaethwy. Aeth gyda MDJ ar ymweliad â'r Wladfa ym 1882.

268 Glaniodd yr Orita ym Mhorth Madryn, 27 Tachwedd 1911.

269 Maes yr Haf, Bryn Gwyn – cartref William Evans a'i deulu.

270 Mair Lewis. Merch ieuengaf Evan a Mary Lewis a aned ym 1895. Priododd â Milwyn Griffiths ac ailbriodi â Juan Zarcoff.

271 Abigail Lewis, yr hynaf o dair merch Evan a Mary Lewis. Fe'i ganed ym 1885. Priododd ag Alun Meirion Williams.

272 Croen gwanaco, anifail o'r un teulu â'r lama a welir ar beithdir Patagonia.

273 Evan Lewis, mab Evan a Mary Lewis. Ganed ym 1881. Priododd â Mary Ann Williams ac ymgartrefu yn ardal Nant y Pysgod, Esquel.

274 John Lewis, mab Evan a Mary Lewis. Ganed ym 1886. Priododd ag Ann James, Nant y Pysgod, Esquel.

275 Benjamin Lewis, mab hynaf Evan a Mary Lewis. Ganed ym 1876. Priododd â Mary Ann Williams ac yna ailbriodi â Grace Elizabeth (Cox) Jones. Benjamin a fu'n bennaf gyfrifol am osod golau trydan yng Nghapel Seion, Bryn Gwyn ym 1928.

276 Phylip Lewis. Ganed ym 1889. Priododd â Mary Jane Williams ac yna ailbriodi â Florence Jones.

277 Thomas Lewis. Ganed ym 1878. Priododd â Mary Ann Russell ac fe ymfudon nhw i Ganada.

278 John Rowlands (1851-1929).

279 Catherine Rowlands (1858-1935).

280 Thomas Edward Rowlands (1833-1966) a'i frawd William Price Rowlands (1887-1943). Ymfudodd y ddau i'r Wladfa ym 1911. Bu William yn gweithio ar fferm yno a

Thomas yn gweithio gyda cheffylau i'w danfon ar longau i wahanol wledydd. Dychwelodd Thomas i Gymru. Bu farw yn Rhaiadr ger Rhuthun. Priododd William â Sarah Roberts (1895-1995), merch Benjamin Roberts a Lizzie Freeman a chawsant chwech o blant: Minerva Violet Rowlands, John Francis Rowlands, Celina Olwen Rowlands, Beryl Manon Rowlands, Uwchlyn Price Rowlands a Neville Pugh Rowlands.

281 Margaret Jane Rowlands (1880-1962).

282 Tegid Owen Rowlands (1890-1956).

283 Margaret Jane Rowlands (1880-1962).

284 Daeth mintai o oddeutu hanner cant o Wladfawyr ar ymweliad â Chymru ym 1908 a Berwyn yn eu plith gan ymweld ag Eisteddfod Llangollen.

285 Yr Athro Thomas Rhys, mab-yng-nghyfraith Mrs MDJ.

286 Mr Lewis Davies Jones (Llew Tegid), Ffriddgymen, y Bala. Brawd Elizabeth a oedd yn wraig i Arthur Llewelyn, mab Twmi Dimol ac Elizabeth Pritchard (a ailbriododd â Berwyn ar ôl marwolaeth ei g^wr cyntaf).

287 Myfanwy, merch Mrs MDJ.

288 Bu farw Mrs William Jones y Bedol ym 1915 yn 81 oed.

289 Mrs Abraham Matthews – Gwenllian Matthews (Thomas gynt). Bu farw ym 1922 yn 80 oed.

290 Thomas Dalar Evans (1847-1926). Ganed yn Llanfechan, sir Frycheiniog. Daethai ei fam yn wreiddiol o Droed Rhiw Dalar. Ymfudodd Dalar i Batagonia ym 1875 ac i'r Andes ym 1894. Priododd ag Esther (1859-1903), merch Elizabeth a Rhys Williams Cefn Gwyn. Ganed 11 o blant iddynt. Gwelir hanes trallodion y teulu yn llythyr Glan Caeron (106). Daeth Dalar yn adnabyddus drwy'r Wladfa fel arweinydd corau a chyfansoddwr medrus.

291 Gw. llythyr 116.

292 Llosgodd tŷ Dalar ym 1914.

293 E. J. Williams (1857–1932), peiriannydd o Fostyn a ddaeth i'r Wladfa ym 1881. Bu'n arolygu adeiladu'r rheilffordd rhwng Porth Madryn a Threlew. Dychwelodd i Gymru ym 1909.

294 Bu EJW fyw yn ei dŷ, Pendyffryn, y Rhyl o 1914 tan ei farwolaeth ym 1932.

295 Daeth gwifrau'r 'pellebr' (telegraph) i Esquel tua 1906.

296 Brwydr Coronel, ger Coronel ar arfordir Chile, 1 Tachwedd 1914.

297 Y Parch. Ben Davies, Cwmllynfell (1864-1937), bardd a gweinidog gyda'r Annibynwyr.

298 Yn 1912 fe benodwyd EJW yn gynrychiolydd Prydain yn Lerpwl o'r CMC.

299 Priododd D. G. Jones (mab John a Geseilia Jones, Llangrannog, Aberteifi) â Buddug Ruffudd (1872-1945), merch i Griffith Griffiths (Gutyn Ebrill) ac Ellen Williams, yn 1898.

300 Ellen Griffiths. Bu farw 27 Awst 1915 yn 82 mlwydd oed.

301 E. J. Williams, Mostyn, cynrychiolydd Prydain yn Lerpwl o'r CMC.

302 Bu Eluned yng Nghymru gyda'i nith, Mair ap Iwan (mam Tegai Roberts a Luned Vychan Roberts de González) rhwng 1912 a 1918.

303 Y Prifardd T. Gwynn Jones (1871-1949).

304 Erthygl gan OM yn Cymru, Ebrill 1916 (t. 153) yn cyfiawnhau mynd i ryfel. Ysgrifennodd Eluned at T. Gwynn Jones ym 1916 yn gofyn iddo a oedd wedi darllen ysgrif OM.

305 Bu farw OM ym 1920.

306 Olive Schreimer (1855-1920), awdur Trooper Peter Halket of Mashonaland, nofelig yn ymateb i gyfnod yn hanes twf imperialaeth a gwladychiaeth yn Ne Affrica.

307 Gwyneth Vaughan (1852-1910), nofelydd. Ei henw bedydd oedd Anne Harriet Vaughan. Ymfudodd ei mab Arthur Hughes (1878-1965) i'r Wladfa ym 1911. Gw. llythyr rhif 99 gan Laura Williams de Ulsen, mam Hanna Mary a ddaeth yn wraig iddo

ym 1918. Ef oedd tad Irma Hughes de Jones a enillodd gadair y Wladfa bum gwaith ac a fu'n olygydd *Y Drafod.*

308 Eluned, merch T. Gwynn Jones.

309 John Francis Rowlands (1881-1917).

310 Roedd Laura yn ferch i Mary a William Ellis Williams o ardal Pren-teg, Tremadog. Ymfudodd y tri o Gymru i Batagonia ym 1882. Priododd Laura â gŵr o Norwy, Hans Ulsen.

311 Ellen Griffith, modryb Laura. Roedd hi'n byw ym Mhren-teg, ger Porthmadog ar fferm Cae Glas.

312 Kate (1887-1974), merch Ellen Griffith a chyfnither i Laura. Roedd Kate a'i chwaer Jane yn gweini yn Lerpwl a Manceinion.

313 Hannah Mary, merch Laura a Hans Ulsen. Ganed ym 1885.

314 Arthur Hughes – ysgolhaig a aned yn Bryn Melyn ger Harlech ym 1878. Ymfudodd o Gymru i Batagonia ar fwrdd yr *Orita* ym 1911. Priododd â Hanna Mary ar y 10fed o Ionawr, 1918. Cafodd Hannah Mary ac Arthur bedwar o blant. Un ohonynt oedd y bardd a golygydd *Y Drafod*, Irma Hughes de Jones. Merch ac wyres Irma Hughes de Jones yw dwy o olygyddion *Y Drafod* heddiw.

315 Annie Harriet Hughes a ysgrifennai o dan y ffugenw Gwyneth Vaughan, nofelydd.

316 Roedd John Williams, Glan y Gors a theulu Cae Glas yn gefndryd.

317 Fe aeth rhai o'r brodyr i'r rhyfel ac awgrymodd y teulu fod un ohonynt wedi dychwelyd ond i'r rhyfel effeithio ar ei gymeriad ac na fynnai drafod ei brofiad ar faes y gad.

318 Credai'r teulu i'r tad, William Ellis Williams, farw oddeutu 1916.

319 Daeth y Rhyfel Byd Cyntaf i ben y diwrnod yr ysgrifennwyd y llythyr hwn.

PENNOD 6

'Y blynyddoedd distaw'
(Llythyrau 1920-1945)

Daeth diwedd ar erchylltra'r Rhyfel Byd Cyntaf ond gwelir drwy'r llythyrau, rai blynyddoedd yn ddiweddarach, iddi adael ei chreithiau hyd yn oed ar y gymuned Gymraeg ym Mhatagonia. Dywed M. A. Price yn ei llythyr (101), dyddiedig y 5ed o Fai, 1921: ' ... Yr ydym wedi dioddef llawer o herwydd y Rhyfel hefyd, y mae prisiau anghenrheidiau beunyddiol yn afresymol o uchel, a pwngc gwir bwysig yw, syt i fyw o dan yr amgylchiadau ... '

Wynebai'r Wladfa, fel llawer man arall ar draws y byd, wasgfa economaidd ddwys. Bu cwymp yr CMC (Cwmni Masnachol y Camwy) ym 1933 yn ergyd fawr i'r Wladfa. Crybwyllir helyntion yr CMC mewn sawl llythyr a gwelir bod y ffosydd yn dal i achosi cur pen i bobl y dyffryn. Rhannwyd y ffermydd nes mynd yn rhy fach i gynnal teuluoedd y drydedd genhedlaeth. Dygwyd rheolaeth y gyfundrefn ddyfrhau oddi ar y Gwladfawyr ym 1945. Achosodd hyn loes a chwerwder ymysg nifer ohonynt wrth weld holl lafur eu tadau yn llithro o'u gafael.

Roedd hwn yn gyfnod llwm o safbwynt yr iaith a'r diwylliant hefyd yn y Wladfa. Mae Walter Brooks yn ei erthygl werthfawr 'Polisïau Addysg, Iaith a Hunaniaeth yn y Wladfa (1900-1946)' (Y Traethodydd, Hydref 2008) yn galw cyfnod y 1930au yn: ' "ddegawd yr argyfwng" yng ngwir ystyr y gair yn achos y Gymuned Gymreig ym Mhatagonia. Argyfwng cymdeithasol, diwylliannol, economaidd a gwleidyddol ydoedd.'

Er gwaethaf pob cyni, parhâi amryw o'r Gwladfawyr i weithio'n ddygn er cadw'r traddodiadau a hybu'r diwylliant Cymraeg. Sefydlwyd Cymdeithas Cymry Camwy ym 1935. Ei hamcan oedd: ' ... meithrin serch at iaith, llên a thraddodiadau'r Cymry a phob agwedd arall ar Ddiwylliant yn y Wladfa ... ' (Y Drafod, 23 Medi 1938).

Cafwyd bylchau yn y 1930au a'r 1940au. Y rhain oedd y 'blynyddoedd distaw' (gw. llythyr 119 o eiddo Eluned, dyddiedig 1937) pan deimlai'r Gwladfawyr, yn gam neu'n gymwys, fod Cymru wedi'u hanghofio. Yn y cyfnod hwn y gwelwyd yn glir fod y Cymry yn y lleiafrif am y tro cyntaf yn y Wladfa. Daeth priodasau rhwng Cymry ac unigolion o genhedloedd eraill yn fwy cyffredin. Doedd mintai'r Mimosa yn ddim ond hanes bellach. Collwyd llawer o'r hoelion wyth a theimlid dicter ymhlith llawer o'r to hŷn at wamalrwydd trydedd genhedlaeth y Wladfa:

... Y mae'r Wladfa ar hyn o bryd mewn gwaeth cyflwr nag y bu
er yr amser cyntaf, rhwng y Co-op a'r ffos, y mae yma rhyw
helyntion yn feunyddiol, neb yn leicio gweithio nag yn foddlon
talu am ddim, yr henafgwyr wedi gweithio mêr eu hesgyrn i ddod
a'r Wladfa yr hyn ydyw, a'r ieuengctyd yn llac a diafael a dihidio,
a llawer o honynt yn cymeryd eu harwain gyda'r Lladinwyr yma
yn erbyn eu cenedl eu hunain ... '

(Llythyr 102, M. A. Price, Twyn Carno, Hydref 3, 1921)

Wedi colli nifer o'r hen arweinwyr, nid oedd llawer yn hyderus nac
yn awyddus i gymryd eu lle. Tueddai'r Gwladfawyr i barhau i ddibynnu
ar Gymru am arweiniad a gwnaed ceisiadau mynych yn y wasg ac mewn
llythyrau preifat am athrawon a gweinidogion o Gymru i ddod i'r adwy.
Does fawr o syndod i'r Cymry gartref fod yn gyndyn o ymfudo i'r Wladfa
o ddarllen llythyrau tebyg i un M. A. Price (103), 5 Awst 1922: ' ...
Clywsom fod y mab awydd dod yma i Mostyn, os cymmer gyngor
gennym ni, fe chwilia am ffarm yn Nghymru, yn lle dod yma i ladd ei hun
a chwysu yn y ffosydd, nes mynd yn hên ddyn cyn ei amser ... '

Doedd ryfedd i lawer dorri eu calonnau yn ystod y cyfnod hwn gan y
bu llifogydd eto yn felltith i'r Wladfa, ac nid un, ond cyfres ohonynt, a'r
rheiny ym 1923, 1932, 1939 a 1945. Efallai i'r llifogydd, y cyni
economaidd, problemau'r ffosydd, a breuo'r cysylltiad rhwng Cymru a'r
Wladfa effeithio ar ysbryd rhai o'r Gwladfawyr. Mae llythyrau'r cyfnod
hwn yn frith o gyfeiriadau at anhwylderau a salwch megis anwydon, ac
yn fwy difrifol y ddarfodedigaeth. Efallai i'r Wladfa golli llawer o'r hen
sefydlwyr, ond collwyd llawer o'u disgynyddion ifanc hefyd yn y cyfnod
hwn. Mae dau lythyr Elvira Roberts (merch Benjamin Pugh Roberts a
Lizzie Freeman) yn cyffwrdd dyn wrth inni ymdeimlo â'i hunigrwydd
mewn ysbyty yn Córdoba ar gyfer cleifion y ddarfodedigaeth. Yn llythyr
rhif 112, dyddiedig 13 Awst 1931, ysgrifenna Elvira at ei brawd, Evan
Roberts, a'i wraig Margaret: ' ... daliwch ymlaen i esgrifenu boys bach
mae llythyra yn gysur mawr i fu yn y lle inig yma ... '

Digalon yw sylwi bod anfon llythyr yn gostus yn y dyddiau hynny o
gyni: 'Gobeithio gyrhaedduth y llythur yn iawn. Rwif yn ei anfon efo
stamps wedu ei iwsio, er mwin cynilo ... ' (112)

Bu crefydd yn elfen hollbwysig yn ffurfiad y Wladfa; yn wir, i rai,
roedd crefydd yn bwysicach na'r Gymraeg. Dywed Eluned mewn llythyr
at Nantlais ym 1933 (*Tyred Drosodd*, gol. Dafydd Ifans, t. 100): 'Mae
enaid dyn yn llawer pwysicach nag iaith wedi'r cyfan ... '

Addysg oedd ymgyrch fawr Eluned er pan y ceisiodd sefydlu'r ysgol ganolraddol i ferched yn Nhrelew (1891) ac yna Ysgol Ganolraddol y Camwy ar ddechrau'r ganrif newydd. Collodd yr awydd i lenydda, a hyd yn oed i lythyru, yn ystod blynyddoedd olaf ei bywyd: 'Ychydig iawn o lythyrau wyf wedi ysgrifennu at neb ers blynyddoedd – ofnaf fy mod wedi sgriblo cymaint yn fy ieuengctyd nes llwyr ddihysbyddu fy hunan, a chael cas cyflawn ar y gwaith ... ' (Llythyr Eluned at John Owen y Fenni, 14 Awst 1937 – rhif 119 yn y gyfrol hon.)

Yn ystod ail hanner ei bywyd, dwysaodd ei hagwedd ysbrydol. Erbyn hyn, crefydd oedd prif ddiddanwch ei bywyd. Roedd cyflwr eneidiau'r Gwladfawyr o bwys mawr iddi. Brwydrodd i geisio darbwyllo gweinidogion o Gymru i ddod i'r Wladfa. Ymbiliodd ar Nantlais i ddod: 'Cyn i Gymry Patagonia fynd yn baganiaid i gyd.'

Wedi blynyddoedd o grefu arno, daeth Nantlais i'r Wladfa ar daith tri mis ddiwedd 1938. Y noson cyn iddo adael am Gymru, bu farw Eluned ac arhosodd Nantlais i gymryd rhan yn ei hangladd fore trannoeth.

Er pwysiced addoliad i'r Gwladfawyr, nid oedd crefydd hyd yn oed yn gallu eu huno bob tro. Bu rhwyg o fewn capeli'r Andes tua'r un pryd ag y sefydlwyd cangen gyntaf Urdd Gobaith Cymru yn yr ardal. Dywed Meinir Lewis, wyres Thomas Dalar Evans (*Atgofion o Batagonia*, t. 133):

> Tua'r flwyddyn 1931 cychwynnwyd adran o'r Urdd ac roeddan ni efo'r rhai cyntaf i ymuno â hi, Adran Troed yr Orsedd ... mi fuasa y petha yma wedi diogelu llawar iawn ar y Gymraeg yma, tasa nhw wedi dal ymlaen, ond, fe ddaeth gweinidog o Fedyddiwr i ofalu am yr eglwys ac ymhen blwyddyn neu ddwy fe aeth yn chwalfa fawr yno, ac o ganlyniad, fe chwalodd yr Urdd hefyd. Biti-biti oedd i hyn ddigwydd, fu petha byth yr un fath rywsut ... Bu effaith hyn ar y gymdeithas am flynyddoedd maith ...

Casglwyd arian gan Eglwysi Cymraeg y Wladfa ym 1932 a ffurfiwyd y Gymdeithas Genhadol at y Lladinwyr. Nid problem genhadol yn unig oedd yn y Wladfa erbyn hyn, ond problem ieithyddol. Dywed RBW (*Lloffion o'r Wladfa*, t. 20):

> Cyfyd cenhedlaeth o Gymry ifainc a llawer ohonynt heb fedru Cymraeg, a bydd galw cyn bo hir am genhadaeth, nid at yr Indiaid a'r Sbaeniaid yn unig, ond at rai o'n cenedl ein hunain a gollodd eu genedigaethfraint.

Rhagwelodd RBW dranc posibl yr iaith a'r diwylliant Cymraeg. Tystia'r llythyrau i fywyd Cymraeg y Wladfa, er gwaethaf pob ymdrech, edwino yn y cyfnod hwn a gwanhaodd y cysylltiad rhwng y Wladfa a Chymru. Ceir yr argraff fod y Gwladfawyr yn alltud yn eu gwlad eu hunain, nad oeddent yn gyfan gwbl rhan o'r gymdeithas Sbaenaidd, a bod y Gymraeg yn gorfod brwydro i ddal ei thir o fewn y gymdeithas Gymraeg yno. Roedd y Gwladfawyr yn syrthio rhwng dwy stôl a Chymru i'w gweld yn bellach nag erioed. Roedd dyfodol y Gymraeg a'r diwylliant Cymraeg yn y Wladfa yn hongian ar ddibyn. Ym 1939 fodd bynnag, ffurfiwyd 'Cymdeithas Cymru Ariannin' i fod yn ddolen gyswllt rhwng Cymru a'r Wladfa Gymreig yn Chubut. Bu'r sefydliad hwn (ac mae'n parhau i weithio'n ddygn hyd heddiw) yn allweddol i gadw'r cysylltiad rhwng y ddwy wlad.

Prin iawn oedd y cyfeiriadau at yr Ail Ryfel Byd yn y llythyrau a ddarllenais, ac eithrio un llythyr gan Sian Evans o'r Wladfa at deulu Eiddwen Evans Humphreys yng Nghymru (gw. llythyr 121). Mae'n syndod nad oedd mwy o sôn am y rhyfel; roedd rhifynnau'r *Drafod* yn llawn o'i hanes. Daeth nifer o ymfudwyr o wahanol rannau o Ewrop i'r Ariannin yn sgil yr Ail Ryfel Byd. Prin y gallai'r Ariannin ddygymod â'r mewnlifiad hwn. Dywed Irma Hughes de Jones, bardd a golygydd Y *Drafod* yn *Atgofion o Batagonia* (gol. RBW, t. 22) am y cyfnod ar ôl yr Ail Ryfel Byd: 'Yr oedd cwymp yr C.M.C. wedi amddifadu y Wladfa eisioes o lyfrau a chylchgronau Cymraeg a ddeuai mor gyson gynt ... '

Bu cyfnod yr Ail Ryfel Byd yn llyffethair i'r cysylltiad rhwng Cymru a'r Wladfa hefyd, er gwaethaf pob ymdrech gan ambell unigolyn triw: 'Fe wnawn ni bopeth a fedrwn i gadw mewn cysylltiad a chwi. Gwaherddir anfon Y *Faner* i wledydd tramor ar hyn o bryd. Felly rhaid i chwi ddibynnu ar lythyrau am newyddion ... ' (Llythyr rhif 123 gan Morris T. Williams, Dinbych, 6 Mai 1944.) Ond fe ymddengys i'r arfer o lythyru ostegu hefyd.

Roedd 1945 yn flwyddyn fawr yn hanes y byd. Daeth diwedd ar yr Ail Ryfel Byd ac yn y flwyddyn hon hefyd y bu farw David Lloyd George. Gyda'r byd yn rhoi ochenaid o ryddhad wrth gefnu ar y rhyfel, roedd y flwyddyn hon yn parhau i fod yn un derfysglyd i'r Ariannin. Bu'n dipyn o syndod i mi na chafwyd yr un cyfeiriad at ymddangosiad Péron yn y 1940au, coup milwrol 1943, ei arlywyddiaeth ym 1946, na'i alltudiaeth ym 1955 yn y llythyrau a ddarllenais. Ni chrybwyllwyd ychwaith (yn yr un o'r llythyrau a ddarllenais hyd yma) enw ei wraig Eva, ei marwolaeth yn 33 oed ym 1952, na'r ffaith y bu galaru swyddogol drwy'r Weriniaeth am dridiau yn dilyn ei marwolaeth. Tanlinella hyn, efallai, mor ynysig y teimlai'r Gwladfawyr, hyd yn oed yn eu gwlad eu hunain; neu efallai nad oeddent yn teimlo'r angen, neu'n ofni, trafod materion eu gwlad fabwysiedig gyda'u brodyr y tu hwnt i'r moroedd yng Nghymru. Gwaharddwyd trafod gwleidyddiaeth yn y wasg Archentaidd yn ystod y cynfod sigledig hwn, er i'r *Drafod* grybwyll rhai o'r anawsterau a gododd yn sgil arlwyddiaeth Péron, gan ddweud i'r Archentwyr gael: ' … ein harwain i gorsen sigledig gan ein llywodraeth … Ofnwn ystrywiau Cyrnol Péron, ac nid oes gennym ffydd o gwbl yn y mwyafrif mawr o'r gwleidyddwyr sydd yn perthyn i'r pleidiau democrataidd … ' (*Y Drafod*, dydd Gwener, 21 Rhagfyr 1945, rhif 2,312)

Effeithiodd gormes y llywodraeth hon ar gyhoeddiad *Y Drafod*, ond roedd y Gwladfawyr yn benderfynol o gyhoeddi eu papur, doed a ddelo, er y bu ambell fwlch yn y cyfnod hwn.

Daeth berw ailgodi'r beddau o hen fynwent y Gaiman i gorddi'r dyfroedd ym 1945. Oherwydd y twf ym mhoblogaeth y Gaiman, gorfodwyd y Gwladfawyr, yng nghanol y 1940au, i agor beddau ac i ailgladdu'r meirw ar safle arall, uwchben y dref. Cododd y Cyngor lawer o gyrff yr hen sefydlwyr a'u taflu'n ddiseremoni i fedd mawr a baratowyd yn y fynwent newydd. Mewn erthygl yn *Y Drafod*, 19 Hydref 1945 (rhif 2,303) dywed J. O. Evans, Bryn Gwyn:

> Halogwyd beddrodau'r gwir arloeswyr: y gweithwyr syml tawel na chofnodwyd mo'u henwau yn y llyfrau hanes; taflwyd esgyrn lawer ohonynt, cariwyd hwy mewn sachau yng ngwaelod trol y cyngor i'r esgyrndy, lle safant byth i dystio am y weithred ysgeler a wnaed yno. Rheibiwyd beddau tadau, mamau a phlant; ni wrandawyd ar gais ingol gwlad gyfan yn gofyn am heddwch a thangnefedd i'w meirw …

Cloir y gyfrol hon â llythyr byr gan Aaron Jenkins ieu. at berthynas iddo, yn trafod codi ei fam a'i dad o'r hen fynwent er mwyn eu rhoi i orffwys mewn bedd arall yn y fynwent newydd. Mae'n eironig mai ei rieni ef a gafodd y syniad cyntaf sut i ddyfrhau'r dyffryn – drwy greu'r ffosydd, a thrwy hynny ddod â bywyd newydd i Ddyffryn Camwy – a'u mab, ymron i bedwar ugain o flynyddoedd yn ddiweddarach, yn gorfod wynebu'r sefyllfa ingol hon. Bu cryn ymgyrchu a phwyllgora i geisio arbed yr hen fynwent a rhai yn honni bod rhagfarn yn erbyn y Cymry ar y pryd. Teimlai nifer o'r Gwladfawyr i'r digwyddiad hwn sarhau'r cof am dair cenhedlaeth a osododd y rhan fechan hon o'r Ariannin ar ei thraed.

TWYN CARNO

Doh A♭

Clydwyn ap Aeron Jones.

Doh E♭

```
|:s, |d  :d  |d  :m  |s  :m  |d  :r  |m  :m  |r  :-.d |t, :— |—:t,m
|:s, |s, :s, |s, :d  |t, :t, |l, :l, |se,:l, |l, :fe, |s, :— |—:¹,r
|:s  |m  :f  |m  :l  |s  :s  |m  :r  |t, :d  |r  :r   |r  :— |—:rese
|:s, |d  :r  |d  :l, |m, :s, |l, :f, |m, :l, |fe,:r,  |s, :— |—:fe,t,
```

Doh A♭.

```
|1  :t  |d¹ :l  |s  :-.f |m  :ᵗr  |m  :d  |d  :t, |d  :— |—
|d  :m  |m  :f  |r  :r   |d  :ᵈs, |s, :l, |l, :s, |s, :— |—
|1  :r¹ |d¹ :d¹ |t  :s   |s  :ᵐt, |d  :d  |f  :r  |m  :— |—
|l, :se,|l, :f, |s, :t,  |d  :ᵈs,,f,|m, :f, |r, :s, |d, :— |—
```

1 O ddydd i ddydd, dyncraf Dad,
   Y cofiaist Ti fyfi ;
   A minnau'n bwrw pob sarhad
   Yn ôl i'th ŵyneb Di.

2 O don i don, fy nhaflu wnaed
   Ar Dy drugaredd gref ;
   Wrth brofi rhin Dy ddwyfol waed
   Ces obaith am y nef.

3 O nerth i nerth, disgwyliaf ddod
   Yn ufudd mwy i Ti ;
   Yn ostyngedig carwn fod
   Yn union fel Tydi.

4 O ras i ras, fe ddof yn bur
   I byrth Caersalem lân,
   Esgynnaf yno uwchlaw cur,
   A gwynfyd yn fy nghân.

PRYSOR.

Alaw 'Twyn Carno' gan Clydwyn ap Aeron Jones
(Canu'r Wladfa, *Gol. John Hughes ac R. Bryn Williams*)

Llythyrau Twyn Carno

(101) Rhan o lythyr M. A. Price, Twyn Carno[320] o'r Wladfa at E. J.
Williams[321] yng Nghymru yn trafod effeithiau'r rhyfel ar y Wladfa.
Gwelwn yma hefyd i David S. Jones, ei hewythr, drosglwyddo swm
mawr o arian o gyfrif banc yng Nghaerfyrddin i'r CMC. Gwelwn yn
llythyr 103 iddo edifarhau gwneud hyn. Dyma gyfnod dechrau'r diwedd
i'r CMC.
       (LlGC 19720 D)

                                                    Twyn Carno
                                                    Mai 5 – 1921

Mr a Mrs Williams a'r teulu.
Anwyl Gyfeillion,
Y mae cryn amser er y cawsom air o'ch hanes, ond mawr hyderwn y
ca hwn chwi oll yn iach a chalonog. Y mae llawer o helyntion difrifol

wedi digwydd ar hyd y byd yma er pan canasom yn iach i chwi, ac i "Hen Wlad fy Nhadau" yn Lerpwl yn agos i saith mlynedd yn ol.

Cawsom ein hachub a'n harwain yn ddiogel adref ar hyd y daith fyth gofiadwy honno. Daeth terfyn ar y Rhyfel erchyll o'r diwedd, ond nid yw helyntion y Strikes etc ond megis dechreu gallwn dybied.

Yr ydym ni yn cael ein poeni dipyn yn y rhan fechan hon o'r byd efo'r Strikes, ac y maent yn peri colledion mawr i'r lle yn gyffredinol, ac anhwylusdod hefyd, yn mhell y bo'r Strikers, ddywedaf fi. Yr ydym wedi dioddef llawer o herwydd y Rhyfel hefyd, y mae prisiau anghenrheidiau beunyddiol yn afresymol o uchel, a pwngc gwir bwysig yw, syt i fyw o dan yr amgylchiadau.

Y mae Newyrth[322] wedi ysgrifenu llythyr i chwi heddyw hefyd, a'i gyfeirio i'r swyddfa i Lerpwl, ac y mae yn amgau Cheque yn hwnw am £800.0.0 i chwi i'w codi a'u talu i'w gyfrif ef yn yr C.M.C.[323] Felly yr oedd am i mi anfon gair atoch i Pendyffryn i'ch hysbysu o'r ffaith. (...)

Tybed na ddowch chwi ddim am wîb i'r hen Wladfa anwyl unwaith yn rhagor. (...) Yr ydwyf fi yn go lew (up & down) o ran fy iechyd yn awr, ni fum yn iach yr un awr yn ystod fy ymweliad diweddaf a Chymru, a gorfu i mi fynd i'r Ysbyty Brydeinig i B.Aires ar ol dychwelyd adref, a bum yno bedwar mis. (...)

Mae Eluned a Mair yn byw yn y Gaiman, yn edrych yn ardderchog a byd iawn arnynt.[324] Mae Mrs Jones Plas Hedd dipyn yn fwy gwanllyd yn ddiweddar, y gweddill o honynt yn iawn.

Rhaid dweud Nos da rwan gyda'n dymuniadau goreu fel teulu atoch oll.

Yr eiddoch yn gywir
M. A. Price

(102) Rhan o lythyr arall M. A. Price o'r Wladfa at EJW yng Nghymru yn rhoi rhywfaint o hanes y teulu ac yn cwyno am gyflwr y Wladfa.
(LlGC 19720 D)

> Twyn Carno.
> Gaiman.
> Chubut.
> Hyd 3 – 1921

Gyfeillion hoff

Derbyniasom eich llythyrau caredig yn ddiogel, a diolch llawer am danynt. (...) Mae Modryb[325] lawer yn well na pan ysgrifenais o'r blaen atoch, er yn teimlo'n wan iawn meddai hi, eto i gyd rhaid cael mynd o hyd, nid yw yn hapus yr un funud yn segur. A dywed er fod dros ddeugain mlynedd er pan y gwelsoch hi yn godro yn Plas Hedd, mae'n debyg iawn pe deuech y ffordd hon rwan eto, mae godro fydd hi y tro nesaf hefyd, bu'r gwartheg yn foddion i'w cadw rhag llwgu y blynyddoedd cyntaf meddai hi, ac felly y mae am fod yn ffyddlon iddynt cyhyd ag y medr hi.

Newyrth hefyd yn mynd ormod o lawer er ei les, y mae ei gefn yn poeni yn barhaus, ac er hyny, y mae i ffwrdd bron bob dydd yn rhywle yn nglyn a'r ffosydd yma a'i helyntion, eithriad fydd ei gael adref am ddiwrnod. (...)

Y mae'r ddau wedi gadael eu 70 mlwydd oed, ac yn hen bryd iddynt orphwys dipyn bellach pe baent yn credu hyny.

Aeron[326] a'i deulu yn iach i gyd, dim ond mab a merch sydd ganddynt hwy yn awr, y ddau welsoch ganddynt yn Lerpwl[327], ganwyd un bychan iddynt ar ol dod adref oddiyna, a collasom yr un bychan anwyl yn 2 ½ blwydd oed[328], ac mae'r loes yn parhau hyd. (...)[329]

Y mae Wm James ac Auntie Mary wedi dod i fyw i Drelew o Coed Gleision ers yn agos i flwyddyn bellach.[330] Diwedd Mai diweddaf, cyfarfyddodd eu mab Stephen a'i ddiwedd mewn modd alaethus iawn, trwy i bont yr Hendre fynd i lawr o dano ef a'i lwyth, collodd ei fywyd ei hun, a boddodd ei bedwar ceffyl, malodd y wagon yn dipiau, a chollodd ei lwyth cynhauaf hadau hefyd, y cwbl o herwydd esgeulusdra y Cyngor ddim yn gofalu am y bont. (...)[331]

Pe dychwelech yn ol yma rwan, ofnaf na fuasech yn leicio byw yma o gwbl. Y mae'r Wladfa ar hyn o bryd mewn gwaeth cyflwr nag y bu er yr amser cyntaf, rhwng y Co-op a'r ffos, y mae yma rhyw helyntion yn feunyddiol, neb yn leicio gweithio nag yn foddlon talu am ddim, yr henafgwyr wedi gweithio mêr eu hesgyrn i ddod a'r Wladfa yr hyn ydyw, a'r ieuengctyd yn llac a diafael a dihidio, a llawer o honynt yn cymeryd eu harwain gyda'r Lladinwyr yma yn erbyn eu cenedl eu hunain, a rheiny yn bobl sydd wedi gwneud eu gwaethaf i'r Cwmni'r ffos a phob peth arall sydd er eu budd a lles y Wladfa. Y maent wedi achosi llawer o ofid a cholli cysgu i Newyrth, ac y maent yn parhau yr un fath o hyd.

Y mae y Cwmni mewn miloedd lawer o ddyled, ond pe bae pawb yn talu eu dyledion, ni fyddai ar y Cwmni ddim i neb. Y mae costau byw wedi mynd mor uchel, anghenrheidiau bywyd mor ddrud, os nad yw'r llaeth a'r menyn yn uchel iawn yma, mae pob peth arall tu hwnt i ddirnadiaeth neb. (...)

Yr oeddem wedi synnu clywed fod un o'r bechgyn a'i fryd am fod yn ffarmwr, paham na anfonwch ef yn ol i weithio Mostyn[332], dywed Modryb nad oes fawr o gyfnewidiad arni er pan ymadawsoch oddiyma, ond dyna, well iddo beidio dod yma i boeni ei ysbryd efo busnes y dyfrhau yma, er bod cyflenwad o ddwfr i'w gael, er pan mae y ffos newydd wedi dod i weithio. Y mae'r Llywodraeth yn cynyg tiroedd ar werth i Archentiaid mewn gwahanol rhannau o'r Diriogaeth, ac y mae amryw o blant y lle yma wedi rhoddi eu henwau am dir yn Cholila.

Yr wyf yn treio perswadio Modryb a newyrth i werthu'r cwbl, a dod yna i fyw, a wyddoch chwi am le bach i'n taro ni yn rhywle. (...)

Nos da rwan, maddeuwch rhyw gymysgedd fel hyn am y tro, daw llith newyrth yn fuan. Cofion cynes atoch oll
Yr eiddoch yn bur.
M.A.Price

(103) Rhan o lythyr arall M. A. Price o'r Wladfa at EJW yng Nghymru yn ei rybuddio rhag peidio ag anfon ei fab i ffermio yn y Wladfa.
   (LlGC 19720)

Twyn Carno,
Gaiman.
Chubut.
Awst 5ed 1922

Gyfeillion hoff.
Dyma fi un waith yn rhagor yn dod i edrych am danoch am wib fach.

Gobeithiwn eich bod mewn iechyd da fel teulu, a'ch plant a'u teuluoedd yr un modd.

Yr ydym ni yma yn debyg i arfer, y gauaf yma ddim yn cyttuno fawr a ni, er fod y tywydd wedi bod yn eithriadol o dda ag ystyried hyd yma. Modryb yn cael y peswch yn ddrwg iawn yn barhaus. Nid yw Newyrth wedi ateb eich llythyr byth, ac y mae yn peri i mi anfon ac erfyn eich maddeuant am na fuasai wedi gwneud y mae yn meddwl mynd ati bob nos, ond fod ysgrifenu wedi mynd yn fwy o boen iddo o lawer yn ddiweddar, hefyd yr oedd wedi rhyw feddwl y buasai wedi dod heibio yna ei hun i roi tro am danoch cyn hyn, ond mae'n debyg na ddaw y flwyddyn yma mwy.

Drwg iawn genyf orfod dweud wrthych nad ydynt wedi cael y pres o'r Co-op byth, bu am 7 neu 8 mis heb gael yr un cyfrif am danynt o gwbl ganddynt, ac erbyn hyn, y mae yn edifar iawn ganddo ei fod wedi anfon am danynt yma, buasai yn well o lawer iddo fod wedi eu gadael yn y man lle roeddent.

Y mae'n adeg dywyll iawn yn hanes y Wladfa ar hyn o bryd, ac nid oes dim o'r ynni a'r dyfalbarhad oedd yn nodweddiadol o'u tadau a'u teidiau yn y plant o gwbl rywsut. Rhyw lacrwydd gwammal, heb hidio na meddwl fawr o ba le y daw dim byd na syt, am y gallant eu gael. Mewn gwirionedd credwn eu bod wedi cael eu hetifeddiaeth dêg yn rhy ddidrafferth o'r hanner, nid oes dim yn werth chwys iddynt hwy. (...)

Clywsom fod y mab awydd dod yma i Mostyn, os cymmer gyngor gennym ni, fe chwilia am ffarm yn Nghymru, yn lle dod yma i ladd ei hun a chwysu yn y ffosydd, nes mynd yn hên ddyn cyn ei amser. (...)

Yr oeddem yn falch iawn clywed fod eich plant i gyd wedi bod mor lwcus a chael gwŷr mor dda â chartrefu cysurus, gwnaethoch dro da i fynd a nhw oddi yma, neu mae'n berig iawn hwyrach mae Spaeniaid fuasai yn eu cipio oddiarnoch fel amryw o'r merched y Cymry sydd yma yn bresennol. (...)

Y mae'r Railway wedi ei gwerthu i'r Llywodraeth ac Engineers wrthi'n mesur i gael ymestyn y llinell yma yn ei blaen i Esquel. Hei lwc, ynte. (...)

Terfynaf am y tro, gyda'n cofion cynesaf ni'n tri atoch oll.

Yr eiddoch yn bur.

M.A.Price a Newyrth a Modryb

(104) Rhan o lythyr arall M. A. Price o'r Wladfa at EJW yng Nghymru yn cadarnhau fod y Wladfa'n dirywio.

(LlGC19720)

19-5-23
Twyn Carno
Gaiman.
Chubut.

Anwyl Gyfeillion,
Daeth eich llythyr caredig i law ers ychydig ddyddiau, a diolch yn fawr i chwi am dano. (...)

Anwyd ydyw'r "Order of the day" yn mhob man yma ar hyn o bryd, swn pesychu glywir yn mhob cyfeiriad, ac y mae llawer iawn o salwch ar hyd a lled y Dyffryn yma, ac yn ben ar y cyfan, y mae Dr Jubb wedi mynd i ffwrdd yn sydyn iawn o'r Gaiman, heb ddweud dim wrth neb, a gadael yr ardal heb yr un meddyg. (...)

Yr ydym yn ofni mae i lawr yn garn y bydd yr hen Go-op, ar ol holl ymdrech yr hen dadau etc i'w godi i safle anrhydeddus, a llafur oes llawer iawn ynddo yn treio ei gadw ar ei draed. Mae'n anhawdd gwybod yn mha le y gorwedd y bai mwyaf, ond mae lle mawr i ofni, fod yr Arolygydd mawr yn rhy llac a difater o lawer, ac Arolygwyr y Cangenau i gyd fawr gwell, a'r staff rhan fwyaf o honynt yn ddifeind o bob peth ond eu cyflogau, ac felly gobaith gwael am wellhad sydd yma, os na ddeffrônt bob un i ystyried y sefyllfa yn ddifrifol. (...)

Dywed Newyrth nad ydyw wedi cael trefn ar ei bres byth, ac yn disgwyl bob wythnos cael pethau i derfyniad, ac yna y mae yn bwriadu ysgrifenu llith mawr atoch, anaml iawn gellir cael ganddo ysgrifenu ei hunan rwan, a fi ydy'r achos, medde fo, gan mae fi yw'r "general factotum," arnaf fi mae'r jobs ysgafn yn disgyn, a hwythau eu dau yn fy arbed, wrth geisio gwneud y gwaith trwm eu hunain.

Y mae Modryb yn hiraethus am gael golwg arnoch yn aml, ac yn synnu na fuasech yn dod am wib eich dau yma unwaith eto, gallasech arbed un gauaf yna felly. (...)

Y mae Aeron a'u deulu yn iach i gyd, ac hefyd plant bach fy mrawd bob un, a diolch i'r Drefn fawr am hyny, gresyn na fuasai manteision Cymru yn eu cyrhaedd, iddynt gael tipyn rhagor o Addysg nag sydd i gael yma. Y mae'r Ysgol Ganolradd yn mynd yn gostus iawn, a'r rhai sydd yn bell yn gorfod *boardio* eu plant yn y Gaiman. (...)

Dywed Modryb ei bod hi wedi pasio heibio Mostyn ddoe, ac y mae yn dweud wrthych eto am ofalu na anfonwch y *mab* yn ol i'r

Wladfa i boeni ei ysbryd wrth dreio ffarmio yma.

Y mae'r Wladfa yn mynd ar i lawr yn brysur, a buasai yn dda iawn gan Modryb a Newyrth, "pe bae bosibl cael gwerth ar bethau", i symud Aeron a'i deulu oddiyma a'u gweld wedi setlo i lawr yn rhywle, a llai o boen i dreio byw ynddo na hwn. Y mae'r to sy'n codi a rhyw natur dilyn y llu arnynt, a phan cuddir pennau yr hen bobl i gyd, ychydig iawn mae'n ofnus fydd ar ol yn barod i gynnal delfrydau eu tadau i fyny. (...)

Cofion cynesaf atoch oll oddiwrthym ni'n tri sef y teulu bach o
Dwyn Carno.
M.A.Price

CMC, yr afal drwg

(105) Rhan o lythyr James Hugh Rowlands[333] o'r Wladfa at M Ap Iwan yn rhoi anrheg iddo o ffrwythau ei fferm, Bryn Eirin, ac yn dadansoddi sefyllfa'r CMC.

(LlGC 5935 E)

Peach Bank
Gaiman. Chubut.
Mehefin 7 1924

Anwyl Ddoc,

Y llyfryn a'r ffrwythau yn California mewn llaw ers amser maith bellach, ysgrifenais ar unwaith i gydnabod y cyfryw, ond pan aethum i roddi cyfeiriad ar yr amlen, nis gwyddwn yn y byd pa le i'w gyfeirio, ac nis gallwn yn fy myw gofio ymha le yr oeddwn wedi ei gofnodi. Neithiwr wrth chwilio am beth arall deuais ar draws y cyfeiriad oedd ar ddisperod a mawr oedd fy llawenydd gan na fynwn er dim i chwi feddwl fy mod wedi anghofio hyny o foesgarwch a ddysgais pan yn ieuanc.

Yn awr, diolch o eigion calon i chwi am eich trafferth, ac i wneud y diolch dipyn bach yn fwy sylweddol yr wyf yn anfon blychaid bach o afalau Peach Bank i chwi gan obeithio y cyrhaeddant chwi yn ddyogel. Cynnwysa y blwch rhyw 5 math – nis gwn a ydych yn ddadansoddwr afalau fel y gwn y dadansoddwch glefydau ac afiechydon, ond, dyma gyfle i chwi, a gellwch pan gewch hamdden ddanfon eu henwau i mi – os na fyddwch chwi yr un fath a'r negroes honno pan ofynwyd iddi pa un o amryw fathau oedd y goreu, attebai – They was *all apple.*

Gobeithio y byddant yn dderbyniol ac y mwynhewch hwynt.

Yr wyf wedi anfon llawer i ffwrdd eleni, amryw flychau i B.A. tros fy nghwsmeriaid a llawer iawn i arfordir y de ... Os y clywch am rhywun hoffai gael afalau o'r Wladfa, gellwch eu hysbysu y gallant gael eu cyflewni am $8.50 y tin 10 k ond iddynt yru eu cyfeiriad *a'r pres wrth gwrs* i Peach Bank.

Wrth son am afalau, mae yma fath arall mewn bri mawr yn y Wladfa ar hyn o bryd. Ond nad yw yr acen yn hollol yn yr man – Avál[334] y gelwir hwn ac nid afal. Nis gwn a dderbyniasoch chwi gylchlythyr o'r CMC ai peidio, y maent yn bethau cyffredin led led y Wladfa – Cefais un o honynt ac er syndod mawr im, canfyddais fy mod yn glamp o *gapitalist 36 shares* yn ol $100,00 yr un. $3.600,00. *Y face value* yw $50 am y scrip ond er mwyn sicrhau benthyciad sylweddol, (gan y gofynant 30% ar eich cyfalaf, ymddengys fod yr Hyrwyddai ar Cydbwyllgor am ein chwythu i fyny fel y llyffant gynt a gwneud i ni gredu ein bod yn *rhywun neu rai.* Mae llawer scil i gael Will i'w wely onid oes Doc.

Pa un bynnag, nid yw y *bachan hyn* yn *taking any* . Hoffwn gael eich barn a'ch syniad ar yr C.M.C (twixt us) fel y cerir ef ymlaen gan y Weinyddiaeth bresennol. Fy marn fach onest i yw ei fod yn dioddef oddi wrth *Galloping consumption.*

Diau eich bod wedi clywed am farwolaeth Philip John Rees[335] yn Esquel ar y 30 o'r mis diweddaf. – Gellir dweud am dano – Hyn a allodd hwn, ef ai gwnaeth. Heddwch iw lwch.

Yn yr yspytty prydienig mae fy mab Dyfed o hyd ac nis gwyr yn y byd pa bryd y ca godi. Pe byddai y fath beth yn digwydd ag i chwi gyfarfod ar hen Syr John O Connor a wnewch chwi ddim holi dipyn arno a gadael i minnau wybod y *result.*

Nid ymhelaethaf ond anfonaf fy nghofion goreu attoch chwi a'r eiddoch

Yn ddiffuant

James Rowland

Glan Caeron[336]

(106) Rhan o lythyr William H. Hughes (Glan Caeron) o'r Ariannin yn cydymdeimlo ag Ellen Jones (Nel fach y Bwcs[337]) yng Nghymru ar golli ei thad. Dyry rywfaint o hanes capeli'r Wladfa ynghyd â threialon bywyd Thomas Dalar Evans (gw. llythyrau 92 a 93).

(Cefais gopi o'r llythyr gan Elgar Hughes – ŵyr William H. Hughes – a'i wraig Aira Roberts de Hughes pan oeddwn yn Esquel yn 2007.) Ar yr amlen gwelir y cyfeiriad canlynol:

> *Inglaterra*
> **Mrs Ellen Jones**
> **Emporium**
> **Llandyssul**
> **Cardiganschire. S.Wales.**

> **Mehefin 30ain . 25**
> **Dolavon**
> **Chubut**
> *Argentina*

Anwyl hen gydnabod

Dyma fi adref o'r Andes am dri mis o wyliau, tranoeth ar ol cyrhaedd derbyniais ddau lythyr, un o'r hen gartref yn Llandwrog yn mynegi am farwolaeth fy mrawd hynaf yno[338], a'r eiddoch chwithau o Landyssul yn mynegi yr un peth am eich anwyl dad,[339] a dyna sy'n rhyfedd iawn – y ddau yn marw yn ystod yr un mis a dyddiau bron, a'r ddau oherwydd yr un achos, wedi cael *stroke* yn eu hochr chwith! A'r ddau yn dwyn tebygrwydd mawr i'w gilydd o ran eu hymarweddiad a'u sêl o blaid yr enwad crefyddol y perthynent iddo ar hyd eu hoes. (...)

Wel, chwi ellwch synio fod cynwys y ddau lythyr wedi peri i mi fawr dristwch a cholli dagrau'n hidl – colli hen gyfaill na fu erioed ei ffyddlonach fel ffrynd caredig a chydaelod eglwysig am hir flynyddoedd yn y Wladfa, ac nid oes genyf ond gobeithio y caf gyd-gwrdd a hwy eto a distaw ganu

> "O! hyn fydd yn hyfryd –
> Hyfryd, hyfryd, hyfryd,
> O! hyn fydd yn hyfryd –
> *Cwrdd heb byth ymadael mwy.*

Dymunaf arnoch dderbyn fy nghydymdeimlad llwyraf a chwi yn eich profedigaeth lem, a phan yn ysgrifenu at Johnie druan yn Canada, a Dyfrig[340] yn Africa, byddwch fwyned a'm cofio at y ddau yn garedig iawn fel eu hen athraw hwynt a chyfaill calon eu diweddar dad.

Dair wythnos cyn i mi ddod i lawr claddwyd fy nhadynghyfraith, Bonwr Brunt,[341] newydd gyrhaedd ohono ei 88 ml:oed, felly chwi welwch mai yn gwisgo du yr ydym ninau megis chwithau yna. (...)

Wel, Ellen (rhaid i chwi fy esgusodi am nas cyfarchaf fel "Mrs Jones" – gwyddoch mai creadur digon rhyfedd ydwyf ar hyd fy oes –) yr oeddwn wedi meddwl am anfon gair at eich tad yn ystod y seibiant presenol, ond y mae hyny allan o'r cwestiwn bellach, felly caiff y llythyr hwn gynwys yr ychydig newyddion a fuaswn yn anfon ato ef eu cyfeirio atoch chwi – fel un sy'n teimlo dyddordeb yn y Wladfa a'i hanes megis yntau :-

Glan Alaw:[342] Un o'r dyddiau diweddaf yma digwyddais afael yn hen "lyfr Cofnodion" yr hen eglwys anwyl a gedwid genyf pan yn aelod ohoni 30 mlynedd yn ol – dyddiau ei gogoniant wyddoch! Y pryd hwnw rhifai yr aelodau 148, o'r rhai hyny nid oes yn weddill yno heddyw ond yr hen wr Robert Roberts (83) a Robert y mab, y gweddill o'r 30 aelodau yn bersonau dieithr hollol i chwi.

Ebenezer:[343] Enw o eglwys anenwadol yw hon a dyma lle yr wyf yn aelod – ac esgus o flaenor er's deunaw mlynedd bellach, 135 yw rhif yr aelodau.

Dolavon: Dyna enw ein tref newydd yn y D.Uchaf a cheir yno eglwys fechan (anenwadol) o'r enw Carmel[344], y rhan fwyaf yn gynaelodau o Ebenezer.

Golwg dipyn mwy llewyrchus ar eglwysi y Bryn Crwn[345], Gaiman[346] a'r Bryn Gwyn[347] ond, nid megis yn eich amser chwi. Pe talech ymweliad ag yma yn awr chwi welech fod y lle wedi newid yn fawr rhagor yr hyn ydoedd yn eich amser chwi, daw'r tren i fyny yn ddyddiol o Drelew am Dolavon; ac o Ddolavon i Ddol-y-Plu a'r tren i fyny ddwywaith yr wythnos, a cheir hefyd dren dyddiol o Drelew i Rawson, ond y syndod mwyaf a welech fyddai fod y mwyafrif o'r teithwyr yn hispaeniaid ac italiaid. Pan oeddych chwi fel teulu yn Llainlas ceid yn y D.Uchaf dair ysgol genedlaethol, yn awr ceir yma 9. Yr adeg hono rhyw 4 o blant oedd genym ni, yn awr y mae yma 9 – ac o'r 9 y mae 6 wedi priodi gyda'r canlyniad fod o gwmpas Annie a minnau 19 o wyrion ac wyresau yn galw "taid" a "nain" arnom. Yn yr Andes yr wyf fi'n ysgola er's rhai blynyddoedd bellach mewn lle o'r enw Fofo-Cahuel a 9 mis yn flynyddol o alltudiaeth yw hi arnaf – o ddechreu Medi hyd ddiwedd Mai- Mehefin, Gorph: ac Awst adref gyda'r teulu ond nid oes genyf ond un flwyddyn eto i wasanaethu na fyddaf yn wr rhydd wedyn bwriadaf (DV) bicio drosodd am dro i fro'r Wyddfa a manau eraill ac ym mhlith y manau hyny daw Llandyssul a Chonwil Elfed i mewn ...

Mi ofalaf am gyflwyno eich dymuniadau da i Dalar[348] a Charadog pan af i fyny ddiwedd Awst, byddaf yn gorfod mynd drwy Esquel i fyned i'm hesgobaeth wyddoch, caf weled Caradog yn y capel yno, a chaf ysgwrs a Dalar drwy'r telephone o Esquel i'r Cwm: y mae ef yn 78 yn awr ac yn dal yn dda yn wyneb mwy o brofedigaethau na neb ar a adwaenais i erioed wrth gwrs mi glywais son am hen gymeriad tebyg iawn iddo a elwid Job stalwm, ond pe'r ddau yn cydoesi a'r un prawf yn cael ei roddi ar y ddau r'wyf bron yn siwr mai dyfarnu y ddau yn gydradd fuasai raid wneyd – meddyliwch am funud rwan am yr hyn y gwn i sydd wedi syrthio i'w ran rwan (a) saethu bysedd ei law ddeheu i ffwrdd newydd iddo gyrhaedd o Gymru: (b) colli ei fachgen hynaf drwy iddo foddi wrth fynd adref o'r ysgol: (c) Mrs Evans yn dod i lawr o'r Andes am dro ac yn cael ei chladdu yno ym mhen y pythefnos union:[349] (d) colli y ty cyntaf a gododd yn yr Andes drwy lifeiriant: (e) colli madryn ei fachgen ieuengaf drwy i lew ddod o'r goedwig fin nos a'i gario ymaith tra'r teulu yn cynal ysgol gân yn y tŷ![350] (f) colli yr ail dŷ a'i holl gynwys drwy dân": (g) colli Eurgain yn 21 oed: colli Briallen yn 24 oed, hyhi yn briod a John S.Pugh, Gaiman: (h) colli Almed yn 19 ml.oed: (i) ar fin colli Shân eto a hi yn 37 ml.oed, ac yn briod a Tom Nicols ac iddynt 5 o blant, edwino o dan yr un clefyd a'i chwiorydd y mae – y darfodedigaeth ffals [?] dyna ychydig o'r pethau chwerwon sydd wedi syrthio i gwpan yr hen gristion anwyl ac yn hyn i gyd ni chlywir ef byth yn cwyno na grwgnach, a'i lais ef yw'r pereiddiaf yng nghyrddau capel y Cwm drwy'r cyfan i gyd.

Wel, wir mae'n rhaid cau pen y mwdwl neu chwi fyddwch yn siwr o wylltio a lluchio'r dalenau i'r tan! (...)

Derbyniwch chwi a'r eiddoch fy nymuniadau goreu ar eich rhan

Eich hen gydnabod

W.H.Hughes

O.N. Os y cewch funud o hamdden i anfon gair eto yn ystod y 9 mis nesaf, cyfeiriwch fel hyn-

Guillermo H Hughes
Escuela No 59
Leleque, Chubut
Via Neuquen *Argentina*

Thomas Dalar Evans[351]

(107) Rhan o lythyr J. S. Evans o Gymru at ei frawd Thomas Dalar Evans, 'Bodeglur' yn yr Andes.

(Cefais gopi o'r llythyr gan Iola Evans, wyres Dalar, pan oeddwn yn Nhrelew yn 2007.)

Cemaes Bay
Meh 11eg 1925

Fy Annwyl Tom, a theulu oll,
Daeth dy lythyr i law ddoe, yr wyf finau yn ei ateb heddyw. Yn gyntaf am fod genyf awr i'w hebgor. Yn ail, am y dylwn adael i ti wybod pa fodd y cenir y dôn "Cwmavon" gan Annibynwyr Cymru. Sef troi yn ol am yr ail gwpled wedi cyrhaedd y barr dwbl. Felly, ti sydd yn iawn, yn ol arfer cyffredinol Cymru, ac nid Mr Williams. Dyna un i ti. Cod dy ben, a sgwaria dy ysgwyddau fel hen gerddor sydd *up to date* heddyw.

Mawr ddrwg oedd genym ddeall am waeledd Sian Annwyl.[352] Rhaid fod hyn yn ofid mawr i ti, ac iw phriod hawddgar.[353] Rhyfedd i mi fod yr hen Anhwyl y wlad hon, yn eich blino chwi yna? Gwlad mor agored ac mor uchel ar y cyfan, onid yw? Beth all fod yn cyfrif am hyn? Yn yr hen amser, yr oedd yn beth cyffredin iawn fel y gwyddost, pan yr oeddet ti a finau yn blant, y tai yn fychain a dioleu, ar teuluoedd yn fawr. Ond erbyn heddyw, ceir gwell tai ac eangach tai, ar canlyniad o hyn ydyw, llai o'r darfodedigaeth. Ymlidir ef yn galed a chyson, gan y meddygon, fel y gellir disgwyl yn y man, y bydd y wlad yn weddol rydd ohono, yn yr oes nesaf. (...)
Una'r teulu mewn cofion cariad atat, ar teulu oll.
Byth dy frawd J.S.Evans ...

William Christmas Jones[354]

(108) Llythyr William Christmas Jones a'i wraig Gwenonwy[355] o'r Wladfa at ei nith, Eluned Jane Griffiths yng Nghymru. Ni cheir dyddiad ar y llythyr.

(Helen Ellis, gor-nith William Christmas Jones a dynnodd fy sylw at y llythyrau. Daw'r llythyr o gasgliad Carneddog LlGC G894/2.)

D.S "Dywed Gweno mai i Tom yr ydym i ddiolch am lythyr ne heb yr un fuasem ni"

Will

Anwyl Nith,

   Mae dy Fodryb Gweno eisiau gwybod pam na anfoni di lythyr weithiau i ni yn lle dy fam, hefyd buasai yn falch o gael Rhaglen Eisteddfod yr Urdd newydd neu hen er mwyn cael introduction i mewn i bethau o'r fath ar gyfer gwyl o'r fath yma rhyw dydd, hefyd bydd snapshots or gwerllys neu adrannau o'r Urdd yn rhywle yn wir dderbyniol at y *Colection* sydd gan dy Fodryb Gweno,[356] "Cofia fod gan dy fodryb feddwl y byd ohonot ti, ond eu bod yn methu gweld y ffordd yn glir i dy nol di am drip ir Wladfa Gymreig.

   Cofion anwyl oddi wrth dy
   Ewythr Will ath Fodryb Gweno

   Hefyd Uriena[357] a Fred

(109) Rhan o lythyr William Christmas Jones o'r Wladfa at Carneddog[358] yn disgrifio'r bywyd Cymreig yn Buenos Aires.

(Casgliad Carneddog LlGC G/893/1)

Fy nghyfeiriad newydd

Greenland	Hotel Provincal
Casilia 37	Prif Ddinas y Weriniaeth
Trelew	Arianin
Chubut	Deheudir America
Sud America	4 o Awst 1928

Bonwr Carneddog

Gyfaill Hoff

Erbyn heddyw gallaf finnau ddweyd fel amryw eraill fy mod wedi cael treulio rhai dyddiau yn y brif ddinas farweddog hon ac wedi gweled a chlywed amrywiol ddoniau am amrywiol ieithodd ond dim byd yn debyg ir iaith Gymraeg, fel y dengys yr hanes ei hunain i chwi mewn wythnosolyn a Rhaglen Coffa Gwyl Glaniad y fintai Gymreig gyntaf ar draethell pell Porth Madryn a anfonais i chwi gyd ar llythyrglod fel y nodyn byr yma.

Gwir na cheir mor hanes yn fanwl ynddo ond caed gwyl Gymreig rhagorol nes synu hyd yn oed Cymru Cymreig y brif ddinas hon ac enyn ynddynt yspryd newydd i gadw yn fwy byw ac efeithiol Cymdeithas Dewi Sant tre fawr Buenos Aires. (...) A gogleisia yr hen don Aberystwyth y dorf eang o cant a naw oedd yn presennol, a chredaf y cynrychiolid Cymru gyfan gwbl yn yr wyl, gan fod amryw llongau mawrion a bychain yn y *Porthladd mawr* (...)

Rhagorol yw gweld y fath dderbyniad gwresogaidd geir pan yn Mhatagonia draw ar fath llawenydd yw cydgyfarfod ac ambell i gydnabod ac yn llawer mwy ein cyd-genedl mewn estron dir, ni rhaid ofni siarad Cymraeg ar heolydd ddinas eang "Argentina", pwy wyr pa Gymro neu Gymraes try ei phen i wrando hyd yn oed ar eang heol 25 de Mayo ac Avenida Rivadavia, trodd Cymro attaf yn sydyn gan ofyn ai Cymro oeddwn pan ddeallodd a fy chlywed yn siarad Cymraeg a fy nghydymaith pan yn rhodio ar ol swper y noson or blaen a chefais ar ddeall ei fod yn enedigol o Llanberis ac un arall or Deheudir yn ei gwmni, melus oedd y cyfarfyddiad ar ymgom a gawsom am yspaid byr amser.

Dywed yr hanes ynddo ei hunan wrthych pa mor werthfawr yw

Cymro, Cymraes a Cymraeg oddi cartref a mawr hyderaf y cewch hwyl a blas wrth ddarllen y *"Menu"* ar farddoniaeth gyfansoddwyd yn arbenig ar gyfer yr achlysur gan un o feirdd ieuainc addawol prif dref yr Arianin fawr Buenos Aires. Gyd a maddeuant am fod yn fyr y tro yma. Cewch ragor ar ol gorphen fy ngwyliau. Yn gywir gyda chofion pur

Nadolig Jones

'Casglu gweithiau llên y Wladfa'

(110) Llythyr oddi wrth Tudur Evans[359] at Evan O. Williams[360] (ewythr RBW).

(Adran Archifau a Llawysgrifau Prifysgol Cymru Bangor 10218)

Trevelin
Cwm Hyfryd
Mai 20ed 1930

Mr Evan O Williams.

Gyfaill Hoff.

Cydnabyddaf dderbyniad eich llythyr yn nghyd a llythyr aelodaeth Mrs Sephora Roberts.[361] Blin gennyf nas gallaf rhoddi fawr o gynnorthwy i chwi yn eich ymgais dros Richie[362] i gasglu gweithiau llen y Wladfa. Yn anffodus nid oes gennyf ddim o weithiau llenyddol "Caeron" fel y tybia Mrs Hughes[363] er fod gennyf amryw lythyrau cyfeillgar oddiwrtho.

Ysgrifennu ddaru mi at Mrs Hughes ar iddi ddiogelu ei gynnyrchion er mwyn hanesydd y dyfodol a da iawn gennyf fod "Richie" wedi meddwl a cheisio casglu cyfrol fydd mor ddiddorol. Ond prin y credaf fod yn fy meddiant heddiw ddim o deilyngdod i gyfrol o'r fath. Pan yn Nghymru cesglais innau lawer o hen lythyrau ysgrifennwyd yn nyddiau bore'r Wladfa ac yr oeddent wedi eu postio ar dalennau hen lyfr Saesneg. Trosglwyddais yr oll i "Glan Caeron" pan oedd ef yn Olygydd y Drafod. Dywed yntau iddo eu gadael yn Swyddfa'r Drafod. Eithr pan fum i lawr yn 1925 methais a dod o hyd iddo. Dichon er hyny y talai i chwi wneyd ymholiad yn y swyddfa eto a holi "Morgan" fel olynydd "Caeron" yn Swyddfa'r Dravod. Ac os y deuwch o hyd iddo bydd groeso i chwi wneyd y defnydd goreu fedroch o'i gynnwys. Roedd yn mhlith y papurau hynny adroddiad swyddogol Capten y "Volage"[364] Rhifyn neu ddau o'r Ddraig Goch ac amryw lythyrau oddiwrth Michael D.Jones. D.S.Davies. "Gutyn Ebrill". Hugh Griffiths. W, Jones (Y Bedol) Evan Pugh (DU). Hanes Gwyl y Glaniad yn Liverpool ar orymdaith a fu yno dan arweiniad Lewis Davies Aberystwyth[365] &c &c. Trueni mawr ir papurai gael eu colli trwy ddiofalwch swyddogion swyddfa'r Dravod. Gwnewch ymgais eto i ddyfod o hyd iddynt.

Nid ymhelaethaf gan fy mod am i chwi gael y nodyn hwn efo Caerfryn sydd ar gychwyn ir Ysgol yna.

Bu yn fy meddiant gopi o Postal Order at y Genhadaeth yn Patagonia oedd wedi ei dalu ddwy flynedd cyn i mi gael fy ngeni. Os y deuaf o hyd iddo neu rhywbeth arall diddorol danfonaf i chwi eto. Cofiwch fi yn gu at Richie pan yn ysgrifenu an bod yn ei longyfarch ar ei lwyddiant addysgol yn fawr iawn.

Cofion cu iawn atoch chwithau fel teulu a theulu Tynewydd.

Da genyf ddeall fod y Parch E.R.Williams B.A wedi cyrhaedd. Hyderaf y bydd ei weinidogaeth o dan fendith Duw yn y Wladfa. Dichon y caf finnau'r fraint o'i glywed y gwanwyn nesaf D.V. gan y bwriadaf newid a'r Parch Alun Garner B.A am fis neu ddau.

Byddwch wych yr eiddoch yn gywir
Tudur Evans.

Elvira Roberts

(111) Llythyr gan Elvira Roberts at ei rhieni, Benjamin Pugh Roberts a Lizzie Freeman, o Córdoba, yr Ariannin ym 1931. Roedd hi'n dioddef o'r ddarfodedigaeth ac yn derbyn triniaeth mewn ysbyty yno.

(Adysgrifennais y llythyr gan Joyce Powell, sef nith yr awdur ac wyres Ben Roberts a Lizzie Freeman, pan oeddwn yn Esquel yn 2007.)

**Laennec
Mawrth 6 1931**

Anwyl Nad a Mam:

Dyma fu yn ceisio atteb eich anwyl lythyron yr oeddwn yn falch iawn oi derbyn. Mae yn dda genuf ddweud fy mod yn teimlo yn eitha y dyddie yma eto, ond nud ydwif wedu cael codu a mae hi yn gwneud tywidd poeth difrifol oeddwn wedu meddwl gofun am gael codu i orffwys allan ar ol te heddiw ond wrth mod i isio esgrifenu wnês i ddum; mae fel pe tau yn paratoi am dupin o wlaw tarana prydnawn yma mae yn dduflas yn y gwelu ar y gwrês mawr yma mae fy nullad i yn sticio ydan trwi y dydd ydw i mor dew rwan wedu trymhau 4 kilo, os gaf drymhau 4 arall mi wneuth dupin o wahaniaeth ynof. Rydwif yn gobeithio y byddaf digon lwcis i gael gwella, rwif yn gwedduo ar Duw i fod efo fu an helpu, ac wir fedra i ddum cwino hud yn hyn a meddwl fy mod wedu bod yn sal dros flwyddun cyn dod yma, mi fasa yn fantaus fawr iawn i fu pe taswn wedu dod yn gynt. Roeddwn yn falch iawn o glywed mam yn dweud yn ei llythyr eich bod yn fodlon ein helpu rwif yn deall ei bod yn flwyddyn galed iawn yna elenu, oes dum i wneud ond gobeithio daw blynyddoedd gwell. Mi wneuth Tom[366] ei ora ond mae ynta hefud wedu cael gostwng $40.00 yn ei gyflog rwan pan mae mwia oi anghen ar ol bod yn enull $200.00 er yr holl flynyddoedd, ond mae nw yn gostwng i bawb yn gyffredunol mae yn debug: lwcus bod rent y tau efo nw, os ceuth Tom lwc o gael bobol iddynt. Mae y lle yma yn llawn iawn mor gynted a bydd yna un wedu mund mae yna un arall iw le, mae nw yn methu cael digon o le yma; mae y doctoruad ar teulu wedu symud or gegun oedd efo nw yn bytta i gael lle i 4 gwelu, a mae nw yn byta rwan yn y comedor[367] efor cleifion, dum ond y rhai sydd yn y gwely sydd yn bytta yn y room mae yna tua 40 o gleifuon yma siwr.

Mae yna un ddynes yn mund adra yr withnos nesa wedu gwella gwraig weddw a 5 o blant mae hi yma er ys blwyddyn daeth yma yn

go fuan ar ol dechra mind yn sal mae hi wedu trymhau 23 kilo mae hi ru dew i roed un goes dros y llall, a dyma hi yn mind adra i Tucuman yn iach dyna braf ynte. Mae yna ddau wedu marw er pan ydw i yma, ond mae y rhai sydd yma ar hyn o bryd reit fuw i gud ydw credu. Rhwif yn disgwil cael codu yn go fuan neu bydd yr haf wedi pasio mae fy ngwrês i wedu gostwng eto. Wel mae genuf lawer o lythyron isio ei atteb ond rwif am gymerud yn araf deg am dupin bach eto. Cofiwch fu at bawb, rwif yn credu mod i yn derbyn bob llythur nud wif yn gwibod am yr un wedu mind i goll eto.

Rwif yn cael llythyron Tom ymhen yr withnos bob tro ydu fy llythyron i ddum yn cyrhaedd mor handy a hynu. Cofiwch esgrifenu.

Ydwif yn anfon fy llunia i a bobol Weber anfonwch i ddweud os yduch yn fy ngweld rhiw fymrun yn dewach. Rwif am i chwi anofon un o r llunia i Jane[368] ar ol i chi ei gweld yn iawn.

Ydu Tudur Evans ar teilu yn mind lawr ir dyffryn elenu? Cofiwch fu atu nw. Wel mae yn bryd i fu derfynu gobeithio eich bod yn iawn i gud yna. Ydw i reit hapus yma yn enwedig pan fyddaf yn gweld fy hun yn gwella.

Cofion cynes attoch i gud. Ydwif eich merch Elvira.

*Teulu Benjamin Puw Roberts a Lizzie Freeman de Roberts. Mae Elvira
yn eistedd ar ben y rhes flaen ar ochr chwith y llun.*
(trwy ganiatâd Betty a Ned Rowlands, Llanuwchllyn)

The adult Family of Benjamin Puw Roberts and Lizzie Freeman de Roberts
Married on 2nd February 1893.
(Lizzie Freeman was born aboard ship when the family emigrated from U.S.A.)

(1)	William John Roberts married Sephora Davies.	Born 1898	Died		the 4th child
(2)	George Roberts married Olga.	Born 1909	Died		the 11th child
(3)	Adna Roberts (unmarried)	Born 1908	Died 1954		the 10th child
(4)	Alice May Roberts de Thomas (Alun)	Born 1900	Died		the 8th child
(5)	Lottie Roberts de Hughes (Emrys)	Born 1911	Died		the 7th child
(6)	Maggie Roberts de Powell (Nesia)	Born	Died		the 9th child
(7)	Eirig Roberts married Nellie Andrea	Born 1912	Died		the 12th child
(8)	Dewi Roberts married Emilia	Born 1914	Died		the 13th child
(9)	Ivan Roberts married Margaret (1) Olwen (2)	Born 1906	Died 1958		the 5th child
(10)	Lloyd Roberts married Sophie (fach) ?	Born 1916	Died		the 14th child
(11)	Elvira Roberts de Morris (Tom)	Born 1910	Died		the 6th child
(12)	Sara Roberts de Rowlands (William Price)	Born 1895	Died 199-		the 2nd child
(13)	Benjamin Pugh Roberts	Born	Died		the Father
(14)	Lizzie Freeman de Roberts	Born	Died		the Mother
(15)	Mary Ann (Polly) Roberts de Hughes (Iago)	Born 1893	Died		the first born

(112) Llythyr arall o Córdoba, bum mis yn ddiweddarach, oddi wrth Elvira Roberts at ei brawd Evan Roberts a'i wraig Margaret.

(Trwy garedigrwydd Joyce Powell, Esquel.)

Biolet Nasse [?]
Agosto 13 1931

Annwyl Margaret a Evan ar plantos,
Dyma fu yn esgrifenu gaur atoch gan fawr obeithio eich bod yn iach i gud. Ydw i yn gwella yn araf deg, rwif wedu bod allan trwi'r bora heddiw; dwedodd y Doctor wrthuf y dydd or blaen am i fu godu a mind allan i orffwis, a bora yma, trwi ei bod hu yn braf rwif wedu dechra ar y busnas a mae rhaid i fu frysio esgrifenu rwan i gael mind allan ar ol cinio eto tan amser te, ag aros fewn ar ol te gan ei bod yn fresio yn y prydnawn fellu dywedodd y Dr wrthuf; mae yn reit braf cael mind allan ar ol bod fewn gymaint, ond oes yna yr un merch arall yn codu eto ddum ond dynion.

Ydw i wedi colli y bartneras fach oedd gen i ag wedi cael un arall yn ei lle, a mae cymaint o wahaniaeth rwng y ddwi ag sydd rwng yr hail ar llead, fies i yn gwmni y llall am dros 5 mis a fion ni ddum ar dalera drwg ddum 10 munud yn ystod yr amser, ond mae hon yn ei ffwts oddu ar bora ddoe am y peth be dwi well a be dwi'n hidio, pe tawn wedu roed achos iddu mi faswn yn poinu, ond gan nad ydw i ddim wna i ddum poinu. Ond mi daluaf ymlaen iw chocsio mi ddaw i siarad bob yn chydig, *efo dyfalbarhad* achos mae yn ddugon i rhwin fod yn sal heb fod fan hyn fel rhiw benbwl ai geg yn gau, mae rhaid trio bod mor hapys a gallith rhywun.

Rwif newydd dderbyn amser cinio, llythur oddu wrth Tomos[369] a Mama[370] a Sephorah[371] daliwch ymlaen i esgrifenu boys bach mae llythyra yn gysur mawr i fu yn y lle inig yma, lle mae Ianto arni mae o yn gallu esgrifenu yn iawn peidied a gadael ar y wraig bob tro, ond waeth gen i pryn cael llythyron ydu'r pwnc. Mi fues reit lwcis ar fy mhen blwydd ces bocs o bombones yn bresant oddu wrth fy suegra[372] broch efo Dwdu Buts efo Efelyn a musiat [?] efo S Ann ag amryw o P cards a telegram oddu wrth Tom ag Eirig[373] dyna chi.

Gobeithio gyrhaedduth y llythur yn iawn. rwif yn ei anfon efo stamps wedu ei iwsio, er mwin cynilo.

Cofion atoch eich dau a cusanau ir plantos, ydu nw yn cofio weithua am modrib Elvira.

'Do you still speak Welsh?'

(113) Rhan o lythyr Saesneg Dorothy Powell o Gymru at ei brawd-yng-nghyfraith Nesiah Powell[374] yn y Wladfa. Ni cheir dyddiad ar y llythyr ond amcangyfrifir iddo gael ei ysgrifennu tua 1931. Dengys y llythyr hwn anwybodaeth y Cymry gartref am Gymry'r Wladfa.

(Trwy garedigrwydd Joyce Powell, Esquel, merch Nesiah Powell)

Dear Ness
Tom[375] has come to a stop in his letter, he does not know what else
he can write about, so I am carrying on. As you are more or less a
stranger to me, I am going to tell you a little bit about ourselves. I
am a daughter of "Bobbie Dagg", do you remember my father being
the policeman at Garth? Of course, at that time I did not know
either you or Tom, although I have a faint reccollection of a tall boy
bringing milk to our hous, but i don't know whether that was you or
Tom. Anyhow, my next interesting point is that I met Tom when I
was about nineteen, and we were married when I was twenty-three
and Tom was twenty-six, quite a respectable age, eh? That was
during the war, in 1917. In 1918 our eldest boy was born. Up to this
time we had lived in garth but afterwards we moved to maesteg and
lived in a house close to Llestfach Cottages (I must tell you that all
the land up that way has been built upon and close there is the new
Maesteg Secondary School).[376] Our second boy was born in this
house ... We lived at Maesteg up till four years ago, when Barrie
won his scholarship for Cowbridge. To enable us to send him there
it was necessary for us to have more money coming in, so we moved
back to Garth and I have a little shop in the front room of the house.
(...) Now I have given you our history up to today, and when all is
said and done I have not found your brother too bad to get along
with. Of course, I have to read the "riot act" to him now and again,
but then all men have to be "told off" a bit. I do not see the farm
people very often, Grandpa Powell calls about once a month but I
only see Mrs Powell and her daughters about once a year. They are
all married with three or four children. (...) I am afraid I don't
know much about either of them, you see, although my mother was
a Welsh woman, i am not able to speak Welsh and I am afraid my
people-in-law find me a bit difficult to get on with, as indeed, I find
them. Mrs Powell is always very nice to me *when* we meet, which has
not been more than ten times in the fourteen years we have been

married, so now you can understand why we don't know much about each other. (...) The lady that you lived with out there, I forget her name, called here once when she brought your photograph, but as she only spoke Welsh and I only spoke English, I am afraid our conversation was a bit of a "jam". By-the-way, I am curious to know what language you speak mostly out there. Do you still speak Welsh? I was awfully surprised to find that your Aunt from South America spoke far deeper Welsh than the average person does here in South Wales. I can follow our Welsh here although I can't speak it, but her Welsh put me "quite in the cart". How can you explain it?

We would like to have some photographs of you at your work, the children imagine you to be wearing those skin trousers they see being worn by the cow-boys at the picture-show. When you write tell us more about yourself and, before I finish, let me give you a word of advice. Don't listen to your father about coming back to this country. He says he want you to take on Sychpant Farm from him. Don't pay any attention to this, they are all at sixes and sevens there so Tom tells me, and he understands it better than I do, and farming here is a rotten job anyhow. If you do entertain the idea at all, write to Tom about it first and he can explain things to you. (...)

With all good wishes for the future and love from the children and myself.

Your affectionate sister.
Dorothy

Gorlif 1932

(114) Rhan o lythyr Elisa Dimol de Davies[377] o'r Wladfa at Robin Gwyndaf yng Nghymru ym 1967, yn dyfynnu un o gerddi James Peter Jones[378] am y gorlif ym 1932. Mae Elisa Dimol de Davies hefyd yn cynnwys hanes trychineb colli ei nai a'i nith ym 1941, a cholli ei chwaer ym 1943.

(Cefais fenthyg bwndel o lythyrau Elisa Dimol de Davies gan Robin Gwyndaf, Caerdydd.)

655 Mitre 22 Feb 1967

Annwyl ffrind Gwyndaf
(...) Y tro yma dyma Gweneira[379] a finau wedi fod yn casglu barddoniaeth James Peter Jones "Neuadd Wen". Oedd llawer ddim yn hoffi llawer am James Jones am nad oedd o yn *Gapelwr* ond oedd yn Gyfaill i bawb yn Patagonia: chwi welwch ei fod yn wreiddiol iawn mewn unrhyw beth fyddai yn digwydd. Ond ychydig iawn o'i waith sydd ar gael am nad oedd o byth yn cadw Copy oi waith,

> **Gorlifiad 1932**
> *YR AWR WEDDI*
>
> **Mae'r glaw yn pistyllu dros fargod fy nghell**
> **A rhu yr hen Gamwy i'w glywed o bell,**
> **Mae'r afon yn codi bob dydd a phob awr**
> **A'r gorlif didostur yn ymdaith fel cawr.**
> **Ein Tad cofia'r bechgyn a chadw nhw'n iach**
> **Mae'r cenlli mor uchel a'r cloddiau mor fach.**
>
> **Mae'r barrug yn drwchus ar weryd a drain**
> **A'r bysedd yn fferu – mae'r awel mor fain,**
> **Mae dillad y gwely yn wlyb ac yn oer,**
> **A'r gawod yn tywyllu pob seren a lloer.**
> **Ein tad cofia'r bechgyn galeted eu byd,**
> **Rwyt Ti mor drugarog a'r meddyg mor ddryd.**
>
> **Mae'r afon yn codi yn gyson o hyd.**
> **A'r gorlif yn bygwth fy mwthyn bach clyd**
> **Ond para'n y frwydyr mae rhywrai drwy'r nos**
> **Yn palu a cheibio ceulannau'r hen ffos.**

Ein tad wnei di faddau os ydyn nhw'n llon
Cael hwyl anghyffredin o'r hen Jimijon.

Mae'r capel yn wâg, ac mae'r organ yn fud
A distaw y mawl i Waredwr y byd.
Mae'r bechgyn ym mhell yn y barrug a'r glaw
Mae un gyda'i wêdd ac mae'r llall gyda'i raw.
Ein tad paid a digio ar foreu dydd Sul
Os clywi di regi ar lwybyr mor gul.

Neuadd Wen   J.P. Jones

Amser y Gorlifiad 1932 fel llawer Gorlif arall, oedd dynion a
bechgyn o bob oed yn gorfod gofalu am weithio i gadw yr avon i
fewn er mwyn achub eu cartrefu; ar gauaf yma yn gwlawio am
wythnosau dydd a nos, a cysgu allan ai dillad yn wlyb, fel y gwelwch
yn y farddoniaeth. (...)

Dyma finau am orffen ar hyn y tro yma. (...) Chwevror 4ydd
oeddwn yn 72 mlwydd oed ar Plant ar wyrion wedi dod o bell i gael
te efo Nain. Diwrnod hapus iawn i fi. Cofion fyrdd atoch oddiwrth
Gweneira a finau.

Camwy Dimol de Infante. Fy unig chwaer oedd Camwy fel y
gwelwch yr hanes yma, collodd eu dau blentyn ar Ddydd Nadolig:
dwy flynedd fuodd hi yn fyw ar ol y fath brofedigaeth. Oedd hi yn
marw diwrnod ei phenblwydd yn 50 mlwydd oed a bu farw fy
mrawd Lewis ers 17 mlynedd yn ol

Y DRAFOD
NEWYDDUR Y WLADFA
GAIMAN, DYDD GWENER, IONAWR 10, 1941

TRYCHINEBAU DIWEDD A DECHRAU BLWYDDYN

(...) Dau o blant oedd ar aelwyd Mr. a Mrs Infante yn Rawson, y
ddau wedi tyfu i fyny agos yn bobl ieuainc – Arthur yn 17 a
Mercedes yn 14. Trannoeth y Nadolig, aeth y ddau yn ddiofal a
llawen i bysgota ar fin yr afon, a dim ond y cyrff ddaeth yn ol i'r
cartref. Er pob ymdrech o eiddo y tad, ac ymddengys iddo wneud
mwy nag a ellid disgwyl gan ddyn, bu y cwbl yn ofer. Y mae

cydymdeimlad gwlad gyfan gyda'r tad a'r fam yn eu hiraeth a'u galar.

Nid yw y Wladfa wedi anghofio Camwy Dimol de Infante yn adrodd yn ei heisteddfodau, a gwyr am ei pharodrwydd a'i chymwynasgarwch i bawb yn ddiwahaniaeth pan ddaw y cyfleustra iddi.

Llythyr o Ganada

(115) Rhan o lythyr Cynrig a Maggie o Ganada at Mrs Esyllt P. Jones[380] (chwaer Cynrig) yn Nolavon. Mae'r llythyr yn darlunio dirwasgiad yng Nghanada. Ymfudodd amryw o'r Wladfa i Ganada yn 1902.

(Cefais gopïo'r llythyr gan Ellis Roberts, Trelew, ŵyr Esyllt P. Jones, pan oeddwn yn y Wladfa yn 2007. Darganfuwyd pentwr o'r llythyrau teuluol mewn bag du yn Nhir Halen 356.)

Gwelir y cyfeiriad canlynol ar yr amlen:

Mrs Esyllt .P.Jones
"Pennant"
Tierra Salada
Dolavon
Chubut
S.America Via Bueno Aires

R.R.3
Cloverdale. B.C.
Canada
N.America
Medi 21ain 1933

Anwyl Chwaer

Mae'r dyddiau yn myned fel cysgod a finau yn addaw sgwenu "fory" o hyd! Sut ydach chi Esyllt anwyl? Yr ydym yn gobeithio narw eich bod yn cadw yn iach, y chwi ar teulu i gyd. (...) Dyna helynt blin fu y llif yna ynte, ond fel y deudwch, diolch narw fod Cob Santa Cruz wedi dal neu buasai yn llawer gwaeth mae'n siwr. Faswn i ddim yn leicio byw yn Bron Eryri ar y pryd! Mae'n debyg mae ar Nest[381] oedd hi waetha, i lawr yn Glyndu. Gobeithio na fu dim lli y gauaf yma ac y caiff bawb gynhauaf toreithiog a phris am dano.

Drwg ddigon ydyw hi y ffordd hyn a llawer iawn o dlodi a

Cynric ap Edwin, mab Edwin Cynric Roberts, a'i wraig Margaret, a
ymfudodd o Batagonia i Canada.
(trwy ganiatâd Ellis Roberts, Trelew)

Cynric ap Edwin, mab Edwin Cynric Roberts, a'i wraig Margaret, a
ymfudodd o Batagonia i Canada
(trwy ganiatâd Ellis Roberts, Trelew)

dioddef o gwmpas, a phobol yn colli eu cartrefi neis achos cyni masnach. Nid oes bris ar ddim bron, pob peth yn costio mwy i'w gynhyrchu nag a geir am dano a dyna yw'r gwyn glywir o bob parth o'r byd heddyw. Na, nid ydym wedi dod ar draws neb or enw Percy Wharton.[382] Ba le yn B.C. mae yn byw! Mae B.C. yn fawr iawn chwi wyddoch, mwy na Prydain a Germany efo'i gilydd. Yr ydym ein dau yn anfon ein cofion at John Humphreys ac at bawb o'n hen gydnabod. Ydi'r hen Wraig Ddolfawr[383] yn fyw o hyd? Nid wyf yn cofio pa'r un. Beth sydd yn dod o'r hen Co-op rwan? Yr yda ni yn meddwl fod hi tua amser ei fod ar ben yr 20ain mlynedd rwan ac y bydd yn dirwyn i fyny rhyw fodd yn union deg. Mae gan Cyn 4 shâr ynddo a'r llog arnynt ar hyd y blynyddau, ac fe gara eu gwerthu au troi yn arian os oes modd yn y byd. Ys gwn i allech chwi eu gwerthu iddo, Esyllt? Mae angen yr arian arnom yma a byddem yn ddiochgar o'u cael rhywsut ac fedrwn ni ddim dod yna byth mwy mae'n debyg. Faint o blant sydd gan Ann?[384] Yr oeddych yn dweud fod y tri hynaf yn mynd ir ysgol. Rhyfedd fel yr â'r blynyddau heibio. (...) Faint o blant sydd gan Esyllt hefyd[385]? (...) Oes dim modd eich denu'r ffordd hyn am dro? Fel y carem eich gweled!! Ac mae yma wlad werth dod bell iawn i'w gweled coeliwch fi, ac nid oes dim i'ch rhwystro rwy'n siwr, a gwnae y newid les mawr iawn i chwi rwy'n gwybod. Dowch wir da chwi ... Bu i mi ysgrifenu i Ceridwen ychydig yn ôl.[386] Mae yn debyg mae yn Comodoro mae hi o hyd. Pan welwch Derfel gnewch ein cofio atto a Nest hefyd ar teulu.[387] (...) Mae yn dywydd gwlyb yma er's tro rwan, ac mae gan Cyn beth gwair allan eto, gyda mae yn sychu digon i'w gario, fe wlawia wedyn o hyd. Cofion cu a serch at y merched au teulu i gyd. Hyderwn fod Myfanwy yn cadw yn iach a chryf rwan a chwithau eich hunan yr un modd.[388] Gyda chariad cynes iawn ac hiraeth am eich gweled hen Chwaer Anwyl

Eich serchog frawd a chwaer

Cynrig a Maggie

xxxxx

xxx

Gawn ni air yn ôl yn fuan?
Diolch lawer am y Drafodau.

Ceridwen ac Esyllt, merched Edwin Cynric Roberts, c. 1935.
(trwy ganiatâd Ellis Roberts, Trelew)

Hiraeth am Gymru

(116) Rhan o lythyr hiraethus, wedi ei deipio, oddi wrth J. Howell Jones, Trelew[389], flwyddyn cyn ei farwolaeth at John Owen a'i frawd yn y Fenni[390]. Bu farw tad JHJ mewn damwain yn Aberdâr a bu'n rhaid i JHJ fynd allan i weithio'n ifanc iawn i gadw'r teulu. Bu'n weithiwr caled drwy ei oes gan gyfrannu'n helaeth i sawl maes yn y Wladfa.

(LlGC 16098E)

Trelew Chubut, via Bs Aires.
May 27 – 1936

At y Bnwr John Owen ai Frawd, y VENNI,

Derbyniais eich caredig lith, yn amserol iawn, daeth drosodd mewn llai na mis oi ddyddiad, a llawer o ddiolch am dano, a diolch dwbwl am y llun o honoch eich hun, i mi gael gweld eich GWYNEB unwaith eto. (...) Mae genyf gydymdeimlad mawr hefo'r diweddar Dywysog Cymru[391], yn fwy efallai am fy mod wedi cael y fraint o ysgwyd Llaw gydag wrth fynd iw gyfarfod fel cynrychiolydd y Comisiwn oddi yma, iw longyfarch ar ei ddychweliad o Chile, yn y mynyddau of course yr oeddem ni yn ei gyfarfod, ofnaf mae Rough INNINGS gaif efe yn y Frenhiniaeth; ond fe Obeithiwn y goreu. (...)[392]

Fe ddywedwch yn eich nodyn fod swn hiraeth yn fy nodyn blaenorol, synwn i ddim, Anwyl yw Cymru i mi "Gwlad y Telynau a'r canu". A chredaf fod cylchynion y Venni cyn hardded a'r un mynydd a dol oi mewn, byddaf yn crwydro a breuddwydio ar ddihun o gwmpas yna weithiau – gweld y cwbl megys Panorama mawr fel oedd popeth yna 75 a 6 o flynyddoedd yn ol pan yn cario CIDER i'r cae, a meddwi y Gwyddelod oedd yn gweithio y cynhauaf (yn ddynion a menywod) a chael ROW fawr hefo Nhaid pan ddelai adre o'r Dre; a ydyw y Nursery sydd yn cychwyn ar gyfer clwyd y Red Barn mewn bod heddyw? – llawer o strawberries fwyteais o honyna, dychymygaf eich gweled yn hedeg ar eich Bicycle am Grughywel ar hyd y ffordd – y Nursery ar y chwith i chwi – a'r caeau sydd o gwmpas y palas sydd ar yr ucheldir ar y dde (lle roedd rhyw Morgans yn byw dros 70 years ago, yr oedd geneth yno yr oeddwn yn hoff iawn ohoni, a da y cofiaf fel y ROWLIEM yn y GWAIR adeg y Cynhauaf dyddiau mebyd – days of long ago. Melus cofio'r amser gynt. (...)

Yr wyf yn gweled yn eglur fod Modryb druan wedi mynd i sefyllfa isel iawn, mae wedi cael ergydion trymion iawn, ag mor

belled ag y medraf fi farnu. Fe fu y trial gafodd hi yn ystod gwasanaeth Hughie ar Faes y gad yn brofedigaeth ofndawy,mae genyf fi lythyrau oi eiddo yma yn awr, oedd yn ddangoseg eglur iawn i mi nad oedd yn un rhyfeddod im i glywed ei bod wedi rhedeg i'r Afonig y tu fas i'r Lodge i geisio boddi ei hun pan glywodd hi fod y rhyfel ar BEN, ag nad ydyw wedi dod ati ei hun byth ar ol hynu. Yr oedd Hughie yn barod i fynd yn ol fel Swyddog pan gyhoeddwyd heddwch, a fe fuasai wedi boddi oni bai am ryw 2 ddyn oedd yn gweithio yn y Cae yn ymyl y fan hono. Er byw yn hir nid yw dyn ddim yn barod i fynd yn y diwedd, ond yn wir yn wir gallwn feddwl y buasai yn fendith iddi hi gael gollyngdod beth bynag. (...)

Tebyg na wyddoch chwi ddim am fy Nghyfnither A Jane Morgan yw ei henw Priodasol hi, mae hi yn Byw yn un o'r pentrefu bach yna o gwmpas Govilon, (nid wyf yn dweyd hyn er mwyn HOLI).

Da y Boch a Bendith arnoch eich DAU (J,H,J Oed 86 yn Medi nesaf) yn golew o ran fy Iechyd yn medru Cerdded a Drivio i bob man mewn Car neu AUTO.

Yr Eiddoch yn gywir a Phur JHJ, (BU yn agos i mi anghofio – Ni welais ELUNED wedi i mi dderbyn, Mae'r ffyrdd yn ddrwg, fe'i gwelaf gyda Hyn.

Llythyrau olaf Eluned

(117) Llythyr oddi wrth Eluned at Alafon yn cyfaddef iddi gael 'cas cyflawn ar y gwaith' o ysgrifennu llythyrau.
(Adran Archifau a Llawysgrifau Prifysgol Cymru Bangor 10215)

Credaf y gallai Br Hunt roi cryn help i chwi pe gallech gael gafael arno.

Gaiman
Territorio Chubut
Buenos Aires
Chwef. 24/30

Annwyl Gyfaill,
    Yr wyf wedi bod yn hir iawn yn ateb eich llythur caredig, ond ychydig iawn o lythyrau wyf yn ysgrifenu er's blynyddoedd bellach: credaf fy mod wedi sgriblo gymaint yn nhymor ieuengctyd nes cael cas cyflawn ar y gwaith! Ond nid dyna fy rheswm am beidio eich ateb chwi yn gynt. Yr ydym wedi cael haf difrifol eleni; rhwng deunaw mis di-wlaw a thanbeidrwydd haul Patagonia ar y crasdir, yr oedd treio cadw'n fyw rywsut yn gryn gamp heb wneud dim byd arall: a rhyw frwydro felly yw fy hanes wedi bod, ar tipyn nerth oedd genyf bron diflanu'n llwyr ambell waith. Erbyn hyn, mae ychydig wlaw wedi disgyn ar hin yn oeri rhyw gymaint yn enwedig y nos gan roi'r cyfle i gael gorffwys ychydig. Ofnaf eich bod wedi ymgymeryd a gwaith pur anhawdd onibae eich bod yn gallu bod yma yn bersonol i fynd ar helfa drwyr Dyffryn i chwilota am hen drysorau Gwladfaol: er yr ofnaf nad oes fawr iawn ar gael erbyn hyn. Yr hen frawd R.J.Berwyn oedd ein Llyfrbryf ni yn y Wladfa, ac yr oedd ganddo gasgliad ardderchog – ond aeth ei Lyfrfa ai drysorau i gyda gydar diluw tuar Iwerydd! Ac ar chwal mae pobpeth wedi bod byth er hyny.
    Nid oes genyf fi gymaint ac un copi o'm llyfrau fy hun yn fy meddiant, neu buasai'n bleser mawr genyf eu danfon ichwi! Onid oes fodd cael copiau ail law tybed, gan John Evans, Caerdydd y buasech debycaf o gael copiau 'rwyn credu. Hefyd, yn Llyfrgell Caerdydd y cewch y casgliad goreu o lenyddiaeth Wladfaol o unman: Mae'r 'Drafod' yno'n gyflawn (y cyfnod boreu) ar 'Ein Breiniad', hefyd yn gyflawn, gyda llu o bethau diddorol eraill; bu Ifano a minau yn eu casglu yn ddyfal tra y bum i yn gweithio gydag ef yn y Llyfrgell. Pe buasech yn danfon gair at Ifano i Penarth

caffech bob manylion ganddo am bobpeth Gwladfaol sydd ar gael. Credaf fod cyfran o Werslyfr Berwyn[393] a gwerslyfr Elaig[394] (Cymraeg-Spanish) iw cael yng Ngholeg Aberystwyth: gan iddynt gael eu cyflwyno ir Coleg flynyddoedd yn ol.

Gobeithio yn fawr y llwyddwch yn eich amcan gwych; buasai cael casgliad gweddol gyflawn, a Thraethawd ar eu cynwys yn gaffaeliad amhrisiadwy i hanesydd y dyfodol. Oblegid marw yn llenyddol y mae'r Wladfa fel y mae'r ieuengtyd yn cael ei Lladineiddio ar diddordeb yn Nghymru ai thraddodiadau yn

Eluned Morgan
(eiddo Mari Emlyn)

mynd yn llai, a marw wnaiff yn Ysprydol hefyd oni ddeffry crefyddwyr Cymru iw cyfrifoldeb difrif. Syn meddwl leied or Yspryd Cenhadol sy'n meddianu Pregethwyr Cymru y dyddiau hyn. Gwyn fyd na chaffai'r Wladfa rhyw Hudson Taylor[395] iw charu ai hymgeleddu. Gan ddymuno i chwi bob llwyddiant yn eich gyrfa addysgol a sel aniffodd dros y Deyrnas.

Cofion goreu

Eluned

(118) Rhan o lythyr Eluned Morgan o'r Gaiman at Brychan Evans[396] yn yr Andes yn trafod dirywiad y capeli.

(Rhoddwyd y llythyrau i mi gan Alen Evans de Williams, merch ieuengaf Mary a Brychan Evans, pan oeddwn yn y Wladfa yn 2007.)

Gaiman
Mai 28/36

Annwyl Brychan,
Llawenydd mawr oedd derbyn eich llythur, a diolch calon i chwi am feddwl am ddanfon y newyddion i mi – da y gwyddoch gymaint oedd fy mhryder am ddyfodol Eglwysir Andes. Ond dyma'r Arglwydd megis mewn undydd unos wedi ysgubo ymaith ein holl ofnau a'u problemau, a dangos i ni beth fedr Efe wneud y munud y caiff gyfrwng digon *ufudd* i gyflawni Ei fwriadau grasol. Sicr fod cyflwr Ysprydol Cymryr Andes wedi pwyso mor llethol ar feddwl a chalon Mr Morris nes ei yrru at Dduw i lefain ddydd a nos am waredigaeth: ac unwaith y ceir ni i lawr ir cyflwr hwnnw, dyna pryd mae'r Arglwydd yn gallu dechreu ein defnyddio: tra y byddwn yn pwyso ar ein hadnoddau bach ein hunain, yr ydym yn llesteirio gwaith Ei Ras.[397] Onid yw gwaith yr Ysbryd Glan yn fendigedig? Y Search Light nefol yn fflachio i ddyfnderau calon pob un, gan ddatguddio ein cyflwr echrydus ar wahan i waredigaeth Calfari. Mor wir yw profiad y Patriarch Job. "Myfi a glywais am clustiau son am danat, ond yn *awr* fy llygad a'th welodd di; ac y mae yn ffiaidd genyf fi fy hun, ac 'rwyn edifarhau mewn llwch a lludw."

A raid cael y weledigaeth yma cyn y daw gwir edifeirwch a gwir fywyd. A dyna mae'n sicr sydd wedi digwydd yn Trevelin (...) 'Rwyn teimlo fel yr hen emynydd pan y canai – "Dwy aden colomen pe cawn" fe hedwn innau tua'r Andes yn chwim y dyddiau hyn; er mwyn cael rhan or gwleddoedd ysprydol, a chyd-lawenhau a chyd-ddiolch ir Arglwydd am Ei anfeidrol drugaredd yn cofio Cymry ieuainc yr Andes. (...)

Cefais lythur arall oddiwrth Mr Morris heddyw, yn hysbysu mae dal i ddisgyn yr oedd y bendithion, ac fod eisioes 25 o filwyr newydd ym Myddin yr Oen, a diau nad yw hyn ond dechrau pethau mwy eto. Gobeithio o galon y daw Eglwys Esquel o dan ddylanwad dwyfol, mae yno galedwch mawr eisiau ei ddryllio, a dylanwadau cylchynion sy'n elyniaethus – ond nid oes dim yn rhy anhawdd ir Arglwydd – os egyr Efe y drws, nis dichon neb ei gau. (...)

Llawysgrifen Eluned
(eiddo Mari Emlyn)

Nid wyf yn gallu son dim am y pethau hyn wrth Mr Garner,[398] oblegid fy mod yn gwybod yn reddfol nad yw efe yn credu dim mewn drwgredau or fath, na bod angen am ailenedigaeth cyn y gellir cael sicrwydd cadwedigaeth: athronyddu pobpeth y mae efe, ac ni ddaw iachawdwriaeth y ffordd honno: dyna golled mae ein pobl ieuainc yn gael, na chaffent glywed yr Efengyl fel y mae yn y Beibl – dyna gyfnewidiad ddaethai dros ein Heglwysi pe cawsem ni yr un bendithion ag a gawsoch chwi yna – beth pe buasai y dychweledigion ieuainc yn dechreu cadw cyfarfodydd i eiriol ar ran eu cyd-ieuenctyd yn y Wladfa? Gallasai pethau mawr ddigwydd pe cawsid ond haner dwsin i gadw gafael yn addewidion Duw a gwrthod gollwng nes delair fendith – maen rhaid ir baich ddisgyn ar rywrai bob amser, fel y disgynodd y baich ar Mr Morris, ac iddo yntau fynd ag ef ai roi i lawr wrth draed ei Arglwydd. Gobeithio yn wir, y cofiwch yng nghanol eich llawenydd am gyflwr truenus yr hen fam Eglwys yn y Wladfa. (...)

Bellach maen rhaid dirwyn ir pen, gan ddanfon cofion anwyl iawn atoch oll fel teulu, a chan fawr obeithio y danfonwch air eto yn fuan, gyda mwy o newyddion da.

Fyth yr un

Eluned

(119) Llythyr gan Eluned Morgan o'r Wladfa at John Owen y Fenni (Jack)[399] yng Nghymru. Gwelir ei bod yr un mor feirniadol a sylwgar ag ydoedd yn ei hieuenctid.

(Mae rhan o'r llythyr hwn wedi ei gyhoeddi eisoes yn *Gyfaill Hoff*, W. R. P. George, tt. 217-218. Cyhoeddir ef yma yn ei gyflawnder. LlGC16098 E. C)

John Owen, Y Fenni
Gaiman,
Territorio Chubut
Buenos Aires
Awst 14/1937

Annwyl Jack,

O'r diwedd, dyma fi wedi codi digon o stêm i ddechrau ysgrifennu llith atoch, wedi hir, hir ddistawrwydd, a dyma fi wedi dechrau hefo'r hen gyfarchiad arferol, ond yn fy myw nis gallwn ddechrau'n wahanol, er eich bod chwi yn hen ŵr dros eich 70 a minau yn nesu at y 68 – ond nis gallaf ddychymgu am danoch yn mynd yn hen mewn dim ond blynyddoedd: yr ysbryd sy'n gwneud y bersonoliaeth, nid yw pob peth arall ond megis plisgyn am yr Yspryd, a phan dyr y plisgyn ni fydd yr Ysbryd ond megis yn dechrau byw.

Wel, a sut y mae hi ers cantoedd a miloedd? Cofiwch fod hwn yn llythyr i Edwin[400] hefyd – Pe bawn wedi ysgrifennu atoch bob tro y meddyliais am danoch yn ystod y blynyddoedd distaw, buasai genych gruglwyth reit dda o lythyrau erbyn hyn. Ychydig iawn o lythyrau wyf wedi ysgrifennu at neb ers blynyddoedd – ofnaf fy mod wedi sgriblo cymaint yn fy ieuengtyd nes llwyr ddihysbyddu fy hunan, a chael cas cyflawn ar y gwaith. Mae'r ddau ohebydd yr ysgrifenwn atynt yn weddol gyson newydd gyrhaedd iw cartref tragwyddol (gwyn eu byd) – yr annwyl Ben Davies[401] a Peter Hughes Griffith[402] – mor wahanol ym mhob peth oedd y ddau, ond ym mhurder eu calonau, ac yn eu cariad au ffyddlondeb ir Gwaredwr mawr. Bydd fy hiraeth am danynt yn aros, nes cael cyrhaedd atynt. Caf air oddiwrth Nantlais[403] yn awr ac yn y man, pan fydd ganddo ryw Gantada brydferth ir plantos neu lyfryn diddorol fel y medr efe nyddu ar gyfer yr ieuangc. Ychydig iawn o'r to sy'n codi, er uched eu hysgolheictod, sy'n gallu ysgrifennu Cymraeg hafal i Nantlais, Cymraeg sy'n hyfrydwch iw ddarllen, ac yn fiwsig i glust a chalon; mae Cymraeg heddyw yn rhyw gymysgedd rhyfeddaf o eiriau Saesneg wedi rhoi rhyw gynffon Gymreig iddynt

– bydd Arthur Hughes, mab Gwyneth Vaughan, a minnau yn rhyfeddu at ambell ddarn o ryddiaeth a welwn mewn ambell bapur neu gylchgrawn, ac yn meddwl tybed beth fuasai O.M. a Gwyneth Vaughan yn ddweyd am y fath lobscows!! Sut mae sillebu y gair clasurol yna d'wedwch – ond fe fyddai mam yn gallu gwneud un blasus iawn hefo ychydig o ddefnyddiau.

Blwyddyn a mis y cadoediad – dyna'r amser y cychwynodd Mair a minau ein taith i Batagonia bell, a thaith bryderus a digon helbulus fu y rhan gyntaf or daith – a hyfrydwch oedd gadael tiriogaeth y peryglon a gwynebu ar dawelwch a hindda y cyhydedd, wedi'r fath flynyddoedd o derfysg a gwallgofrwydd. A dyma'r hen fyd yn fwy gwallgof fyth erbyn hyn, a minau yn barod i ddiolch yn aml mai yng nghornel bellaf Patagonia mae fy nhrigfa.

Cefais weld eich llythur at yr hen gyfaill John Howell Jones[404], a chododd dipyn o hiraeth arnaf hefyd, a thipyn o euogrwydd cydwybod, wrth eich clywed yn holi am Eluned ac yn dweyd nad ysgrifenodd air ers y ffarwelio yn Stesion y Venni ar mis diwethaf daeth llythur arall i John Howell oddiwrth Hughie Coles [?], ac yr oedd newydd eich gweld y bore yr oedd yn ysgrifennu. Yr oedd yr hen gyfaill J.H. wedi clywed am y ddamwain a gawsoch amser 'Steddfod Abergwaun, ac yn ofni braidd fod y diwedd wedi dod!! Gan na chlywais air yn y papurau wedyn, a Hughie yn ddoniol iawn yn egluro, mai nid dyna'r ddamwain gyntaf i Jack Owen o gryn dipyn, a minau yn gallu dweyd amen ir cyfan. Felly chwi welwch fod yna Ragluniaeth arbennig wedi bod ar waith i fy ngorfodi megis i ysgrifennu hyn o lith atoch, ac 'rwyn falch iawn fy mod *wedi* llwyddo i godi stêm! Ar mis nesaf byddaf yn darllen eich hanes yn ymfflamychu yn 'Steddfod Machynlleth. Nid oes ond gobeithio y byddwch wedi dod oddiyno yn weddol fyw – meddyliwch mewn difrif am hen wr dros ei saith deg yn mentro mynd yn Arweinydd ir Eisteddfod Genedlaethol![405] Dyna brawf terfynol nad ydych byth yn bwriadu mynd yn hen. Gwelais hanes Cemlyn hefyd yn dathlu ei 70 yn y Western Mail beth amser yn ol, ac yr oedd yn son am retirio ddeunaw mlynedd yn ol! Tybed a yw yn dal wrth ei waith o hyd? Nid wyf wedi clywed gair o hanes Glyn er y dydd y gadewais Gaerdydd – beth ddaeth ohono ef tybed? Dyna biti na fuasai modd i mi gael picio yna am wythnos i holi, myrdd o bethau hoffwn wybod.

A dyma Mair[406] yn hen wreigan brysur ers 16 mlynedd a chanddi bedwar o blant[407] – yr hynaf yn 14 a Luned Vychan yn ddwy flwydd oed ym mis Rhagfyr – mae'n byw mewn cartref hyfryd ar lethr bryniau'r Gaiman, ac yn edrych i lawr ar yr hen afon Camwy yn ymdroelli'r hamddenol tua'r môr; mae ei phriod Arthur Roberts, yn Arolygydd Ysgolion o dan y Llywodraeth Archentaidd. Ac y mae yr hen fodryb yn byw o dan yr un-to, er yn hollol anibynol, nes y byddaf wedi mynd yn rhy fusgrell i wneud dim trosof fy hun; byddaf ddiolchgar iawn yr adeg honno i fod o fewn cyrhaedd galw, mae'n bur debyg; mae fy llinynau wedi disgyn mewn lle hyfryd, a chenyf gartref bach clyd, a digonedd o flodau o gwmpas ym mhob man – mae'r briallu yn dechrau blodeuo eisioes, ac unwaith y diflana oerni awst fe ddaw y gwanwyn ar garlam. Mae Mair hefyd yn Athrawes yn un o ysgolion y Llywodraeth sydd yn ymyl y ty, yn y prydnawn yn unig y mae hi yn yr ysgol, ac yn rhydd yn y bore: mae Llywodraeth y wlad yma yn caniatau i wragedd priod i fod yn Athrawon, er nad wyf fi yn cyd-fynd ar system o gwbl, ac yn credu mai adref ar yr aelwyd y mae lle pob mam, ond mae'r byd wedi newid, a minau yn dal yn hen ffashiwn. Ond yr wyf wedi darllen llawer ysgrif yn ddiweddar yn rhai o bapurau yr Unol Daleithiau, mae dyna oedd y drychineb fwyaf ddigwyddodd yn y wlad honno – ir mamau ddechrau mynd allan i weithio gan adael gofal eu plant i eraill gyda'r canlyniad fod y genhedlaeth nesaf o bobl ieuainc wedi dirywio yn ofnadwy, ac mae ar i lawr y mae y wlad fawr honno yn mynd yn gyflym yn foesol o chrefyddol: 'does unman yn debyg i aelwyd grefyddol i fagu cymeriadau cryfion a dinasyddion teilwng.

Dirywio'n gyflym y mae yr hen Wladfa hefyd y blynyddoedd hyn, a'r dylanwad Lladinaidd yn cryfhau o flwyddyn i flwyddyn; a'r iaith genedlaethol yn mynd yn iaith y drydedd genhedlaeth, a dim llawer o fri ar yr hen Gymraeg. Unwaith y bydd y rhai a fagwyd yng Nghymru wedi cilio o'r maes, Hispaeniaid Cymreig fydd y boblogaeth wedyn, ac nis gellir disgwyl dim yn wahanol – gan fod yr holl ysgolion o dan awdurdod y Llywodraeth, a'r boblogaeth Gymreig yn y lleiafrif o ddigon erbyn hyn, gan na ddaeth neb newydd atom ar ôl y Rhyfel – cyn hyny deuai rhyw ychydig o Gymry newydd trosodd yn awr ac eilwaith. Yn grefyddol y mae hi yn ddifrifol iawn arnom gan ei bod bron yn amhosibl cael Gweinidogion o Gymru i ddod yma i aros – deuant am ryw bum mlynedd, ac wedyn yn ol – just pan y maent yn dechrau dod i ddeall y bobl a'u problemau. Ond bydd raid i ni gael dynion i ddod yma i *aros* ac i ddysgu iaith y wlad, ac i bregethu y ddwy fel ei gilydd, neu aiff y drydedd genhedlaeth yn baganiaid – neu bydd raid i ni gadw Cenhadwr brodorol i ofalu am y to ieuangc nes deallant Gymraeg.

Dyna biti na fuasai Edward a chwithau yn ieuanc i chwi gael dod i weithio yma fel y buoch yn gwneud am gymaint o flynyddoedd yn y Venni a'r cylch – dyna'r math o efengylu sydd eisiau yng nghanol y cymysgedd pobloedd sydd yn y Dyffryn yma erbyn heddyw.

Beth yw hanes Gwilym?[408] Fy nghofion yn gynnes ato yntau, ac atoch chwithau gofion filoedd ar filoedd, gan erfyn maddeuant am y blynddoedd distaw.

Byth yr un
Eluned

Llawysgrifen Nantlais
(eiddo Mari Emlyn)

(120) Rhan o lythyr William Nantlais Williams[409] at Mr a Mrs Brychan Evans, yn cyfeirio at farwolaeth Eluned Morgan.

(Trwy garedigrwydd Alen Evans de Williams)

On Board
The Royal Mail Liner
Ion. 7. 1938[410]

F'annwyl Mr a Mrs Evans

Rhaid i mi ddanfon gair bach i chwi o ganol y môr. Teimlaf yn rhyfeddol o ddyledus i chwi am eich holl garedigrwydd i mi. Nis anghofiaf byth eich cartref, a'ch croeso mawr. Diddan odiaeth oedd y cwmni hefyd, a'r cwbl mor naturiol. Nid wyf yn anghofio'r nafta[411] hefyd a wariwyd i hwyluso fy nheithiau. Yr wyf yn siwr y cewch eich at-dalu yn ffordd ac amser Rhagluniaeth fawr y nef. Cewch fwy o laeth gan y gwartheg, a mwy o wair i'w porthi – neu rywbeth felly; neu iechyd da heb eisiau galw doctor. Y mae gan y nefoedd lawer ffordd o dalu!!

Sut y mae'r llaeth yn *separato'r* dyddiau hyn? Os bydd eisiau help ar Alen cofiwch ddanfon brys neges amdanaf. Gallaf gyhoeddi

Alen Evans de Williams, merch Mary a Brychan Evans. Tynnwyd y llun gan Mari Emlyn yn Esquel yn Ebrill 2007. Roedd Alen yn 90 oed.

fy hunan yn yr hen wlad yn awr fel *expert separator,* ar ol bod dan ddwylo medrus Alen.

Dwedwch wrth Tom Nichols[412] fod y bys wedi gwella'n iawn. Y mae yma graith, a bydd yna graith; a da genyf hynny er mwyn cofio'r amgylchiad, a phrofi i bobl yr hen wlad fy mod wedi bod yn bwyta "asaw"![413] wrth gwrs, mi fyddaf yn dweud wrth y plant mai llew o'r Andes sydd wedi fy nghnoi![414] (...)

A dyna drychineb a ddigwyddodd yn y Gaiman – Eluned yn dianc adref y noson olaf yr oeddwn i fod yno! Dyna falch oeddwn i allu bod yn bresennol yn ei hangladd. Dyna enaid mawr wedi mynd – un o gymwynaswyr gorau i'r Wladfa. Sut y daeth y mater mawr ymlaen y Sul diweddaf. Ni ddaeth gair i B.A. Gobeithio y clywaf fod unfrydedd mawr am weinidog o'r hen wlad. Melys byth fydd fy atgofion am danoch yn y ddwy eglwys. Yr ydych yn sicr o gael eich harwain a'ch amddiffyn. Sut y mae Non fach? A Mr a Mrs Berwyn[415] a Dougie?

Cofion melys atoch i gyd.

Nantlais

Pryder am Ryfel

(121) Rhan o lythyr Sian Evans[416] at deulu William Evans (tad Eiddwen Evans Humphreys) a ymfudodd o'r Wladfa i Gymru. Dengys y llythyr hiraeth ar eu holau ynghyd â gofid ynghylch dyfodiad rhyfel eto.

(Cefais fenthyca llythyrau'r teulu gan Ivonne Owen pan oeddwn yn y Wladfa yn 2007.)

Bron y Gan
Bryn Gwyn.
Medi 27.1938

Annwyl deulu.

Sut mae hi'n dod draw yna? Yr argian fawr! 'rwyn siwr eich bod chwi'n dweyd dipyn o'r drefn am fy mod mor hir heb 'sgwennu. Wel, a dweyd y gwir wrthych, ar ol i chwi fynd am hir amser, teimlwn yn ddigalon, ac yn rhy ddi-hwyl i afael yn y pin – nid wyf wedi gweled yr hen gartref *etto*, ac nid oes genyf awydd mynd heibio'r glwyd o gwbl – dyna fel yr ydwyf yn teimlo – Mae'n debyg eich bod wedi cwrdd a llawer o hen gyfeillion erbyn hyn, ac wedi ysgwyd llaw a channoedd – ys gwn i sut ydych yn teimlo ar ol bod i ffwrdd cyhyd.[417] Clywais i chwi fod yn yr Eisteddfod[418] – cawsom ninau yr haner awr fu y B.B.C mor rasol a'i roi i "*bobl bell*" ond dyna siomedigaeth dim gair o son am Gymry'r Wladfa fach, teimlen yn rhyfedd o glywed Cymraeg ar y *radio* – O ie, y mae Nanws a Indeg[419] wedi dod ag un yma, a dyna sy'n mynd – os na fydd y tywydd yn feistr – llawer gwledd yr ydym wedi ei gael trwy wrando ar Lily Pons[420]. Bidu Sayan (Brasileňa)[421] (...) – a chlywais Madame Stiles Allen[422] o Lundain ryw noson – ac ambell i bregeth Saesnig reit dda. Heno does fawr hwyl arni – Y mae cymaint o stormydd yn yr awyr a gresyn hynny. Y mae launchio y Queen Elizabeth i fod i'w transmiteo trwyr Excelsior[423] am 7.30 – Rhyfel a son am ryfel sydd wedi bod bob dydd ers tro – wn i ddim sut y mae pethau wedi troi – wrth bod cymaint o swn heddyw.

Gobeithio y bydd heddwch etto rhwng y teyrnasoedd a'u gilydd – ond ofnaf na fydd fawr o drefn hyd nes y cant dreio y gwahanol bethau y maent wedi ei ddyfeisio i ddinystrio. (...)

Cawsom Gymanfa Ganu dda iawn – felly y teimlwn i hi fy hunan. Scwrs ar y mater fuasai'n ddifyr a *tot o fati*. Hefyd cawsom gyngerdd at yr Ysgol Ganolradd. Yr oedd hwnnw yn bur dda hefyd. Y mae Nanws yn mynd i Social y Gaiman nos Iau a bydd dwy Social arall y mis nesaf – un gan hen ddisgyblion yr ysgol – a' r llall gan aelodau

Cymdeithas Cymry Camwy. Cafwyd cwrdd llenyddol pur dda yn Nhir Halen dechreu'r mis hwn – y canu yn neillduol o dda, yn llawer gwell a phurach na chanu cwrdd Cystadleuol y Gaiman. Wyddoch chi be: mi adawsoch un peth ag y dylasech ar bob cyfrif fod wedi ei smyglio i ffwrdd rywffordd, rywsut – byth – Canu – Y mae o'n waeth yn y Gaiman nag y bu erioed – ond dyna mi gewch yr hanes etto – os nad ydych wedi ei gael. (...) Y mae Indeg yn dal i ddod gartref ar ddydd Sadwrn – a bu agos iddi orfod rhoi goreu i'w lle a'i gwaith. Yr oedd Dr. Lorenzo yn ei dweyd yn arw wrthyf am ei hanfon allan i weithio – ac yn enwedig bod wrthi am oriau mor faith. (...) a rwan mae Miss yn mynd i'w gwaith am 9 y boreu a 3 y prynhawn a gorphen pan y leicith hi. (...) Y mae Nanws fel y *gog* ac yn dew fel y gweddai i athrawes archentaidd fod.

Fflat iawn yw pethau yn B Gwyn – bydd raid cael gweinidog yma'n fuan, onide mi fydd ar ben arnom am ddynion ifanc y lle yma. Piti fod Mr.Garner wedi ein gadael a gresyn na ddeuai yn ol. Y mae pobl ieuaingc y Gaiman yn gweithio yn dda iawn chwareu teg iddynt. Y maent wedi bod wrthi yn hynod felly eleni. Y mae pwyllgor Cerdd Eisteddfod y plant wedi dechreu ar eu gwaith. Y mae Nanws wedi ei rhoi yn y tresi y tro yma.

Y munyd yma y maent yn dweyd fod y Triple Alliance wedi dod i fod – ac y bydd yn fwy na thebyg y bydd yna ryfel etto – disgwyliwn gael speech Mr Chamberlain am 9 heno – os y bydd y tywydd yn caniatau. Wel gyfeillion bach – meddyliwn llawer am danoch a soniwn fwy na hynny gan geisio dyfalu sut yr ydych. Clywsom eich bod wedi cael motor er pan yna. A ydych yn cael hwyl ar ei hwylio trwy'r traffic a'r mân reolau di-ben-draw sydd yna. (...) Gobeithio eich bod oll yn iach a hapus ac na fydd i ddwndwr y byd yma effeithio arnoch. Gobeithio y gwnaiff ochr Prydain enill – onide bydd ar ben ar Ddeheudir America. Y mae Germany a'i golygon yma ers blynyddoedd. Cofiwch am lun ohonoch fel teulu. Daeth papurau a hanes y 'Steddfod i ni – a chredaf mae i chwi y mae i mi ddiolch am danynt. Yr oeddynt yn flasus tros ben. Pob lwc i chwi fel teulu a gobeithio y cawn dipyn o'ch hanes yn fuan. Bydd gair bach yn dderbyniol iawn.

Derbyniwch gofion serchog teulu Bron y Gan gan erfyn eich maddeuant am fod mor hir heb ysgrifennu. Bydd gwell hwyl y tro nesaf os byw ac iach.

Fyth yn bur, Eich cyfeilles
Sian Evans.

Evan Thomas, golygydd Y Drafod

(122) Rhan o lythyr Evan Thomas at RBW. Llythyr wedi ei deipio mewn inc coch.

(LlGC 18220D)

Gaiman, Tachwedd 21, 1943.

Parch. R.Bryn Williams. Llanberis

Annwyl Mr. Williams;

Wedi darllen eich llyfr "Cymry Patagonia"[424] yr wyf yn cymryd yr hyfdra o anfon gair atoch. Yr wyf wedi mwynhau y llyfr yn ragorol. Y mae y dull yr ydych wedi cymryd i adrodd y stori yn un byw a diddorol, ac fel canlyniad y mae pethau hen yn ymddangos yn newydd i ni. Gresyn, ie o'r mwyaf, na fuasech wedi anfon o leiaf hanner cant o lyfrau yma. Yr oedd yn dda gennyf ddeall eich bod am ail argraffiad yn fuan; sicr i chwi y caiff dderbyniad gwresog iawn.

Yr ydych wedi bod yn wrol iawn gyda busnes yr C.M.C. Yr oedd yn hen bryd rhoddi y ffeithiau hyn i lawr. Y mae yn wiw i ni feddwl gwneud hynny yn y Wladfa tra'r Drafod yn perthyn i staff y Cwmni. (...)

Cefais i y llyfr yn fenthyg gan eich ewythr Evan Owen Williams. Bum yn ddisgybl o'i ddosbarth ef yn yr Ysgol Sul am flynyddoedd, ac yr wyf yn coleddu syniadau uchel amdano. (...)

Y mae yn debyg fod y floedd am "gyfathrach o Gymru" yn dechreu dangos ei ffrwyth. Yr wyf fi yn derbyn llythyrau oddiwrth rhywun neu gilydd o'r Hen Wlad bob wythnos, a phleser o'r mwyaf ydyw ceisio eu hateb i gyd. (...)

Brwydr fawr y Wladfa heddiw, ydyw ceisio atal swyddogaeth i symud hen fynwent y Gaiman, a chreda fod inni fel Cymry un fuddugoliaeth eto, a buddugoliaeth gofiadwy bydd hon. Yn sicr fod gweddillion hen arloeswyr y Wladfa yn deilwng o orffwys mewn hedd. A welsoch gan Irma Hughes yn Y DRAFOD ar "Fedd yr Arloeswyr". Ystyriaf ei bod yn dra rhagorol. Y mae Arthur Hughes wedi heneiddio bellach; mewn gwirionedd yn edrych yn llawer hynach nag ydyw. Byddaf yn canu sylw arno yn nhangnefedd Erw Fair, a'i olwg bob amser ar y gorwel ... Dyma ysgolor mawr y Wladfa, heb os nac onibai; gresyn na fuasai yn gwneud mwy o ddefnydd o'i allu. Wel, rhag eich blino a meithder, terfynnaf y fan hon.

Gyda'r dymuniadau gora, yr eiddoch yn gywir,

EVAN THOMAS

(123) Rhan o lythyr Morris T. Williams[425] o Ddinbych i'r *Drafod*.
(*Y Drafod*, dydd Gwener, 14 Gorffennaf 1944)

Llythyr o Ddinbych 6/5/44 gan Morris T Williams
(...) **Fe wnawn ni bopeth a fedrwn i gadw mewn cysylltiad a chwi. Gwaherddir anfon Y Faner i wledydd tramor ar hyn o bryd. Felly rhaid i chwi ddibynnu ar lythyrau am newyddion. (...) Hefyd ymladd yn erbyn gadael i Sais o'r enw Butlen sefydlu Gwersyll gwyliau yn Llŷn Arfon ... Deil y Blaid Genedlaethol i gynhyddu a'r wlad yn dyfod i gredu mwy mewn Hunanlywodraeth. (...)**

Y mae mynd mawr ar lyfrau Cymraeg, a hen wasg enwog Gee yn cyhoeddi "Llyfrau Pawb," cyfrol bob mis. Gwerthodd yr Urdd 54,000 o lyfrau yn eu hymgyrch Gwyl Ddewi.

Gyda chofion gorau
Morris T. Williams

Mynwent y Gaiman[426]

(124) Llythyr Aaron Jenkins[427] at ei gyfnither ynghylch codi cyrff o'r hen fynwent.

(Cefais gopi o'r llythyr hwn gan Aira ac Elgar Hughes pan oeddwn yn Esquel yn 2007.)

Ionawr 23 1945

Anwyl Gefnither
Yr wyf yn anfon gair bach atoch i'ch ysbysu fy mod yn codi Mam[428] o'r hen fynwent y Gaiman ir newydd a thrwy fy mhod yn codi mam yr ydym wedi benderfynu codi Nhad ac wedi trefnu eu codi dydd gwener yr 2ail o Fawrth a thrwy i chwi grybwyll am i mi codi eich brawd bychan yr hun modd cymeraf yn ganiataol eu godi ai rhoddi yn yr un arch a Nhad. Mae y ddau wedi gyd orwedd yr holl amser credaf mai da fydd peidio eu gwahanu. Byddaf yn codi Nhad ar 28ain ar 1af or mis, ac mai fy chwaer Eironwy[429] yn dod iw nol boreu y ail dydd fel i gwrdd a Mam yn y brydnawn. Disgwyliaf air oddi wrthych os yn bosibl cyn yr amser penodedig.
Hyn yn fyr gyda chofion cynesaf atoch

Ydwyf yn cywir
Aaron Jenkins
Casa Laborde
Rawson

Beddau o godwyd o'r hen fynwent i fynwent newydd y Gaiman
(trwy ganiatâd Llafar Gwlad)

Nodiadau

320 Mair A. Price. Ganed ym Medlinog, de Cymru. Bu farw yn Nhwyn Carno, y Wladfa ar y 3ydd o Ragfyr, 1929 yn 47 mlwydd oed.

321 Dychwelodd EJW i Gymru ym 1909 (gw. llythyr 93).

322 David S. Jones, Rhymni (1850-1935). 'Yr oedd Dafydd Jones yn frawd i'r Dr. Thomas Jones a fu'n ysgrifennydd i'r *cabinet* yn Llundain yng nghyfnod Lloyd George.' ('Barbra Llwyd' gan RBW, *Barn*, Chwefror 1978)

323 Mewn llythyr gan D.S. Jones at EJW (LlGC 19719 D), dyddiedig 5 Ebrill 1921, mae DSJ yn amgáu siec o £800 gan ofyn i EJW drosglwyddo'r pres o Barclays Bank Limited, Cangen Caerfyrddin i gyfrif Cwmni Masnachol y Camwy. Daeth DSJ i edifarhau gwneud hyn.

324 Eluned Morgan a'i nith Mair ap Iwan, priod Arthur Roberts.

325 Mary Jones, Rhymni (1851-1939).

326 Aeron Jones, Rhymni (1885-1976), mab DSJ a Mary Jones.

327 Meillionen Jones de Davies a Clydwyn Ap Aeron, y cerddor.

328 Meilir Gwyn.

329 Ganed mab arall, Dewi Mefin, yn ddiweddarach.

330 William James a aned yn Aberaeron (1846-1929) a Mary James, brawd-yng-nghyfraith a chwaer DSJ.

331 Stephen J. James, Coed Gleision (1894-1921).

332 Mostyn – hen fferm William Williams, tad EJW.

333 James H. Rowlands (1865-1947). Ganed yn Ninas Mawddwy. Ymfudodd i Batagonia ym 1886 ar fwrdd y *Vesta*. Ysgrifennodd hanes y cyfnod hwnnw yn y *Drafod* ym 1946. Priododd â Sarah Howells ym 1890. Trawsnewidiwyd eu fferm lom, Bryn Eirin, yn berllan o goed, blodau a ffrwythau. Cawsant 9 o blant.

334 'Avál' yw'r gair Sbaeneg am 'gwarantydd'. Dywed Valmai Jones yn ei chyfrol *Atgofion am y Wladfa* (t. 72) am Elias Owen: 'Cofiaf ef yn un o gyfarfodydd blynyddol Cwmni Masnachol y Camwy, yn ystod yr argyfwng mawr, yn amddiffyn a chymeradwyo arwyddo'r "afal". Fe gollodd llawer eu tyddynod o'r herwydd.'

335 Philip John Rees (1873-1924). Daeth i'r Wladfa ym 1875. Gwelir ei enw ar waelod llythyr 83 ynghylch yr Ysgol Ganolraddol.

336 William H. Hughes (1858-1926). Deuai'n wreiddiol o Gesarea yn Arfon. Ymfudodd i Batagonia ym 1881. Roedd yn un o athrawon y Wladfa, yn un o olygyddion *Y Drafod* ac yn enillydd cyson ar gystadlaethau rhyddiaith yn Eisteddfod y Wladfa. Cyhoeddwyd ei ysgrif 'Ffoi am Fywyd' yn rhifyn Mehefin 1900 o *Cymru*. Gweler Hefyd ei hanes yn erthygl Gutyn Ebrill ar 'Ysgolfeistri y Wladfa Gymreig' yn rhifyn 15 Gorffennaf 1897 o *Cymru*.

337 Ellen Davies de Jones (1870-1965). Fe'i gelwid yn 'Nel fach y Bwcs' ar ôl ei thad, John Davies y Bwcs, a oedd yn llyfrwerthwr yn y Rhondda cyn ymfudo i Batagonia ym 1870. Maged Ellen yn Llain-las, Bryn Crwn ym Mhatagonia, ond ymfudodd i Gymru ym 1900. Ymgartrefodd yn Graigwen, Felindre, ger Llandysul. Cyhoeddwyd dwy gyfrol gan Marged Lloyd Jones, merch-yng-nghyfraith Ellen, yn cofnodi ei hanes sef *Nel fach y Bwcs* a *Ffarwel Archentina*. Yn ddiweddar cyhoeddwyd cyfuniad o'r ddwy gyfrol o dan y pennawd *O Drelew i Dre-fach*.

338 Dafydd Hughes.

339 John Daniel Davies.

340 John Daniel Davies – ymfudodd i Ganada a marw ym 1939; a Dyfrig Davies – ymfudodd i Affrica a marw ym 1950. Roedd gan Ellen un brawd arall hefyd, sef William Daniel Davies a ymfudodd i Affrica, ond bu farw ym 1903.

341 Benjamin Brunt (1837-1925). Ymfudodd i Batagonia ym 1881. Roedd yn amaethwr profiadol. Ei ferch, Anne, oedd gwraig Glan Caeron.

342 Glan Alaw – Methodistiaid (1887). Adnewyddwyd yr adeilad yn ddiweddar, fel

amryw o gapeli'r Wladfa, gyda chymorth grant gan lywodraeth talaith Chubut.

343 Ebenezer – Annibynwyr. (Derbyniodd y capel addewid o arian i adnewyddu'r adeilad gan lywodraeth talaith Chubut rai misoedd cyn cyhoeddi'r gyfrol hon.)

344 Carmel, Dolavon – Anenwadol (1925).

345 Bryn Crwn – Anenwadol (1900).

346 Bethel, Gaiman – Annibynwyr (1913).

347 Seion, Bryn Gwyn – Methodistiaid (1888). Codwyd y mwyafrif o fanylion troednodiadau 342-347 o erthygl Herbert Hughes 'Capeli Patagonia' a gyhoeddwyd yn *Y Faner Newydd*, Hydref 2007, rhifyn 41.

348 Thomas Dalar Evans. Gw. llythyrau 92, 93 a 107.

349 Bu farw Esther Williams de Evans, gwraig Dalar ar y 4ydd o Ionawr, 1903 yn 44 mlwydd oed.

350 Ganed Madryn ym 1896.

351 Thomas Dalar Evans (1847-1926). Ganed yn Nhroed Rhiw Dalar. Ymfudodd i Batagonia ym 1875 ac i'r Andes ym 1894. Priododd ag Esther, merch Elizabeth a Rhys Williams, Cefn Gwyn. Ganed 11 o blant i Esther a Dalar. Ceir hanes trallodion y teulu yn llythyr Glan Caeron, rhif 106.

352 Elizabeth Jane (Sian, 1889-1925), merch Esther a Dalar.

353 Thomas Nichols, priod Sian. Ymfudodd gyda'i rieni, Leticia a John Nichols, o Grucywel ym 1875.

354 William Christmas Jones (1878-1961). Ymfudodd i Batagonia ym 1906 er mwyn ceisio adfer ei iechyd bregus. Cyfrannai i'r *Drafod* o dan yr enw 'Nadolig'.

355 Gwenonwy, merch Elizabeth Pritchard a Richard Jones Berwyn. Roedd hi'n briod â John Charles Green a chawsant fab, Fredrick Green. Bu farw'r tad ac ailbriododd Gwenonwy â William Christmas Jones ym 1928. Ceir hanes Mrs Christmas Jones yn *Tan Tro Nesaf*, Gareth Alban Davies (tt. 114-116).

356 Sefydlwyd cangen o Urdd Gobaith Cymru yn y Wladfa yn y 1930au.

357 Uriena Ynver Rhys de Lewis, merch Dilys Berwyn a Llewelyn Berry Rhys. Fe'i maged gan ei modryb Gwenonwy.

358 Richard Griffith (1861-1947). Bardd, llenor a newyddiadurwr. Cyfrannai'n gyson i *Cymru, Baner ac Amerau Cymru* a'r *Genedl Gymreig* ac roedd ganddo golofn boblogaidd 'Manion o'r Mynydd' yn *Yr Herald Cymraeg*.

359 Y Parch. Tudur Evans (1877-1959), mab Hanna a'r Parch. J. Caerenig Evans. Roedd y rhieni ymhlith trigolion cyntaf y Gaiman. Bu'r Parch. Tudur Evans yn weinidog yn Nyffryn Camwy rhwng 1910 a 1920, ac yn Nhrevelin o 1921 tan 1933, ac eto yn Nyffryn Camwy o 1933 tan ei farwolaeth ym 1959.

360 Evan Owen Williams (1885-1974). Daeth i'r Wladfa ym 1910 gan ymgartrefu gyda'i wraig Gwen (Morgan) yn ardal Bryn Gwyn.

361 Mae'n debyg mai Sephora (Davies), gwraig William John, mab Benjamin Roberts a Lizzie Freeman oedd hon.

362 R. Bryn Williams (1902-1981). Llenor, bardd, dramodydd a hanesydd. Ganed ym Mlaenau Ffestiniog. Ymfudodd i Batagonia pan oedd yn 7 oed. Dychwelodd i Gymru pan oedd yn 23 oed. Enillodd y Gadair yn Eisteddfodau Cenedlaethol Cymru 1964 a 1968. Bu'n Archdderwydd Eisteddfod Gendlaethol Cymru o 1975 tan 1978.

363 Annie Brunt.

364 Capten H. Fairfax – capten llong ryfel Brydeinig y *Volage* a ddaeth i'r Wladfa ym 1876.

365 Daeth Lewis Davies (brawd Thomas Davies a fu'n allweddol wrth sefydlu'r rheilffordd o Borth Madryn i Drelew) o Aberystwyth i'r Wladfa ar y *Mimosa*.

366 Mae'n debyg mai Thomas Harris, gŵr Elvira yw hwn.

367 'Comedor' – y gair Sbaeneg am 'ystafell fwyta'.

368 Mae'n debyg mai Jane Roberts de Jones, chwaer Elvira yw hon.

369 Thomas Harris, ei gŵr.

370 Lizzie Freeman de Roberts, mam Elvira.

371 Sephora Davies de Roberts, gwraig William John a chwaer-yng-nghyfraith i Elvira.
372 'Suegra' – y gair Sbaeneg am 'chwegr'/'mam-yng-nghyfraith'.
373 Eurig Roberts, ei brawd.
374 Priododd Nesiah Powell â Margaret, merch Benjamin Pugh Roberts a Lizzie Freeman.
375 Thoms Powell, brawd Nesiah Powell.
376 Agorwyd y 'Maesteg New Secondary School' ym mis Rhagfyr 1922.
377 Elisa Dimol de Davies, wyres Elizabeth Pritchard (a ailbriododd â Berwyn) a Thomas Pennant Evans (Twmi Dimol) a gollwyd gyda'r *Denby*. Roedd yn ferch i Arthur Llewelyn Dimol ac Elizabeth Ellen Jones (Ffriddgymen, Llanuwchllyn). Ceir rhagor o'i llythyrau yn ail gyfrol *Llythyrau'r Wladfa*.
378 James Peter Jones (1879-1961). Daeth ei rieni ag ef i'r Wladfa ar y *Vesta* pan oedd yn 7 oed o Lanllechid, Arfon. Ymsefydlodd y teulu yn y Neuadd Wen, Tir Halen. Priododd â Jane Jones, merch Catherine a David R. Jones (Llanuwchllyn). Amaethwr a bardd. Cyhoeddwyd *Bardd y Neuadd Wen*, cyfrol o'i waith, yn 2009, wedi'u casglu gan y diweddar Ieuan May Jones, Dolavon a Cathrin Williams, Porthaethwy.
379 Gweneria Davies de Quevedo, merch Elisa. (Cyhoeddir rhai o'i llythyrau hi yn ail gyfrol *Llythyrau'r Wladfa*.)
380 Esyllt Pennant Roberts de Jones, merch Anne ac Edwin Cynrig Roberts. (Ceir hanes Edwin Roberts yn gyflawn yn *Yr Hirdaith*, Elvey MacDonald.)
381 Nest Roberts de MacDonald (1877-1957), chwaer Cynrig ac Esyllt a nain Elvey MacDonald, awdur *Yr Hirdaith*.
382 Bu John Percy Wharton yn byw ym Mro Hydref yn ystod blynyddoedd cyntaf y sefydliad ar droed yr Andes. Rhoddwyd ei enw ar afon Percy yn yr ardal. Ymfudodd yn ddiweddarach i Unol Daleithiau'r Amerig.
383 Mary Jones, gwraig Dafydd Jones Ddolfawr. Ymfudodd y ddau i Batagonia gyda'u dwy ferch Mary a Jennie ym 1882.
384 Ann, merch ieuengaf Esyllt a'i gŵr Ellis Pennant Jones. Priododd â Daniel Roberts.
385 Esyllt, merch arall i Esyllt ac Ellis Pennant Jones. Priododd ag Ap Owen Roberts.
386 Ceridwen Roberts, chwaer arall i Cynrig ac Esyllt.
387 Derfel Roberts a Nest Roberts de MacDonald, brawd a chwaer Cynric ac Esyllt, a phlant ieuengaf Edwin Cynrig Roberts a'i wraig Anne.
388 Myfanwy, merch hynaf Esyllt ac Ellis Pennant Jones. Priododd ag Evan Evans.
389 Ganed JHJ (1851-1937) ym Mhentrepoeth, Traianglas, Defynnog, ym Mrycheiniog. Ym 1872 priododd â Jane Morgan ac ym 1875 aethant i'r Wladfa. Cymerodd ran gyda'i ffrind D. S. Jones yn y gwaith o agor y ffosydd. Bu'n gweithio i adeiladu'r rheilffyrdd ac yn orsaf feistr gorsaf Trelew. Fe'i penodwyd yn sgil llifogydd 1899 i fynd i Buenos Aires ar ran y Wladfa i geisio cymorth gan y Llywodraeth Genedlaethol a llwyddodd yn rhyfeddol. Bu'n gadeirydd Cyngor Trelew o 1917-1927.
390 John Owen y Fenni (1867-1960) a'i frawd, Edwin Vaughan Owen – argraffwyr a chyhoeddwyr.
391 Daeth Tywysog Cymru (Dug Windsor wedyn) ar ymweliad â'r Ariannin ym 1927 ac ym 1931. Ni ddaeth i'r Wladfa.
392 Ildiodd Edward yr Wythfed a goron ar yr 11eg o Ragfyr, 1936.
393 Cyhoeddwyd gwerslyfr R. J. Berwyn, y llyfr Cymraeg cyntaf i'w argraffu yn Ne America, ym 1878.
394 R. J. Powell (Elaig), athro cyflogedig gan y Llywodraeth. Argraffwyd ei werslyfr Cymraeg-Sbaeneg ym 1880. Boddodd yn afon Camwy.
395 James Hudson Taylor (1832-1905). Cenhadwr efengylaidd o Sais. Bu'n genhadwr yn Tseina.
396 Brychan Evans, mab hynaf Esther a Thomas Dalar Evans.
397 David Morris, efengylwr. Dywed Egryn Williams (1913-1980) yn *Atgofion o Batagonia* (gol. RBW, t. 125) am ei gyfnod fel pregethwr yn yr Andes:

Bu'r eglwysi dan ofal efengylwr o'r enw David Morris am dymor. Yn ofidus, ymrannodd y ddiadell fach, a sefydlodd un rhan ohoni, dan arweiniad y pregethwr, gapel newydd yn Nhrefelin. Nid fy mhwrpas yw crafu am achos yr ymraniad hwn sydd wedi gwanhau llawer ar y gymdeithas Gymreig yno, na brifo teimladau neb, na cheisio nodi camweddwr: yn syml cofnodaf y ffaith.

Dywed Eluned am yr helynt mewn llythyr at Nantlais, 24 Mehefin 1937 (*Tyred Drosodd*, gol. Dafydd Ifans, t. 130):

Mae wedi bod yn helynt flin i fyny yno, helynt Bedydd. Y Gelyn wedi cael cyfle i greu ymraniad, ac yn sgil hwnnw, chwerwedd ac erlid a chau drws y ddau gapel Cymraeg ar Mr.Morris, ac yntau fel yr Apostol wedi gorfod troi at y Cenhedloedd ac y mae y Lladinwyr a'r Chilenos yn derbyn yr Efengyl gyda breichiau agored ... Ofnaf fod tipyn o fai o'r ddwy ochr – gweithredu yn rhy fyrbwyll, a dim digon o ras i gydnabod hynny a chymodi mewn cariad brawdol. Perthyn Mr Morris i'r Brethren fel y gwyddoch, ac maent hwy yn bur selog dros y Bedydd drwy drochiad, ond fe wyddai ein pobl ni y pethau hyn i gyd cyn gofyn i Mr. Morris ddod atynt.

398 Y Parch. Alun Garner a'i briod a ddaeth i'r Wladfa ym 1928: 'Bu ei wasanaeth o werth amhrisiadwy ... Fe'i profodd ei hun yn bregethwr gafaelgar, yn drefnydd medrus, ac yn gyfaill y medrid ymddiried ynddo.' ('Tystiolaeth Cyngor Eglwysi'r Wladfa', *Lloffion o'r Wladfa*, RBW t. 30.)
Dywed Eluned amdano mewn llythyr at Nantlais (*Tyred Drosodd*, gol. Dafydd Ifans, t. 95): 'Bydd pum mlynedd Mr.Garner i fyny ym Medi a bydd ef yn dychwelyd i Gymru, ac nid enillwyd yr un enaid i Grist yn ystod y pum mlynedd ... '

399 John Owen y Fenni, argraffydd a chyhoeddwr. Cyhoeddodd gyfrolau Eluned, *Dringo'r Andes* (1904), *Gwymon y Môr* (1909) ac *Ar Dir a Môr* (1913).

400 Edwin Vaughan Owen, brawd John Owen y Fenni.

401 Y Parch. Ben Davies, Pant teg (1864-1937). Fe'i gwahoddwyd i'r Wladfa i bregethu a bu yno o fis Tachwedd 1923 tan fis Chwefror 1924.

402 Peter Hughes Griffiths (1871-1937), gweinidog yn Charing Cross, Llundain.

403 William Nantlais Williams (1874-1959), bardd, emynydd ac awdur i blant.

404 John Howell Jones, Trelew (gw. llythyr rhif 116).

405 Bu John Owen y Fenni yn arwain ar lwyfan yr Eisteddfod Genedlaethol yng Nghymru yn gyson rhwng 1920 a 1937.

406 Mair ap Iwan, priododd ag Arthur Roberts (1884-1955).

407 Moelona Llwyd de Drake, Tegai Roberts, Arturo Lewis Roberts, Mihangel Roberts (a fu farw'n blentyn) a Luned Vychan Roberts de González.

408 William George (1865-1967). Bu Eluned yn gohebu ag ef dros gyfnod o bron i hanner canrif. Gw. *Gyfaill Hoff*, gol. W. R. P. George.

409 Bu Nantlais (1874-1959) ac Eluned yn gohebu am gyfnod o dros ddeng mlynedd. (Gw. *Tyred Drosodd*, gol. Dafydd Ifans.) Ceir drwy'r ohebiaeth hon ddarlun o fywyd crefyddol Cymru a'r Wladfa yn ystod y cyfnod yn dilyn Diwygiad 1904.

410 Mae Nantlais yn nodi 1938 ar ben y llythyr. Mae'n rhaid mai ar ddechrau 1939 yr ysgrifennodd y llythyr gan i Eluned farw ar yr 28ain o Ragfyr, 1938 yn dilyn cyfarfod ffarwel Nantlais yn y Gaiman. Oedodd Nantlais yn y Wladfa i gymryd rhan yn ei hangladd.

411 'Nafta' – y gair Sbaeneg am 'betrol'.

412 Thomas Nichols, gŵr Elizabeth Jane (Siân), merch Thomas Dalar Evans ac Esther Willimas, Bod Eglur, rhieni Brychan Evans.

413 Yr ynganiad Cymraeg o'r gair 'asado' – sef cig wedi ei rostio.

414 Aeth Nantlais a Tom Nichols am dro at Lyn Brychan a pharatowyd asado yno. Gofynnwyd i Nantlais dorri'r cig a thorrodd ei fys wrth wneud hynny. Ysgrifennodd Nantlais englyn i'r achlysur a gyhoeddwyd yn *Y Drafod*, fis Ionawr 1939:

Dan binwydd a dau'n benwan – gan
   Y swyn, Gan asaw a'r cyfan;
   Torri bys – a'r tyrrau ban;
   Bro iachus yw lle Brychan.

[415] Ithel Arthur Berwyn a Manon Owen.

[416] Rwy'n tybio mai Jeannie Evans yw 'Sian Evans' sef Mam Nanws ac Indeg.

[417] Cafwyd sosial o dan nawdd Cymdeithas Pobl Ieuainc Gaiman, ar y 26ain o Fai, 1938 i ddymuno'n dda i William Evans a'i deulu a oedd ar fin cychwyn am Gymru.

[418] Roedd yr Eisteddfod Genedlaethol yng Nghaerdydd ym 1938.

[419] Nanws Mai Evans (1916-?) ac Indeg Evans (1918-?), Bron y Gân, merched Jeannie a William Owen Evans. Priododd Nanws ag Edward Gwylfa Jones a phriododd Indeg â Claude Rihouet.

[420] Lily Pons (1898-1976), cantores opera Ffrengig-Americanaidd a fu'n brif soprano coloratura gyda'r Metropolitan Opera yn Efrog Newydd 1931-1960.

[421] Bidu Sayão (1902-1999), cantores opera enwocaf Brasil a fu'n soprano coloratura gyda'r Metropolitan Opera yn Efrog Newydd o 1937-1952.

[422] Lilian Stiles-Allen (1896-1982), soprano o Brydain.

[423] Radio Excelsior, Buenos Aires.

[424] Cyhoeddwyd *Cymry Patagonia* gan Wasg Aberystwyth ym 1942.

[425] Prynodd Morris T. Williams a'i briod, y llenor Kate Roberts, Wasg Gee ym 1935. Bu Morris T. Williams farw ym 1946.

[426] Gorchmynnodd awdurdodau Cyngor y Gaiman gau'r hen fynwent ac ail-leoli'r beddau mewn mynwent newydd ar ben y bryn uwchben y Gaiman.

[427] Aaron Jenkins, mab Aaron Jenkins ('Merthyr Cyntaf y Wladfa') a'i ail wraig Margaret. Llofruddiwyd y tad ym 1878 (gw. llythyr 32). Ganed y mab ym 1879, felly ni welodd erioed mo'i dad.

[428] Margaret Jones.

[429] Euronwy Jenkins de Williams.

Llyfryddiaeth

Paul W. Birt, *John Daniel Evans El Baqueano*
(Llanrwst: Gwasg Carreg Gwalch, 2004)

Fernando R. Coronato, *Patagonia, 1865. Cartas de los Colonos Galeses*
(Comodoro Rivadavia: Universitaria de la Patagonia, 2000)

Aled Ll. Davies, *Y Fenter Fawr* (Canolfan Technoleg Addysg Clwyd, 1986)

Gareth A. Davies, *Tan Tro Nesaf* (Llandysul: Gwasg Gomer, 1976)

Hazel W. Davies, *Llythyrau Syr O. M. Edwards ac Elin Edwards 1887-1920*
(Llandysul: Gwasg Gomer, 1991)

John Davies, *Hanes Cymru* (Allen Lane/Penguin Books, 1990)

Lewis Evans (Meudwy), *'Adlais y Gamwy'*, Goleuad (Caernarfon, 1924)

W. R. P. George, *Gyfaill Hoff* (Llandysul: Gwasg Gomer, 1972)

Hugh Hughes (Cadfan Gwynedd), *Llawlyfr y Wladychfa Gymreig* (Lewis Jones, 1862)

W. Meloch Hughes, *Ar Lannau'r Gamwy ym Mhatagonia* (Lerpwl, 1927)

Dafydd Ifans, *Tyred Drosodd* (Gwasg Efengylaidd Cymru, 1977)

David Jenkins, *Thomas Gwynn Jones* (Dinbych: Gwasg Gee, 1973)

E. Pan Jones, *Oes a Gwaith M. D. Jones, Bala* (Y Bala: H. Evans, 1903)

Albina Jones de Zampini, *Reunión de familias en el Sur, I* (Trelew, 1995)

Albina Jones de Zampini, *Reunión de familias en el Sur, II* (Gaiman, 2001)

Valmai Jones, *Atgofion am y Wladfa* (Llandysul: Gwasg Gomer, 1985)

Lewis Jones, *Hanes y Wladva Gymreig Tiriogaeth Chubut, yn y Weriniaeth Arianin, De Amerig*
(Caernarfon: Cwmni'r Wasg Genedlaethol Gymreig, 1898)

Saunders Lewis, *Ysgrifau Dydd Mercher*
(Aberystwyth: Y Clwb Llyfrau Cymreig, 1945)

J. E. Lloyd, R. T. Jenkins, W. Ll. Davies, *Y Bywgraffiadur Cymreig Hyd 1940*
(Llundain: Anrhydeddus Gymdeithas Y Cymmrodorion, 1953)

Llythyrau a Ddaethant o'r Sefydlwyr yn y Wladva Gymreig, Gweriniaeth Arianin, Deheudir America
(Cwmni Ymfudol a Masnachol y Wladfa Gymreig Cyfyngedig, 1866)

Elvey MacDonald, *Yr Hirdaith* (Llandysul: Gwasg Gomer, 1999)

Elvey MacDonald, *Dyddiadur Mimosa* (Aberystwyth/Llanrwst:
Llyfrgell Genedlaethol Cymru/Gwasg Carreg Gwalch, 2002)

Abraham Matthews, *Hanes y Wladfa Gymreig yn Patagonia*
(Aberdâr: Mills & Evans, 1894)

Eluned Morgan, *Dringo'r Andes & Gwymon y Môr*
(Dinas Powis: Honno, 2001)

Eluned Morgan, *Ar Dir a Môr* (Y Fenni: Y Brodyr Owen, 1913)

Eluned Morgan, *Gwymon y Môr,* (Y Fenni: Y Brodyr Owen, 1909)

Eluned Morgan, *Plant yr Haul* (Caerdydd: Evans a Williams, 1915)

Geraint Dyfnallt Owen, *Crisis in Chubut* (Christopher Davies, 1977)

Gwynedd Pierce (gol.), *Triwyr Penllyn* (Caerdydd: Plaid Cymru, 1957)
Sergio Sepiurka a Jorge Miglioli, *Rocky Trip* (Rawson: Consejo Federal de
    Inversiones – Gobierno de la Provincia del Chubut, 2004)
Kenneth Skinner, *Railway in the Desert* (Beechen Green Books, 1984)
Dafydd Tudur, 'Tad y Wladfa', *Cof Cenedl XXII*, gol. Geraint Jenkins
    (Llandysul: Gwasg Gomer, 2007)
J. E. Vincent, *Letters from Wales* (London, 1889)
Susan Wilkinson, *Mimosa* (Tal-y-bont: Y Lolfa, 2007)
Cathrin Williams a May Williams de Hughes, *Er Serchog Gof*
    (Dinbych: Gwasg Gee, 1997)
R. Bryn Williams, *Atgofion o Batagonia* (Llandysul: Gwasg Gomer, 1980)
R. Bryn Williams, *Awen Ariannin* (Llandybïe: Llyfrau'r Dryw, 1960)
R. Bryn Williams, *Bandit yr Andes* (Caerdydd: Hughes a'i Fab, 1951)
R. Bryn Williams, *Croesi'r Paith* (Llandybïe: Llyfrau'r Dryw, 1958)
R. Bryn Williams, *Cymry Patagonia* (Gwasg Aberystwyth, 1942)
R. Bryn Williams, *Crwydro Patagonia* (Llandybïe: Llyfrau'r Dryw, 1960)
R. Bryn Williams, *Lloffion o'r Wladfa* (Dinbych: Llyfrau Pawb, 1944)
R. Bryn Williams, *Eluned Morgan*
    (Aberystwyth: Y Clwb Llyfrau Cymreig, 1948)
R. Bryn Williams, *Y Wladfa* (Caerdydd: Gwasg Prifysgol Cymru, 1962)
R. Bryn Williams, *Rhyddiaith y Wladfa* (Dinbych: Gwasg Gee, 1949)
Glyn Williams, *The Desert and the Dream: A Study of Welsh Colonization
    in Chubut, 1935-1915* (Caerdydd: Gwasg Prifysgol Cymru, 1975)

Newyddiaduron
Y Drafod
Y Celt
Yr Herald Gymraeg
Y Cenhadwr Americanaidd
Y Drych a'r Gwyliedydd
Baner ac Amserau Cymru
Cymru
Y Faner Newydd
Llafar Gwlad
Barn
Y Traethodydd
Heddyw